AMERICAN MARXISM

アメリカを蝕《むしば》む共産主義の正体

MARK R. LEVIN

マーク・R・レヴィン
山田美明訳

徳間書店

アメリカを蝕む共産主義の正体

AMERICAN MARXISM

CONTENTS 目次

アメリカを蝕む共産主義の正体

第1章

反革命の到来

It's Here

アメリカ独立革命に対する反革命の大波が押し寄せている。それはもはや、追い払うことも無視することもできない。アメリカ社会や文化を飲み込み、日常生活の周囲に渦巻き、政治や学校、メディア、娯楽の場に蔓延《まんえん》しているからだ。かつてはほとんど語られることのなかった傍流の地下運動が、いまや公然と、どこにでも姿を現している。そのなかに私たちやその子ども、孫をも巻き込み、かつてない偉大な国家を、自由や家族、安全もろとも破壊しようとしている。アメリカ独立革命とこの反革命との主な違いとは言うまでもなく、前者がアメリカの社会を守り、代議政治を確立しようとしたのに対し、後者はアメリカの社会を破壊し、専制支配を押しつけようとしている点にある。

私が言うこの反革命の運動とは、マルクス主義（共産主義）である。私はすでに、『Ameritopia（アメリカのユートピア）』と『Rediscovering Americanism and the Tyranny of Progressivism（アメリカ主義の再発見と進歩主義*の圧制）』という著書を通じてマルクス主義・共産主義を詳細に論じており、ラジオやテレビの番組でも定期的に取り上げてきた。そのほかにも、マルクス主義・共産主義について述べた本は無数にある。そのため、そこへさらに長い論文を追加するのが本書の目的ではなく、本書のテーマや制約を考えてもそれはありえない。それでも、マルクス主義の「中心」的な教義をアメリカの社会や文化に応用・適用する試み（私はこれを「アメリカの」マルクス主義と呼ぶ）については、これを黙って見ているわけにはいかない。さもないとこの国は、現代的なマルクス主義運動に覆い尽くされてしまう。

＊現在の不合理を改善し、新しく、より優れたものを追求する思想。

間違いなくいまの事態はそれほど切迫している。

　アメリカには、「進歩主義者」や「民主社会主義者」「社会活動家」「地域社会活動家」などという言葉を隠れみのにしているマルクス主義者が大勢いる。というのは、いまだ大半のアメリカ人は、マルクス主義という名称に公然たる敵意を抱いているからだ。こうしたマルクス主義者は、「ブラック・ライブズ・マター（BLM）」や「アンティファ（ANTFA）*」、「スクワッド**」など、新たに生まれた無数の組織名や運動名のもとで活動を行ない、「経済的正義」や「環境正義」「人種的平等」「ジェンダーの平等」などの推進を訴えている。そして、マルクス主義の構成概念に関連あるいは合致する新たな理論（「批判的人権理論」など）や表現、用語をつくりあげ、「支配的な文化」や資本主義制度は不当で不公正であり、人種差別的で性差別的であり、植民地主義的で帝国主義的であり、物質主義的で環境破壊的だと主張している。言うまでもなくその目的は、さまざまな理由をつけてこの国をけなして引っかきまわし、国民の自信や気力を奪い、この国の制度や伝統、習慣に対する市民の信頼を損ない、次から次へと災厄を生み出し、この国を内側から弱体化させ、最終的には、いまあるアメリカの共和制や資本主義を破壊することにある。

　しかしながら、公然とマルクス主義者を名乗る教授や活動家を含め、こうした反革命の指導者たちがますます厚かましく、遠慮なくものを言うようになり、ゾンビのように増える「ウォーク***」な信奉者に支持されているという事態は間違いであり、そのような間違いがあってはな

＊ファシズムに積極的に反対する人々やその運動。
＊＊民主党左派の若手下院議員九名から成るグループ。
＊＊＊社会的な不正義や差別に対する意識が高いことを意味する。

らない。彼らが自分たちやその活動を何と呼んでいるにせよ、彼らの信念や発言、政治理念は本質的に、マルクス主義の中核的理念と共通している。そんな人たちが、大学や研究機関、ニュース編集室、ソーシャルメディア、企業幹部の会議室、娯楽の場を占拠しているうえに、その思想が民主党や大統領執務室、連邦議会の議場を支配している。その影響は、それをはっきり意識している人々にもまるで意識していない人々にも見られ、ニュース報道や映画、テレビ番組、コマーシャル、出版物、スポーツはおろか、アメリカの公教育制度全体に広がる教員研修や教育課程にも見て取れる。これらマルクス主義者は、プロパガンダや洗脳という手段を駆使して、素直に盲従することを要求し、「キャンセル・カルチャー」[*]などの抑圧的な戦術を通じて、反対意見を封じ込める。この戦術は、対象者の評判や経歴をおとしめ、ソーシャルメディア上の愛国的な反対意見を検閲・削除し（ドナルド・トランプ元大統領さえその犠牲になった）、高等教育における学問の自由や知的交流を攻撃する。実際、彼らは文化のあらゆる側面に狙いを定めている。その例を挙げれば、歴史的記念物（エイブラハム・リンカーンやジョージ・ワシントン、奴隷制廃止論者のフレデリック・ダグラス、南北戦争時に黒人で組織された北軍の第五四マサチューセッツ歩兵連隊の記念碑など）やマーク・トウェイン、ウィリアム・シェイクスピア、ミスター・ポテトヘッド、ドクター・スース、ディズニーのアニメなどきりがない。五六種もの性自認に問題なく対応できるように、代名詞の使用が禁止され[**]、限定的でない言葉がそれに置き換えられる。最近になって支配的になったマルクス主義に以前から忠誠

＊ソーシャルメディアなどを通じて、社会的に不適切な人間を追放する文化。
＊＊『father（父）』や『mother（母）』は『parent（親）』に、『brother（兄弟）』や『sister（姉妹）』は『sibling（きょうだい）』に置き換えられるなど。

を尽くしていたかどうかを調べるため、ソーシャルメディアへの過去の投稿が詳細に吟味《ぎんみ》される。こうしてマルクス主義に沿わない人間は、報道や社説面から排除される。

だが、「労働者の楽園」を目的とするマルクス主義のせいで数千万もの命が奪われ、さらに数十億人が貧困や奴隷状態に苦しんできたのは、歴史や現代社会が示しているとおりである。実際のところ、マルクスの主張はほとんどの点で間違っている。産業革命は、資本主義制度の転覆をがむしゃらに推進するプロレタリアート革命家ではなく、世界史上に類例がないほど多くの中流階級を生み出した。民主党の政治家やその支持者たちがいくら階級闘争的な言辞を弄《ろう》しようと、資本主義はテクノロジーなどの進歩を通じて、ほかのどんな経済制度よりも多くの人々（あらゆる職業や地位の人々）に、想像を絶する比類のない富をもたらした。

労働だけが価値を生み出すというマルクスの主張も間違っている。それが正しいのなら、第*三世界はもはや第三世界ではなく、もっと繁栄しているはずだ。労働時間を増やしても、富が生まれたり増えたりするとは限らない。労働はもちろん、経済的価値や生産においてきわめて重要な役割を担っているが、資本投資や起業家精神、思慮深いリスク負担、賢明な管理などがなければ、事業は失敗する（これはほかの多くのことにもあてはまる）。どんな実業家も言うように、事業を成功させるにはさまざまな判断が必要だ。それに、労働者がみな同じわけではない。同じ職場にいても、得意分野や経歴、取り組み方はさまざまだ。事業内容によって必要とされる属性が異なる場合もある。それを「プロレタリアート」という一語にまとめてしまう

＊西側諸国にも東側諸国にも属さない国々。

のには無理がある。

さらに言えば、労働だけが製品やサービスの価値を決めるわけではない。労働がそれに貢献していることは言うまでもない。だが、消費者も重要な役割を担っている。消費者は需要を生み出す。企業や労働者は、その需要に応じて供給を行なう。要するに、資本主義は「大衆」の欲求やニーズに応える。また、マルクスが言うように、利益の追求により労働者が搾取《さくしゅ》されるわけではない。事実はその反対だ。利益の追求により、労働者の給与や諸手当、仕事の機会を増やし、安全性を高めることが可能になる。

アメリカが当初経済的に成功できたのは、帝国主義や植民地主義のせいではない。アメリカがほかの国から資源を略奪したという非難は間違っているが、それらの国がたとえ資源の宝庫だったとしても、それだけでは裕福になれない。自由や資本主義から生まれたアメリカのノウハウや創意工夫の知恵が、社会や経済に進歩や発展をもたらしたのである。

それなら、マルクス主義の魅力とは何なのか？　アメリカのマルクス主義は、ユートピア主義が持つ魅力的な言葉を改変している。私はそれを、『アメリカのユートピア』のなかで以下のように論じた。それは「望ましく、実現可能で、天国的でさえある政治イデオロギーのふりをした圧制である。そこには（中略）ユートピア的な要素が無限にある。人間の心は無限の夢想が可能だからだ。しかしそこには共通のテーマがある。夢想が、壮大な社会計画や社会実験の形式をとっているのだ。その計画や実験は、非現実的で実現不可能であるがために、大なり小なり個人の服従へとつながる」（注1）。

ジョー・バイデン大統領や民主党が推進する経済的・文化的政策には、こうしたイデオロギーや思想から生まれたものが無数にある。階級闘争的なプロパガンダに彩られた莫大な赤字支出や没収的な課税、大小さまざまな規制、あるいは、歴史的・文化的不正義を終わらせるためと称するおびただしい数の大統領行政命令などである。

民主党が、超法規的な施策などさまざまな手段を通じて国民に対する絶対的な一党支配を求めている点についても、同じことが言える。というのもマルクス主義は、思想間の競争や政党間の競争を認めていないからだ。その一例が、数十年にわたる民主党支配を確立するための投票制度の変更である。その目的は、共和党などの政敵を撲滅し、事実上熟慮も異論もなく国にありとあらゆる法令を課せるよう上院のフィリバスター＊制度を廃止し、同じイデオロギーを信奉する判事で最高裁を埋め尽くして三権分立や司法の独立をないがしろにし、国民を確実に支配できるよう上院に民主党の議席を増やし、数百億ドルもの公金を使って民主党の中核的な支持基盤（労働組合や政治活動家など）を助成・強化し、民主党の投票基盤を著しく増加させるために不法な移住を大幅に推進して国の人口構成を変更することにある。これらの行為や計画こそが、権力欲の強い専制的なイデオロギー運動が存在する証拠である。この運動は、伝統的な政治的礼節を拒否し、反論を永久に封じ込め、唯一の政治権力・政府権力になろうとする。

これは、大統領選に立候補して勝利したドナルド・トランプやその数千万もの支持者に対す

＊アメリカの上院では、議員が会期終了まで延々と演説を続け、議案を廃案に追い込む手法が認められている。

る絶え間ない執拗な攻撃について、その真の動機がどこにあったのかを明らかにしている。民主党は、メディアや学界、巨大な官僚機構のなかにいるその代理人と結託して、トランプ大統領の信用をおとしめてその活動を損ない、中傷、陰謀論、犯罪捜査、議会調査、弾劾、クーデター未遂など、この国がこれまで経験したことのないような猛攻を繰り返して大統領を個人的に攻撃した。この統一のとれた絶え間ない猛烈な電撃戦は、元大統領だけでなく、その支持者たる有権者にも向けられた。その目的は、政敵の屋台骨を砕いてその威勢をくじき、権力や統治への障害を取り除くことにある。実際、民主党はもはや私人となったトランプにも追及の手を緩めず、公選された民主党支持の役職者（積極的な支持者であるマンハッタンの地方検事など）を通じて、トランプの納税申告書を入手している。

民主党が政敵の非合法化・排除を目指す運動を推進している証拠は、バイデンが軽はずみに述べた人種にまつわる言動にも見られる。バイデンは、黒人市民の投票を妨害する差別的な選挙法を制定したとして、ジョージア州の共和党議員を非難しているが、これはマイノリティに共和党への反感を抱かせるための下劣な嘘である。民主党が人種を武器に利用するのは、いまに始まったことではない。民主党には、奴隷制や人種間の分離を支持していた歴史があり、バイデン自身、上院議員になった当初は人種の統合に積極的かつ声高《こわだか》に反対していた。それでも、それを政治的なツールとしてとんでもない形で復活させるのを見ると、驚かずにはいられない。

二〇二〇年夏と二〇二一年春には激しい暴動が発生し、数カ月にわたり複数の都市で略奪や放火が繰り広げられ、場所によっては市民が命を落とす事態に発展した。これらの暴動では、アンティファやBLMが重要な組織的役割を果たしていた。それなのに民主党の指導層は、警察を「全体的に人種差別的」だと幅広く非難するなど、無政府主義*・マルクス主義的な組織や暴徒の言辞や主張を繰り返し、暴力を否定しないばかりか、信じられないことに暴徒を「大部分は平和的」だと述べ、警察予算を打ちきれというその要求（のちに警察予算の削減に変更された）を正当だと主張した。それだけではない。二〇二〇年の夏にはBLMの共同創設者が、「トランプをいますぐ追い払うことが目標だ」と述べている（注2）。また、民主党が支配している都市には、この組織の名称を冠した道路もある。さらに、バイデンを支持する無数の運動員が、逮捕・収監された人々を解放する保釈金のための基金に寄付をしている（注3）。こうして見ると明らかに、民主党やバイデンの運動は、政治的な利益や目的において暴徒と重なるところ、共通するところがある。

民主党は憲法の壁を乗り越え、法令や伝統や習慣を回避あるいは排除し、階級闘争というマルクスの言葉を採用し、何よりも公然とマルクス主義を信奉する組織やイデオロギー運動と手を結ぶことで、力を手に入れようとしている。また、政治的な目的を達成して政治的権限を手に入れるために、政府の諸機関を利用している。つまり、民主党の利益が国の利益より優先され、党への忠誠が国への忠誠より重要視されている。民主党が持つこれらの特徴は、世界中の専制的な共産主義政党に共通して見られる。

＊国家・政府などの権力を否定し、完全な人間の自由をめざす思想。

マルクス主義は、抑圧する者と抑圧される者との階級闘争という概念に魅力を感じる人々の心をとらえ、そのような人々に積極的に支持されている。それに魅力を感じる理由としてはまず、人間は民族、人種、宗教、経済など、なんらかのグループに属したがる傾向がある点が挙げられる。人間はそのような結びつきを通じて、自分のアイデンティティや共通点、目的、あるいは自尊心さえ見出す。私が思うに、これこそが、マルクスの理論のなかでもっとも力強い要素なのではないだろうか？　マルクスは、人間が本能的に抱く欲求、人間の心が抱く感情的な欲求の力を利用して、情熱的で狂信的でさえある追随者や革命論者を生み出している。これもまた、アメリカのマルクス主義や民主党の特徴である。

ここから、階級闘争に魅力を感じる第二のポイントが導き出せる。この階級闘争の概念のなかで、マルクス共産主義の追随者や支持者になろうとする人々は、自分自身や自分が一体感を抱くグループを、抑圧されている存在と見なすよう奨励される。つまり、自分たちを犠牲者だと見なす。そして、既存の社会、文化、経済制度のなかにいる抑圧者たちから、自分やその仲間（自分が一体感を抱いたり、同じグループの一員だったりする犠牲者たち）を解放しなければならないと考える。マルクス主義が、個人主義よりも階級主義を強調する主たる理由がここにある。個人は人間性を奪われ、抑圧された犠牲者グループと一体化できなければ意味を持たない。対立するグループや同じ信念を持たないグループを構成する個人は、まとめて人間性を奪われ、非難され、敵として嫌悪される。これもまた、アメリカの民主党の特徴である。

言うまでもなくこのような定式化は、不平や不満を抱く人々、幻滅した人々にはことのほか魅力的に見える。このような人々から見れば、個人の自由や資本主義は、自分の欠点や短所、開かれた社会で何の役割も果たせない自分の至らなさを暴露するものでしかない。マルクス主義は、そんな人々が現実の苦境あるいは自分がそう思い込んでいるだけの苦境に対して自ら責任を負うのではなく、自分の限界や弱さを「制度」や「抑圧者」のせいにする理論的・制度的枠組みを提供してくれる。以下にもう一度、『アメリカのユートピア』に記した言葉を引用しよう。こうした人々は「ユートピアへの変革という偽りの希望や約束、あるいは、一時的にさえつながりを持てない既存の社会への批判に魅了される。こうして、不満を抱く人々の運命の改善が、ユートピア的な運動と結びつけられる」（注4）。そのなかには、扇動者やプロパガンダ機関の人心操作や、急進的な変革の魅力に屈しやすい人々が大勢いる。

ここで重要なのは、ある個人が抑圧された犠牲者の階級に一体感を抱くにせよ、その一員になるにせよ、それは自己決定や自己実現の問題だということだ。つまり、そこに絶対的なルールは存在しない。そのうえ、こうした人々やグループは、自分たちを抑圧している者が何であり誰であるのかを自由に決められる。そのため、マルクスやその現代の支持者たちは最終的に、既存の社会や文化に怒りの矛先を向け、人生に意味を持たせるためにはそれらを打倒し、新たにつくられた平等主義的な楽園で人生をもう一度やり直さなければならないと考える。

その結果、既存の社会で成功し、それに満足して幸せな生活を送っている人々が闘争の標的になる。彼らは抑圧者か抑圧者グループの一員であり、それゆえに現状を支持し、維持しようとしているからだ。さらに、既存の社会を容認し、抑圧されている者の主張や要求を支持あるいは黙認しようとしない人々も、有害かつ破壊的な圧力や行為にさらされる。つまり私たちは、解放や変革を求める正義の革命の一員か、そうでないかのどちらかなのだ。すると、抑圧されていると主張する者が実際には抑圧者となり、少数派のごくわずかな訴えであるにもかかわらず、社会や文化全体にかなりの力を行使することになる。そして、支配や革命への欲求が高まり、それを絶えず満たしていかなければならなくなるにつれて、ますます好戦的・暴力的になり、さらに要求を高めていく。

これは部分的にではあるが、企業経営者やプロスポーツ選手、放送事業者、アーティスト、俳優、作家、ジャーナリストなどが臆病になる理由を明らかにしている。彼らは階級闘争にかかわる騒動に直面すると圧力に屈し、さまざまな形態の妥協や降伏を通じて暴徒の注目を避け、場合によっては自身のうみさえ取り除いて生まれ変わろうとする。企業の場合には、役員や管理者、人員を革命に賛同・共感する人々で満たそうとする。名門大学のエリートなどイデオロギーを吹き込まれた大学生や教職員組合の関係者、ますます急進化する民主党の党員や支持者、シンパなどである。企業経営者は当然、資本主義よりも国家統制や政府や経済の中央集権化に賛同し、ＢＬＭなどの急進的組織を支持する。それもこれも、政権や官僚の専制君主たちの機嫌をとり、手を組んで競争相手を倒し、自社の経済的地位を向上させるためである。

ペパーダイン大学の公共政策学教授テッド・マカリスターは、説得力豊かに、現代の支配階級やエリートはこの国を軽蔑していると主張している。たとえば二〇二一年には、「だから悪いエリートはいつも」と題する論文のなかでこう述べている。

現代のアメリカのエリートは、その性質、目標、野心、生活様式、権力を行使する方法において、一九八〇年代のアメリカのエリートとはまったく違う。現代の深遠な事実を言えば、アメリカには間違ったエリートがいる。そのスキル、価値観、目標、嗜好《しこう》、知識の種類において、わが国が受け継いできた文化や多様な国民に敵対する、偽りのエリートである。この一、二世代の間に現れた新たなエリートは、自分の権力を維持すること以外に一切関心を示さないらしい。歴史的な知識や展望に欠け、それを変革の力で補っている。新興テクノロジーにより可能になった力に酔いしれ、祖国から離れたグローバリズム的な視点からでなければ魅力的には見えない展望に触発され、創造的破壊を文化にも適用すべきだと考える。

このエリートは、自分たちは実力主義の争いに勝利したのだと思い込み、その勝利のゆえに、この受け継がれてきた世界のどこにも保護する価値のあるものはないと考える。その日増しに発展する力が持つ特性により、グローバルなキャンバスに描かれた思春期の絵画のような心性を備えている一方で、その欲望に従ってあらゆるものをつくり変えようとする試みを抑制する重しとなるはずの経験や歴史を持ち合わせていない。彼らにとっては、権力の合理化こそが創造の鍵である。その新たな創造を阻む障害とは本来、圧制を防止するためのものなのだが、彼らから見ればそれは、変革へと向こう見ずに突き進むのを妨げる制約、不必要な摩擦でしかない。

この新たなエリートには、たとえば言論の自由の価値がわからない。彼らにとって言論の自由とは、目標達成を遅らせる摩擦や抵抗に過ぎないからだ。そのため、いまは寛容な言論の自由により認められているヘイトスピーチの排除を目指し、それこそが非難の余地のない善だと考えている。* わずか半世代のうちに、数世紀にわたる成果が抹消され、圧制のレバーが引かれている（注5）。

実際のところ、これほど適切に現代のエリートを表現した言葉はない。

残念ながら国民のなかには、マルクス主義を志向する革命などアメリカでは起こりえないという偽りの安心感を抱いている人があまりに多すぎる。そんな人たちは、こう考えている。自分たちが目にしているのは、これまで繰り返されてきたいつものリベラル運動だ。それはアメリカの社会や文化の発展に貢献しているため、その運動を認め、消極的にでも支援していく価値がある、と。

だがこうした人々はみな、マルクス主義者が利用する「役に立つ愚か者」でしかない。つま

＊アメリカではほとんどの自由民主主義国とは違い、言論の自由という見地からヘイトスピーチが規制されていない。

り、圧制の不吉な雲に覆われても真剣に考えることも行動を起こすこともなく、それどころか自身の終焉や国の崩壊に手を貸している個人や組織である。

マルクス主義は、多くの人々にこっそり忍び寄る。そのため、個人的にはまだ危険を感じておらず、少なくともいまのところは、苦痛や弊害を受けていないという人もいるだろう。また、毎日の生活に忙しく、身のまわりで起きていることに気づかない人もいれば、これらの脅威を、はっきりしない出来事、遠く離れた場所での出来事、一時的な出来事と片づけてしまう人もいる。アメリカという国がマルクス主義の影響や支配に屈することなどありえないと思い込んでいる人も多い。

つまり本書の目的は、この国や自由、家族を愛する数百万もの愛国的なアメリカ人に、マルクス主義がこの国全体に影響力を急速に広げつつある「現実」を「自覚」させることにある。わが国で起きていることは、一時的な流行でもなければ、つかの間の出来事でもない。アメリカのマルクス主義は、いまここに存在し、広く浸透している。さまざまな要素が入り交じっては連動する無数の運動が、この社会や文化を破壊し、私たちが知っているこの国をなきものにする積極的な活動を展開している。この運動を構成する個人や組織の多くは、大半のアメリカ人に知られていないか、気づかれないような形で活動している。そのため本書では、それらの代表的な事例（そのなかにはなじみのある個人や組織もあれば、そうでない個人や組織もある）を紹介し、その著作や思想、活動の具体例を示し、そうした個人や組織に関する知識や情報を提供する。もちろん、全編にわたり私の解説や分析も提示する。また、この国が逆コースへ地滑りしていくのを防ぐための戦術的な行動についても、いくつか提案したい。本書は結果的に、私の数ある著書のなかでいちばん長いものになったが、このテーマについて言うべきことはまだたくさんある。いずれは第二巻を執筆するつもりだ。

アメリカのマルクス主義は過去数年の間に、その目標に向かって大いに発展してきたが、この運動を打倒しなければならない。それは困難を伴う厳しい闘いになるだろうが、この闘いに勝利するにはまず、その存在を認め、それがどういう存在であるかを知り、現在の切迫した状況に気づく必要がある。そして、かつては分裂して意見を闘わせていたが、アメリカには守るべき価値があるという信念では一致している非暴力的な社会的・文化的・政治的党派や勢力を、いますぐその信念のもとに結集させ、統一した愛国戦線を生み出す必要がある。かつて建国の父たちが、世界一の威勢を誇る大英帝国に立ち向かい、みごと打倒したように、私たちもこの難題に立ち向かわなければならない。確かに現代の脅威は、さまざまな点において以前よりもわかりにくい。現代の脅威は、大半の制度のなかに入り込み、内側から害を及ぼしているため、それに対する取り組みも複雑で困難なものになるだろう。それでも私は、ここで私たちが勝利しなければ、私たちが知っているアメリカは永久に失われると信じて疑わない。

私は以前出版した著書『Liberty and Tyranny（自由と圧制）』の最後に、将来を予見するロナルド・レーガン大統領の不吉な言葉を紹介したが、それからわずか一二年しかたっていないのにかつてないほどの危険が差し迫っているいまこそ、この言葉に注目せずにはいられない。

「自由は、わずか一世代で絶滅する。私たちは自由を、血流に乗せて子どもたちに伝えるわけではない。自由を伝えるためには、自由のために闘い、自由を守り、自由を子どもたちに手渡していかなければならない。さもなければいつか私たちは、自分の子どもやその子どもたちに、かつての自由なアメリカがどんなものだったかを語りながら晩年を過ごすことになるだろう」（注６）

アメリカの愛国者よ、団結せよ！

第2章

育成される暴徒

Breeding Mobs

まだアンティファが広く知られておらず、ブラック・ライブズ・マター（BLM）が組織されてもいない一〇年近く前、私は著書『アメリカのユートピア』のなかで、ユートピア主義という視点から大衆運動を論じた。ユートピア主義は、共産主義やファシズム、あるいはそのほかの専制的な国家体制など、どんな形態をとろうが、多くの国民を魅了する。というのはこれらの体制が、楽園のような未来や完璧な人間社会を生み出せるという壮大な主張を中心に置いているからだ。そのためには、既存の社会や文化を根本的に変革するか完全に排除し、個人がその理念のために多少の権利や自由意志、安全を放棄しさえすればいい。それが大衆運動の本質である。

さらに、大衆運動は二つの方法で個人から個性を奪い取ろうとする。第一に、個人のアイデンティティや独自性をはぎ取り、個人を「大衆」と区別できなくする。第二に、その一方で、人種や年齢、収入などに基づいた集団アイデンティティを割り当て、階級による区別をつける。「このように［扇動家やプロパガンダ機関は］、『人民』全体の幸福を説きつつ、人民を対立するグループに分割することで、既存の社会や支配を打倒して新たな社会や支配を打ち立てるために必要な方向へ人民を扇動できるようにしている」（注1）

では、そんな大衆運動にどんな人が惹《ひ》きつけられるのか？　もう一度、前著を引用しよう。「受け入れやすい聴衆というのは、社会に幻滅している者、不満や不平を抱いている者、社会に適応できない者のなかにいる。こうした人々は、その社会の現状あるいは自分がそう思い込んでいるだけの現状に対して自ら責任を負う意思も能力もなく、それを環境や『制度』などのせいにする。そのため、ユートピアへの変革という偽りの希望や約束、あるいは、一時的にさえつながりを持てない既存の社会への批判に魅了される。こうして、不満を抱く人々の運命の改善が、ユートピア的な運動と結びつけられる。そして、成功した者や社会に適応している者をおとしめ、糾弾することが必須の戦術になる。彼らが社会に成した貢献にいかなる利点や価値があろうと、人民の間に優劣があってはならないのである。このように人間の弱さ、不満、嫉妬、不平等を利用して、不満を抱く人々のあてどない不幸な生活のなかに、意義や自尊心が生み出される」（注2）

また大衆運動では、「個人は一人の人間として重要なのではなく、重要ではない部分の寄せ集めのなかの重要ではない部分としてのみ有益とされる。個人は集団の一部を成す構成員であって、それ以上でも以下でもない。その存在には魂がなく、絶対的な服従が最高の美徳とされる。つまるところ、ハチの大群のような存在だけが、楽園への懸け橋を築くことができる」（注3）

およそ一世紀前、フランスの哲学者・評論家のジュリアン・バンダは、大衆運動は同種の政治的憎悪を共有する人々を中心に形成される場合が多いと考え、こう述べている。「通信の発展、あるいはそれ以上に集団精神のおかげで、現代では同種の政治的憎悪を抱く人々が、緊密な熱狂的集団を形成している。それを構成する個人は、自分が無限の他者とつながっている感

覚を抱いている。一世紀前には、そのような人々はあまりつながり合うことができず、『ばら
ばら』に憎悪を抱いていたものだ。（中略）こうした団結は、これからさらに発展していくと
思われる。というのは、集団への意志は、現代世界の重大な特徴の一つだからだ。現代世界は、
まったく思いも寄らない領域（たとえば思想の領域など）でさえ次第に、同盟の世界、『連合』
の世界、『集団』の世界になりつつある。同じような情熱を抱く無数の人々のそばにいるとい
う感覚があれば、個人の情熱は言うまでもなく強化される。（中略）その結果個人は、自分が
その一員だと思う組織に神秘的な人格を付与し、宗教に近い愛情を抱く。それはいわば、自分
の情熱の神格化に過ぎないが、これによりその情熱はさらに刺激される」（注4）

バンダはさらに、こうした運動はカルトのようなものになる場合が多いと述べ、こう続けて
いる。「いま述べたような団結は、うわべだけの団結と言えるかもしれないが、そこに本質的
な団結がつけ加えられる。同じ政治的情熱を抱く人々がより緊密な熱狂的集団を形成するのと
同じ理由により、彼らはまた、より『同質』的な構成員による熱狂的集団を形成する。そのな
かでは個人それぞれの感情がなくなり、各構成員の熱意は、次第にほかの構成員と同じ色を帯
びるようになる」（注5）

現代のアンティファ運動はそのとおり、黒い服を着て黒い布で顔を覆うという、一様な姿を
して区別ができない「兵士」たちにより展開されている。その一人ひとりのアイデンティティ
や名前はわからないが、それぞれが共産主義や無政府主義のイデオロギーを吹き込まれ、暴力

を振るう訓練を受け、それを「一つの思想」と呼んでいる。だが、それは明らかに一つの思想どころではない。怒れる狂信者たちによる危険で残忍な運動だ（注６）。

ＢＬＭもやはり、マルクス主義（共産主義）・無政府主義の運動である。自分たちは、ブラック・パワー運動、あるいは黒人解放運動だと主張しているが、実際のところその目標とするところは、人種をはるかに超え、既存の社会の破壊にまで及んでいる（注７）。

もちろんこれらの運動は、あらゆる大衆運動と同じように、競合・対立する思想や意見を容認することができない。集団思考や服従を要求する。私たちはすでに、それが正統とされ、私たちの文化全体に広まるのを目《ま》のあたりにしている。たとえば、ＢＬＭの使命に対して反対意見や異なる意見、疑問や異議を唱えようとする者は、攻撃され、辱《はずかし》めを受け、締め出され、脅迫されるなどの扱いを受ける。現代の社会には、個人主義や非同調主義に対するこうした攻撃が蔓延《まんえん》しているため、それを示す新たな表現まで生まれている。「キャンセル・カルチャー」という言葉がそれだ。これはいまに始まったことではないが、以前よりはるかに広く行き渡り、公然と行なわれ、さらに力を増している。

もう一度、一〇年近く前に書いた前著から引用しよう。これらの大衆運動は「多様性や独自性、討論などを受け入れない。その目的が、一点に集中することを求めているからだ。競合する意見や理念により、正義を求める長い社会の歩みを遅滞させてはならない。そのため彼らは、欺瞞《ぎまん》やプロパガンダ、従属、脅迫、力に頼る。自由な表現や意見の相違を示す手段がないため、この運動の悪影響がひどくなり、その非現実性が明らかになると、より攻撃的になって暴力に訴える。こうして暴力が、個人の主要な手段となり、国家の主要な対応となる。そして最終的にそこから脱出するには、国家を終わらせるしかなくなる」(注8)

このように大衆運動は、主に教唆《きょうさ》と洗脳に頼っている。運動に参加する動機を与え、運動を燃え立たせているのは、「熱狂的な知識階級、すなわちユートピア的な幻想の発展・拡散に従事している『専門家』たちだ。(中略) このような人々は、その設計図の実現不可能性や結果に対する責任を免れている。なぜなら、まず公人ではないからだ。その代わりに彼らは、公人に影響力を行使する。こうして何の説明責任も負わないまま法律を制定するのである」(注9)

では、こうした「専門家」はどこにいるのか? のちに述べるように、主に大学に終身在職権を持つ教授のなかにいる。その知的・感情的な方向性は、少なくとも重要な部分においては、ジャン＝ジャック・ルソーやゲオルク・ヴィルヘルム・フリードリヒ・ヘーゲル、そして言うまでもなくカール・マルクスのイデオロギーとほぼ一致している。

ルソーもヘーゲルもマルクスも、それぞれ形は異なるが、一般意志や公共の利益、急進的な平等主義に基づく大義に個人を服従させることに賛同している。つまり、「集団」への服従である。論理や理性、経験が示すように、これは言うまでもなく、全体主義的な運動や体制の基盤となる一要素である。この考え方によれば、国家が独裁的・専制的になり、言論や移動はおろか、思想さえ可能なかぎり統制するようになるにつれ、民衆や人民が解放され、その意志が祝福され、永続化されることになるという。

アンティファやＢＬＭ、あるいはそれらと同じような反米運動の哲学的基盤をよく理解するために、この文脈のなかでルソーとヘーゲル、マルクスの思想を概観してみよう。まず、ルソーはこう説いている。「人間には二種類の不平等があると考えられる。一つは、自然的・物理的な不平等である。これは、自然により定められたものであり、年齢や健康状態、体力、精神や魂の質の違いに現れる。もう一つは、道徳的あるいは政治的な不平等である。これは、何らかの因習によるものであり、人間の同意により定められるか、少なくともその権限を与えられる。後者のタイプの不平等は、誰かが他者を犠牲にすることで手に入れたさまざまな特権に現れる。その特権とは、財産、尊敬、権力、服従させる立場などである」（注10）

ルソーはさらにこう述べる。「（支配体制の歴史における）不平等の進展をたどれば、第一段階で法や所有権が確立され、第二段階で法の執行を職務とする文官の制度が導入され、最後の第三段階で合法的な権力が恣意的な権力に姿を変える。こうして、第一段階の時期に富者と貧者の条件が正当化され、第二段階の時期に強者と弱者の条件が正当化され、第三段階の時期に主人と奴隷の条件が正当化される。こうして不平等が最高のレベルに至り、ほかのあらゆる状態が最終的に限界に達すると、新たな革命が起こり、完全に政府を解体するか、公正な制度により近づくことになる」（注11）

では、理論的な概念を超えて、その「公正な制度」がいつ達成されるのかをどのように知ればいいのか？　ルソーはそれに答えていない。

一方ヘーゲルは、個人は国家を通じて自己実現（自由、幸福、達成）を見出すという。だがそれは、ただの国家ではない。国家は時間とともに進化し、最終的には十分に発展した国家、すなわち「最終目的」に到達する。そのような国家で個人は、普遍化された集合的な統一体の一部になる。最終目的に先立つものに意味はない。ここでも個人は、自己実現および集団の利益のために、国家に従属することになる。

このとき、「完成された現実性としての国家は、倫理的な統一体であり、自由の実現である。理性の絶対的な目的は、自由を実現することにある。国家は精神であり、その精神はこの世界に留まり、そこで意識的に自己を実現する。（中略）それは、意識のなかに存在し、既存の客体として自己を認識する場合にのみ、国家となる。自由を考える際には、個性や個人の自己意識からではなく、自己意識の本質から出発しなければならない。人間が気づいているかどうかにかかわりなく、この本質は独立した力として自己を実現する。そのなかでは、特定の人間は位相に過ぎない。国家は、この世界における神の歩みであり、その基盤や根拠となるのもまた、自己を実現する理性の力である」（注12）

では、理論的な概念を超えて、その「最終目的」にいつ到達するのかをどのように知ればいいのか？　ヘーゲルはそれに答えていない。

またマルクスは、史的唯物論を強調してこう記している。「封建社会の残骸から生まれた現代のブルジョワ社会は、階級間の対立を解消していない。全体としての社会はますます、敵対する二大陣営、直接対立し合う二つの大きな階級に分裂しつつある。ブルジョワジー［資本家、資産や生産手段の所有者］とプロレタリアート［労働者、工場労働者階級］である」（注13）

マルクスはさらにこう主張する。「［プロレタリアートは］ブルジョワ階級やブルジョワ国家の奴隷であるだけでなく、毎日毎時間、機械や監督者、そして何よりもそれぞれのブルジョワ雇用主自身により奴隷化されている」（注14）。結果的に、プロレタリアートの運命は行き詰まりの状態にある。だが、それはもちろん、マルクスが提示した革命を採用しなければの話である。その革命が、この状態からの唯一の脱出口となる。

プロレタリアートが経済的階級を排除し、社会を平等主義的な楽園に変えるためには、現在から過去を一掃しなければならない。そのためにはまず、既存の体制を打倒し、資本主義を粉砕し、それらを中央集権的なプロレタリアート国家に変える必要がある。こうして社会や文化から過去を取り除けば、国家は衰え、それに続いて、集団を通じて人民が運営する、一定の形を持たないユートピア国家が生まれる。マルクスはこう断言している。「言うまでもなく、最初にこれを実現するには、所有権やブルジョワ的な生産条件を専制的に侵害するしかない。つまり、経済的に不十分かつ持続不可能に見える方策によるしかない。だがその方策は、運動の過程でそれ自身を乗り越え、古い社会秩序へのさらなる侵害を必然的に伴うものであり、生産様式を完全に変革する手段として避けられないものである」（注15）

マルクスもやはり、個人の実現や救済は、まずはプロレタリア革命との一体化、次いで人民の集団意志のもとでの存在の完成を通じて見出されると説く。その集団意志は、国家が完全に衰退する前に現れる警察国家から、何らかの形で生じるという。

では、理論的な概念を超えて、その「労働者の楽園」にいつ到達するのかをどのように知ればいいのか？　マルクスはそれに答えていない。

そもそも、これらのイデオロギーは実現不可能であり、非現実的である。それなのに、その聖戦に参加する人々を惹きつけてやまないのは、一見すると不思議に思える。さらに、革命により既存の体制や国家の打倒に成功したあとに生まれるという楽園は、中央集権的な警察国家の域を出ない。そのなかでは、個人は事実上消耗品であり、「大衆」はその国家を管理・運営する政党や個人の目的を果たすよう強《し》いられる。そのような国家の具体例が、中国や北朝鮮、ベネズエラ、キューバなどである。

およそ七〇年前、エリック・ホッファーは『大衆運動』*という優れた著書を残した。そのなかで大衆運動の性質を論じ、大衆運動は深く傷ついた思想を持つ深く傷ついた個人により生まれると述べたあとで、こう記している。「大衆運動は信奉者を引き寄せてはつかむ。それは、その運動により、自己を向上させる欲求を満足させられるからではない。その運動により、自己を放棄したいという感情を満足させられるからだ。自分の生活は取り返しのつかないほど損なわれていると考える人々は、自己の向上に価値ある目的を見出せない。（中略）こういう人

＊邦訳は中山元、紀伊國屋書店、二〇二二年。

たちは、自己に利益をもたらすのは汚れたこと、邪悪なこと、不浄なこと、よくないことと見なす。自己を起点になされるものは、失敗する運命にあると考える。自己に根拠や起源を持たないものだけが、善であり崇高なのである」(注16)

さらに、大半の大衆運動は怒りに満ちた陰鬱《いんうつ》なものであり、この社会にうまく適応している人、幸福な人、成功した人に敵意を抱いている。これもやはり、アンティファやＢＬＭといった運動にあてはまる。ホッファーはこう指摘している。「大衆運動は、現在を卑劣で悲惨だと描写する（意図的にそう見せている）だけではない。個々の存在は不毛で、過酷で、抑圧的で、無味乾燥としているというパターンをつくりあげる。そして、快楽や安楽を非難し、謹厳な生活を称揚する。普通の喜びを取るに足らないものどころか、恥ずべきものとさえ見なし、個人的な幸福の追求を不道徳だと主張する。（中略）大半の運動が禁欲主義的な理想を説く主たる理由は、現在を侮蔑する感情を育むことにある」(注17)

実際、現在の社会を破壊することには（おそらくはそれが、このアメリカ社会のように自由で、人道的で、寛容で、高潔な社会であったとしても）、ある種の病的な楽しみや興奮がある。ホッファーはこう述べている。「不満を抱く人々が現在の社会やその所産を非難するのを聞いて驚かされるのは、彼らがその非難行為を通じて多大な喜びを手に入れていることだ。このような喜びは、単に不満を吐き出すだけでは生まれない。（中略）不満を抱く人々は、現代の癒しがたい下劣さや忌まわしさを訴えることにより、この社会でうまく生きていけない孤立した

感情を和らげている。（中略）現在を非難することで、あいまいな平等意識を獲得しているのである」（注18）

こうした「運動」そのものが、そんな人々の存在理由になる。ホッファーはこう指摘する。「現在を受け入れがたいものにするために大衆運動が利用する（中略）手段は、不満を抱く人々の心に共鳴する和音を響かせる。自己の欲求に打ち克つために必要となる自制は、彼らに力という幻想を与える。彼らは、自分を制御することで世界を制御していると思い込む（注19）。（中略）不満を抱く人々は、大衆運動が主張する目的からだけでなく、運動が利用する手段からも、少なくとも同じ程度には満足を得ているような印象を受ける」（注20）

これを考えれば、そのような革命の「終わり」が決して見えない理由もわかる。革命家が政権を掌握したあとでさえ、革命が維持されるのは、人間や社会は完全にはなりえないため、結局は革命が達成されることはなく、運動が終わることもないからだ。だが、革命に対する狂信者の欲求は、留まるところを知らない。

それでも、とホッファーは言う（これは、ルソーやヘーゲル、マルクスが主張していたことでもある）。「［急進派たちは］人間の本性は無限に完全になりうると強く信じている。人間が暮らす環境を変え、魂を形成する技法を完璧なものにすれば、前例のない、まったく新しい社会を築くことができると思い込んでいる」（注21）

そのため当然、大衆運動には洗脳や崇拝がなくてはならないものになる。たとえば、全体的に見れば警察は人種差別的ではないという統計的な証拠が提示されていたとしよう。だがそれでも「狂信者は、見聞きに値しない事実に対して『目を閉じ、耳をふさぐ』ことができる。それが比類のない強さや忠誠を生み出す。狂信者は、危険に怯《おび》えることも、障害にひるむことも、矛盾に当惑することもない。それらの存在を否定してしまうからだ。（中略）完全無欠と思える理念を絶対的に信頼し、疑念や意外な事実、周囲の世界の不愉快な現実を受け入れない」（注22）。「ここからわかるのは（中略）理念を実現するためには、理念を理解するのではなく、理念を信仰しなければならないということだ。（中略）信奉者は常に、頭脳ではなく心で絶対的な真実を追い求めるよう促される」（注23）

ホッファーは、狂信者や狂信的行為についてこう論じている。「［狂信者の］情熱的な傾倒が、やみくもな献身や信仰の本質である。狂信者はそこから、あらゆる美徳や力が生まれると考える。その一途な思いは、必死にしがみつくことに向けられているのだが、狂信者は自分が、まさにいましがみついている聖なる大義の支持者であり擁護者であると、容易に勘違いしてしまう」（注24）

狂信者は事実や統計、歴史、経験、倫理、ほかの信念などに直面しても、意に介さない。神の声を聞いたいま、いくら説得してもその狂信を手放そうとしない。ここでも、何より重要なのは「理念」なのである。

ホッファーはそれを以下のように説明している。「理性や道徳観に訴えても、狂信者をその理念から引き離すことはできない。狂信者は妥協を怖《おそ》れており、いくら説得しようが、聖なる大義の正しさや確かさを考え直すことはない。（中略）当人が傾倒している運動の性質よりも、その情熱的な傾倒そのもののほうが重要なのである」（注25）。ホッファーはさらに続けて言う。「熱烈な献身もなく生きるのは、孤立して捨てられることを意味する。狂信者は寛容を、弱さ、軽薄、無知の印だと見なす。そして、信条や主義に全身全霊でしがみつく絶対的な屈従に伴う深い確信を渇望する。ここで重要なのは、主義の内容ではなく、絶対的な献身や仲間との交感である」（注26）

狂信者は、あらゆる職業や地位、背景の人々から現れる。たとえば、億万長者のジョージ・ソロスが、急進的な運動や組織に多額の資金を注ぎ込んでいる（注27）。コリン・キャパニックやレブロン・ジェイムズといったプロスポーツ選手が、アメリカ社会を声高にけなし、おとしめている。多くの大学教授が、修正主義的なアメリカの歴史や急進的な反米イデオロギーを広めている。中流階級や裕福な家庭の大学生が、ますます攻撃的な市民社会の敵と化している。そして言うまでもなくさまざまなコミュニティが、人種、経済、教育などに基づく差別や格差によりいっそう過激化している。

ホッファーもバンダ同様、狂信者や大衆運動は、強迫的と言ってもいいほど強烈な憎悪をもとに形成されると考えている。「激烈な憎悪は、空虚な生活に意義や目的を与えてくれる。そのため、目的のない生活にとりつかれている人々は、聖なる大義に身を捧げるとともに、狂信的な不満を養うことにより、新たな意義を見出そうとする。大衆運動は、この両方の機会を無限に提供する」（注28）。だが実際のところ、このような憎悪は、運動と結びつくと、社会や人間に悲惨な結果をもたらすおそれがある。罪の転嫁、分断、暴力、あるいはそれ以上に激しい民族浄化を引き起こす。あるいは幅広くいっせいに、現在の体制や市民社会を中傷し、おとしめ、汚し、最終的には打倒しようとする。その対象となるのが、アメリカの歴史（第四章で取り上げる《一六一九年プロジェクト》など）や憲法、資本主義、警察などである。

ホッファーは、大衆運動が発生する基盤が確立される過程をモデル化している。「一、支配的な信条や制度を疑い、それらに対する人民の忠誠心を低下させる。二、新たな信念が説かれたときに、幻滅した大衆の間に熱心な反応を引き起こすため、何らかの信念なしでは生きられない人々の心に信念を渇望する気持ちを間接的に生み出す。三、新たな信念の教義や標語を提示する。四、信念がなくてもうまく生きていける人々の自信を突き崩し、新たな狂信が姿を現したときに、それに対する抵抗能力を奪う」（注29）

だが結局のところ、そのような大衆運動が成功した場合に生まれるのは、全体主義である。ハンナ・アーレントは『全体主義の起原』*のなかで、これらの大衆運動が暴力と専制の基盤になると論じている。「群集心理が悪や犯罪に惹きつけられるのは、いまに始まったことではない。群衆が感じ入ったように『卑劣かもしれないがきわめて利口なやり方だ』と主張して暴力行為を受け入れるのは、いつの時代にもあった。全体主義を成功させるのは、その信奉者がま

＊邦訳は大久保和郎、みすず書房、二〇一七年。

ったくもって無私無欲であるという憂慮すべき要素である」（注30）

実際に革命を起こし、政府（その身近な例がアメリカの共和制である）を打倒するには、その前段階として、競合するさまざまな戦術的アプローチによる大衆運動が必要になる。だが前に述べたように、この反革命や社会変革の方法には、その本質において共通点がある。それは「集団」の形成を促し、あらゆる革命論者や「社会活動家」をそこに吸収する点である。

一般にはほとんど知られていないが、学界では、漠然と「社会運動理論」と呼ばれているテーマが、全国各地の大学教授により広く分析・議論され、教導・奨励されている。そのうえ、革命や大衆運動が、圧制的で不公正、不当、人種差別的、不道徳な社会に対する非の打ちどころのないまっとうな反応だとして、しばしば理想化・美化されている。言うまでもなくこれは大問題である。というのは、大学での教育や、正規の教科書や学術論文を通じた情報伝達は、頻繁に教唆《きょうさ》や洗脳という形をとって思想に影響を及ぼし、その思想が学生の間に蔓延するだけでなく文化や社会をも呑み込み、やがてはアメリカの街頭や企業の役員室、政界、ニュース編集室に姿を現すことになるからだ。以下で、このような教育の実例を概観してみよう。

社会活動家でもある学者（その大半が大学教授）が執筆した論文をまとめた『Frontiers in Social Movement Theory（社会運動理論の最前線）』（一九九二年）という書籍がある。いずれ明らかになるように、そこに登場する学者は主に、ルソーやヘーゲル、マルクスの基本的イデオロギーが示された著作をもとに、社会活動や革命に関する主張や提案を築きあげている。

それはおおよそ、バンダやホッファー、あるいは私が述べた大衆運動の特徴や原則に従っている。

この本の序文には、各論の包括的な前提となる内容が要約されている。「私たちはこの本により、ある重要な話題に関する基本的な問題が解明されることを願っている。というのは、ルイス・コーザー〔著名な社会主義者、社会学者、社会闘争の擁護者〕も指摘しているように、（中略）『社会運動は、政治的・社会的支配構造を廃止、あるいは少なくとも弱体化させるための手段だ』からである。コーザーはまたこうも主張している。社会運動に参加する人々が多大な犠牲を払ってそうするのは、『現在の満足の向上ではなく、長期的な視点に支えられているからだ。その視点は、現状に見られる人間の尊厳の搾取や否定ではなく、正義や民主的平等を体現する社会が到来するという確固たる信念に裏打ちされている』」（注31）

さらに本文を見ると、寄稿者の一人、ボストン大学のウィリアム・A・ガムソン教授が、ルソーとまったく同じように「集団アイデンティティ」の重要性を強調している。そこにはこんな文章がある。「社会運動に参加する人々の多くは、個人アイデンティティの拡大や自己実現を経験する。実際、多くの市民が公民権運動や女性運動、新左翼運動への参加を通じて自分が変わる経験をし、それが、その後の生活における自己定義の核になった」（注32）。「集団アイデンティティの構築が、『新たな』社会運動におけるもっとも中心的な作業になる」（注33）

運動の成功には、集団アイデンティティが必要不可欠である。ガムソンは言う。「自分の運命を集団の運命に結びつけた人々は、集団が危険にさらされると自分が危険にさらされたかのように感じる。連帯感や集団アイデンティティが作用して、個人の利益と集団の利益との区別があいまいになり、私利的モデルが作用する土台が突き崩される」(注34)

ガムソンの主張によれば、運動へと市民を効果的に動員するためには、その運動がアイデンティティとなり、個人がそれを通じて自分を見るようにならなければならない。「集団アイデンティティは文化レベルの概念だが、動員を促すためには、個人がそれを自分のアイデンティティの一部としなければならない。それにより生まれた連帯感は、個人が自分自身や、自分が自由に使える資源を集団的行為者(組織や支援ネットワーク)に委ねるうえで重要な役割を果たす。集団行動の枠組みを採用すれば、文化制度の産物(この世界で共有されている特定の了解事項)が個人の政治意識のなかに組み込まれる。こうして、対面の出会いでの動員行為を通じて、個人のレベルと社会文化のレベルが結びつけられる」(注35)

また、いずれも当時アリゾナ大学に在籍していたデブラ・フリードマン助教授とダグ・マカダム教授は、同書に寄稿した論文のなかで、率直にこう断言している。「社会運動組織の集団アイデンティティは、そのアイデンティティを背負う人々が同意している立場(姿勢、傾倒する思想、行動規範)を簡単明瞭に差し示すものである」(注36)。さらに二人はこう続ける。「それはまた、個人が何に所属し、誰と関係しているかを示すものでもある。集団アイデンティティを受け入れるというのは、価値ある新たなアイデンティティを中心に自己を再構成すること

である」（注37）

それにより個人は、運動を通じてその理念と密接に結びついた献身的な社会活動家や革命家へとつくり変えられ、条件づけられ、プログラムされる。「社会運動においては集団アイデンティティが、運動や活動への参加を通じて個人に付与されるアイデンティティや地位になる。個人の行動を促すきわめて力強い要素の一つが、行動を通じて愛すべきアイデンティティを確立したいという欲求である。運動の場合には、活動家ネットワークに参加していない人よりも参加している人のほうが、その欲求を実現する機会に恵まれるため、それが選択的なインセンティブとなる。そのネットワークに参加すれば、それにより当人は、『活動家』というアイデンティティを大切にして、それに従った行動を選ぶ可能性が高くなる」（注38）

また参加者には、集団アイデンティティに加え、運動の「集団的信念」が叩き込まれる。同書の寄稿者の一人、アムステルダム自由大学のバート・クランダーマンス教授はこう論じている。「集団的信念やそれを形成・変革する方法は、抗議活動を社会的に構築するための核となる。その際には、多元的組織のなかに埋没している対人ネットワークが、この意味構築のプロセスのパイプとしての機能を果たす。集団的信念は繰り返し構築・再構築される。公の議論では同意を集める作業のなかで、意識高揚のプロセスではさまざまな集団的行動のなかで、それが行なわれる。このように、集団的信念は対人相互作用のなかで形成・変革されるため、ある個人の考えを変えたところで、その個人が仲間内で影響力を持っていなければ、集団的信念を変える効果はあまりない。入ってくる情報は、対人相互作用を通じて既存の集団的信念のなかで処理され、組み込まれる。したがって、特定の個人が対人相互作用を支配しており、その人の言うことが既存の集団的信念のなかに組み込まれるほどの影響力を持っている場合でなければ、集団的信念は変えられない。各個人が容易に同意を集められるかどうかは、その集団や部門により異なる」（注39）

さらに、個人を集団（大衆運動や革命）に吸収するもう一つの手段として、階級的な集団アイデンティティを含めた「階級意識」がある。ノースウェスタン大学のアルドン・D・モリス教授は、同書のなかでこう主張している。「多種多様な方法論や概念的枠組みを利用した実証的研究により、階級意識はさまざまな社会、さまざまな歴史的時期に発展しており、主要な革命や社会運動に影響を及ぼしてきたことが証明されている。階級意識は、社会的・歴史的変革を決定づける重要な要素の一つと言える」（注40）

モリスの見解は、社会や文化を、絶えず競争・対立状態にある階級に分解しているという点で、マルクスの教義から多大な影響を受けている。その論述はさらにこう続く。「階級意識が重要なのは、それが階級闘争の性格に影響を与え、のちに設立されて階級闘争の結果に影響を及ぼすことになる社会組織（労働組合、政党、労働者の団体）を決める要因となるからだ」（注41）

結果的に集団は、社会や文化の構造的・歴史的な偏見や不平等、およびその政治的影響ばかりに目を向け、それに縛られるようになる。モリスはこう論じる。「集団の利益が最優先されるのは、集団の利益を蓄積・固守しなければ支配制度に何の意味もないからである。だが、そのような制度から利益を得ている集団を正確に特定するのは難しい。一般的には、不平等であれ利益を得ている集団がいくつもあるからだ。そのため、支配制度のなかで階層的に位置づけられている集団がそれぞれ享受している特権の相対的地位を判断し、その相対的地位が当の集団の政治意識にどんな影響を与えているのかを明らかにすることが重要になる。このアプローチにおいて、学界ではまず、特定集団の統治を可能にする支配制度に内在する構造的な前提条件（暴力の脅威、統治組織における身分、雇用の管理などの経済的資源など）や、長期にわたり社会に存在する亀裂に注意を向ける。また、抑圧された集団による効果的かつ持続的な抗議活動の中心となる構造的な前提条件（通信ネットワーク、公式・非公式の社会組織、指導層の有用性、財源など）にも着目する」（注42）

　社会を支配する集団が被抑圧者集団に不正義や偏見、不平等を押しつけているのであれば、被抑圧者集団は、自分たちの置かれている劣等な地位に気づき、政治意識に目覚め、既存の社会に対する抗議活動や革命に立ち上がらなければならない。モリスはこう主張する。「私のアプローチは文化、すなわち政治意識に注意を向ける。その意識を、主要な社会的亀裂や支配制度という文脈のなかで分析するのである。（中略）支配する側の集団も抑圧される側の集団も、古くからの伝統的な政治意識を持っている。覇権主義的な意識は常に存在するが、一般的な見解にうまくなりすましているため、たいていは認識されておらず、それにより支配する側の集団の利益が守られている。だが、成熟した反抗意識に特徴づけられた効果的な社会抗議を通じて異議を唱えれば、覇権主義的な意識から普遍性の仮面をはぎ取り、その本質的特徴を明らかにできる。これはまさに、現代の公民権運動が南部で成し遂げたことだ。この国がこれからも露骨な白人優越主義イデオロギーを指針としていくのかどうかを、世界的な舞台で決断せざるを得ないようにしたのである」（注43）

抑圧されている集団は奮起し、抗議活動や革命に参加するよう奨励されなければならない。モリスの説明は続く。「反抗的な意識は多くの場合、抑圧された集団の制度や生活様式、文化のなかで休眠状態にある。だが、そのような集団の一員は一般的に、基本的な集団アイデンティティや不正義の枠組みなど、個人的あるいは集団的な社会抗議へとつながる要素を持ち合わせていないわけではない」（注44）

モリスの主張によれば、抗議活動や革命の種子は、抑圧されているコミュニティのなかにすでに存在しており、それを利用すれば、効果的な集団活動を新たに生み出すことが可能になる。「文化的現象は、組織や構造の力学へと単純には還元できない。だが、多様な反抗的意識には重要な意味がある。それは、きわめて不利な構造条件のもとでも生き永らえることができる。抑圧されているコミュニティは、抑圧が激しい時期に反抗的な思想をさまざまに育み、それにより、集団行動につながる望ましい構造条件を出現させる社会的・文化的余地を生み出してい

る」（注45）

さらに、抗議活動の経験者による「戦闘態勢に入った」抗議活動の成功体験から、積極的行動を維持・拡大する知恵を学ぶこともできる。モリスはこう記している。「戦闘態勢に入った反抗的意識は、集団行動を決める構造的要因に独自の作用を及ぼす。抗議活動の成功事例が一つでもあると、（中略）それは二つの方法で集団行動に影響を与える。第一に、集団行動に参加する活動家が、その事例がどのように起こり、なぜ成功したのかを直接理解できる。第二に、これまで集団行動に参加していなかった人々が、そこから教訓を吸収してそのモデルをほかの場面に移植しようと考えるようになり、集団行動の規模が拡大する。その結果この両当事者は、歴史的な反抗意識のなかでそれまで休眠状態にあった視点をさらに提示し、それを現代的な場面と関連させることで、運動における文化的中心となる。こうしてその視点は、社会的抗議を創始・維持する方法論を決定づけるものになる」（注46）

要するに、大衆運動を支える集団アイデンティティ、集団的信念、階級意識に関するこれらの議論は、意識的か否かを問わず、マルクス主義の公式に沿っており、平和的な抗議だけでなく、暴力や暴動、革命の基盤にもなっている。アンティファやＢＬＭなど、暴力的な急進派組織がアメリカ各地で起こしているような暴力や暴動である。実際、こうした議論は、うわべだけの専門知識や学術的アプローチを提示して、社会の混乱や市民制度の攻撃、徹底した革命を生み出そうとしている。

一方、フランセス・フォックス・ピヴェンと故リチャード・A・クロワードは、同書のなかで社会運動理論にはあまり触れず、むしろ好戦的な暴動を公然と支持する見解に多くのページを割いている。ほかの学者よりも率直かつ詳細に、積極的行動を利用して混乱や危機を生み出し、制度を破壊し、必要かつ正当なこととして暴動をあおり、社会を変革するための処方箋を提示しているのである。その急進的で暴力的でさえある革命戦略に関する広範な記述やその影響力を考慮し、以下でそれを詳しく検討してみよう。

一九六六年、この二人の教授は極左的な雑誌《ネイション》に、急進的な活動家から新時代を築いたと見なされる論文を発表した。人種と貧困をテーマにした「貧者の重み　貧困を終わらせる戦略」と題する論文である。二人はその執筆の意図をあからさまにこう述べている。「私たちの目的は、公民権運動団体、好戦的な反貧困グループ、および貧者を一つにまとめる基盤となる戦略を進展させることにある。この戦略が実現されれば政治的危機が起こり、年間所得を保証する制度が法制化され、貧困が撲滅されることになるだろう」（注47）

二人はこう主張している。生活保護は一つの権利であり、受給者が現在受け取っている給付金は受け取るべき額を下まわっており、生活保護者を減らす取り組みは、貧者やマイノリティの福祉に対する攻撃にほかならない。むしろ、もっと多くの人がこの制度に加入し（そこにあふれるほど殺到し）、自分が受け取るべきもっと多くの給付金を要求すべきである。そうなると社会は、大規模な混乱に陥るだろう、と。ピヴェンとクロワードはさらにこう記している。

「公的な生活保護制度のもとで市民が受け取るべき給付金と、彼らが実際に受け取っている額との間には、大きな相違がある。全面的かつ独善的に生活保護者を減らす方向へ向かっている社会では、この溝が認識されない。（中略）この相違は、非効率的な官僚制度から生じた偶然の産物などではなく、生活保護制度には必ず見られる特徴であり、それに異議を唱えれば、深刻な財政的・政治的危機が引き起こされることだろう。だが、その異議を唱える力、すなわち私たちが提案する戦略こそが、貧者を生活保護制度に参加させる大きな推進力になる」（注48）

ピヴェンとクロワードはまた、こうも述べている。民主党は過去の一時期、経済危機を利用して急進的な改革を実現してきた政治組織であり、同党を事実上乗っ取り、もう一度そのような目的に向かわせなければならない。実際のところ、同党がその改革を実施したのは、新たな民主党連合を構築・強化するためだった。「たとえば、世界恐慌時の立法改革は、通常の選挙プロセスを通じて行使される組織的な利益によってではなく、広範な経済危機により押し進められた。この危機により、かつての国民政党を支えていた地域基盤の連合が解体された。そして一九三二年の再編成により、都市部の労働者階級グループを主な基盤とする新たな民主党連合が形成された。その後民主党が政権を握ると、同党の全国指導部は、ニューディールという経済改革を提案・実行した。この政策は経済危機に対して緊急に必要な対処ではあったが、新たな民主党連合を確立・安定化することを意図したものでもあった」（注49）

ピヴェンとクロワードによれば、革命は少なくとも部分的には、民主党の影響を受けて過激化した黒人コミュニティと結びついている。「このような危機に直面した場合、都市の政治指導者は、自分たちを古い有権者グループに結びつけている党組織により身動きがとれなくなってしまう（そもそも、その有権者グループの人数が減りつつある）。だが民主党の全国指導部は、都市部の黒人票が重要であることに気づいている。都市部のほかのグループの忠誠心が揺らぎつつある全国的な論争では、とりわけそれが重要になる。実際、ジョンソン政権時代の『偉大な社会』を目指す立法改革の多くは、微弱ながら、増えゆくスラム街の有権者が民主党政権に抱く忠誠心を強化する取り組みだったと考えられる」（注50）

その結果、黒人コミュニティは現在、民主党に圧倒的な忠誠心を抱いている。同様の戦略は、ヒスパニック系やアジア系のコミュニティでも展開されている。

ピヴェンとクロワードはさらに、一九六八年に発表した「運動と不合意の政治」に関する論文のなかで、「放火」や「暴動」は大衆運動における正当かつ必要な行為だとはっきり主張し、こう断言している。「貧しい人々が勝利するのは主に、破壊的な抗議活動に結集した場合である。それは言うまでもなく、組織の形成、請願、陳情、メディアの利用、政治家の抱き込みといった従来の方法で影響力を行使できるほどの資源がないからだ。この破壊的な抗議活動とは、放火や暴動、座り込みなどの市民的不服従、救済給付を要求する大規模な示威行為、家賃不払い運動、山猫スト*、組み立てラインにおける生産の妨害などの行為を意味する」（注51）

その目的は、力ずくで制度（彼らの言う「体制」）を弱体化させ、運動の要求を受け入れさ

＊労働組合の一部集団によって行われる、組合機関の承認を得ることなく実施されるストライキ。

せることにある。「こうした大衆の抗議活動の出現や成功は、選挙政治と密接なかかわりを持つ。（中略）体制が不安定な場合、（中略）有権者の支援を積極的かつ安易に手に入れようとする可能性が高まるため、底辺からの要求を受け入れるメッセージを発しやすくなる」（注52）

さらに二人の言葉は続く。「社会運動は対立により発展する。それとは対照的に選挙政治は、同意や連合という戦略を求める。社会運動は、選挙政治に影響を及ぼす。それは主に、運動が取り上げる問題や、運動が生み出す闘争が、有権者グループ間の亀裂を広げるからだ。私たちはこれを『不合意の政治』と呼び、支持者の補充や連合の形成を通じて選挙における影響力を構築する通常のプロセス、いわゆる『合意』の政治と区別している。（中略）社会運動は、経済的・社会的条件により既存の選挙基盤や選挙連合が崩れつつあるのでなければ、大した影響力を持たないかもしれない。だが、変革を目指す重要な運動は、経済的・社会的に不安定な時代でなければまず現れないことも、また事実である」（注53）

こんな主張をどこかで聞いたような気がするという読者がいるかもしれないが、まさにそのとおりである。この戦略もまた、アメリカの街頭や政治の世界で幅広く展開されている。たとえば、アンティファやBLMなど、マルクス主義・無政府主義的な組織は、新型コロナウイルスが当初引き起こした経済崩壊も、黒人ジョージ・フロイドが白人警察官に殺された事件も利用した。それらの組織が中心となって、主に都心のスラム街での暴力的な蜂起や、警察との攻撃的な対立、公的な記念碑の破壊、連邦裁判所やホワイトハウスの標的化を扇動し、都市の一部を占拠し、レストランなど公共の場で市民を威嚇・攻撃したのである。

ピヴェンとクロワードはまた、民主党の変化に好機を見出している。「ほとんど変化のない政党制度により、社会経験と選挙政治との間に断絶が生まれると、それが再編成を促す土台となる。選挙に対する不満の兆候が現れると、党の主要な選挙参謀が選挙運動で訴える言葉に変化が生まれる」（注54）。実際、前回の大統領選の際にこの変化が起きた。民主党の指導層が、暴力的な革命運動への批判をためらい、むしろ、それを統制しようとする取り組みを繰り返し非難したのだ。民主党内では、ピヴェンやクロワードが望んでいたように、これらの運動やその主張に対する忠誠心が高まっている。これは部分的に、同党の言辞や政策の急進化に現れている。大統領選挙期間中に発表された一一〇ページに及ぶバイデンとバーニー・サンダースの「協同」政策提言（注55）や、無数の大統領行政命令や立法発案などがそうだ。さらには、同党から選出された連邦議会議員にも、急進化の傾向がはっきりと認められる。その代表的な例が、下院議員のアレクサンドリア・オカシオ＝コルテス、イルハン・オマル、アヤンナ・プレスリー、ラシダ・タリーブといった、いわゆる「スクワッド」のメンバーである。それでもピヴェンとクロワードは、さらなる急進化やペースの加速を求めている。

二人の主張によれば、アメリカの制度では、真に革新的な力を形成するのがあまりに困難であるため、大衆運動は今後もなかなか発展しないだろうが、その制度を逆手にとって内外から混乱を生み出し、革命的な変革を迫る機会はあるという。「だがそれでも、全体的に見れば政治指導者はいまだ臆病で保守的であり、一般的なシンボルやあいまいな約束で亀裂を埋めることにより、再編成の可能性を抑えつけようとする。こうした紛らわしい条件のもとで、不満を抱く有権者は、政党がなくなればすべての有権者がそうなると言われているように、細分化されて無力になっていく」（注56）

そのため社会活動家は、政党に圧力をかけるもう一つの手段として、政党を放棄する覚悟もしておかなければならない。ピヴェンとクロワードはこう断言する。「政党が提示する論点や候補者を支援するためには市民を動員する必要があるのと同じように、政党を見限るためにも市民を動員しなければならない。社会運動はたいてい不満を動員する。（中略）社会運動はとりわけ、選挙に対する不満を動員するときに、政治的な力を発揮する」（注57）

ただし両教授は、敗北した政党でさえある程度の権力を保持し、革新的進歩を鈍らせ、遅らせるという点において、政党制度は問題があると指摘する。「アメリカの統治制度は断片化しており、一般的には野党も統治機構の一部を支配し続けるため、合意の推進により多数派をまとめる必要があり、その制約を受けることになる」（注58）。そのため、持続的な混乱により変革への圧力をかける必要がある。

ピヴェンとクロワードは、政党が合意を求める以上、グループ間の亀裂や意見の不一致は常にあり、社会活動家はそれを利用すべきだという。「選挙に動乱や再編成を引き起こす社会運動の役割を理解するには、政党政治家ができないことを可能にする社会運動特有の力学に注意を向ける必要がある（注59）。（中略）社会運動は、さほど破壊的でない運動でさえ、二大政党制のなかで当選を狙う政治家や政党指導者にはできないことができる。つまり、多大な軋轢《あつれき》を生む問題を取り上げることで生まれるドラマや切迫感、団結をもとに発展する。実際、社会運動は、軋轢を生む問題を取り上げるドラマや切迫感、団結をもとに発展する。このような対立は、多数派の連合を形成しようとする党の戦略には致命的だが、それが社会運動を発展させる」（注60）。その結果、現在見られるように、人種、ジェンダー、所得の不平等、環境正義などに基づく数多くの運動が生まれている。

両教授はここでもう一度、経済的条件が弱体化し、それにより社会的条件が弱体化するときに、政治制度の変革の機が熟すると言う。「社会運動は、潜在していた新たな対立が選挙政治のなかであらわになったときに現れる傾向がある。選挙政治に現れる不安定増加の兆候は、一般的には経済や社会生活の変化に起因し、それが新たな不満を生み出したり、新たな願望を促したりする。有権者の不安定化が明白になると、党指導者は彼らに特有の行動に出る。すなわち、連合をまとめようとする。そのときだけ、より包括的な言葉を使い、ふだんは無視あるいは中傷していた有権者の不満を認めて、出現したばかりの願望をあおろうとする。過半数維持を脅《おびや》かす離反のおそれがあるだけで、運動を発展させる可能性や変革の風潮を高める声明を発表するようになる」（注61）

実際、新型コロナウイルスのパンデミックに伴う学校の閉鎖や経済や社会活動の停止により、社会全体が経済的・心理的影響を受けた結果、変革に適した環境が生まれた。この状況を変革に活用する動きは、政治の世界でも街頭でも見られる。政治の世界では広範囲に及ぶ法的措置や大統領令が実施され、街頭では組織的な暴力がありふれたものになりつつある。

対立や衝突を生み出した運動は、それにまつわる物語をコントロールできるようになる。ピヴェンとクロワードはそれをこう説明する。「メッセージを伝えるのは政治家だけではない。運動が生み出す対立は、メッセージを伝える大きな力を運動に与える。これは決してささいなことではない。通常、政治的なコミュニケーションは、政治指導者やマスメディアに支配されている。両者の相互作用により、どのような問題を政治的問題と考えるのが妥当か、どのような対策が利用できるかなど、政治領域の条件が決定される。（中略）この権力者による公的・政治的コミュニケーションの独占に異議を唱えるのは難しい。だがそれは、運動が存在しなければの話だ（注62）。運動は、ほんのつかの間ではあるかもしれないが、この独占を突き崩す。運動は、デモ行進や集会、ストライキや座り込み、劇的な（ときには暴力的な）敵対行動を仕掛ける。これらの戦術のなかで、集団の憤怒《ふんぬ》が扇動的な言葉で劇的に表明されると、新たに定義された社会的現実、あるいは新たな集団により定義された社会的現実が、公の議論の対象になる。すると、現実に関する理解だけでなく、可能性や正当性に関する理解も変わる。その結果、これまで受け入れられることも目に留まることもなかった不満が、政治的問題になる」（注63）

たとえばＢＬＭは、こうした物語のコントロールにみごと成功している。そのため、たびたび警察との暴力的な衝突を繰り返しているにもかかわらず、メディアはそれを「きわめて平和的な抗議活動」だと表現している（注64）。略奪行為はほぼ黙殺され、間違いなく容認されている。物語を操り、新たな分断を生み出すことが、革命運動を拡大し、その力をさらに高める重要な要素となる。ピヴェンとクロワードは言う。「運動は新たな問題を取り上げる。その問題が政治の場で中心的な話題になると、二とおりの方法で政治勢力のバランスが変わる。第一に、新たな問題を取り上げたり、潜在的な問題を明らかにしたりすることで、それまで活動していなかった集団が活動を始める。第二に、新たな問題により新たな亀裂が生まれ、対立する勢力の間のバランスに広範な影響を及ぼす。選挙政治家は亀裂を避けようとするが、その亀裂こそが、運動が選挙政治に与える影響や、運動がときに勝利する理由を理解する鍵となる」（注65）

さらに、それまで穏健派だった政治家や社会運動に消極的な政治家も、政治生命が危機にさらされれば、急進的な運動を認め、受け入れざるを得なくなる。両教授はそれについてこう述べる。「運動は、運動に消極的な政治指導者から譲歩をもぎ取る。譲歩が、有権者の離反の危機を回避する手段や、すでに起こりつつある離反の流れを食い止める手段と見なされるからだ。あるいは、譲歩により亀裂の片側からの支援を拡大・強化し、すでに分裂している連合を立て直そうとする場合もある」（注66）

最近になってピヴェンは、「トランプ阻止」を明言して、再び《ネイション》誌に戻ってきた。言うまでもなくトランプは、ピヴェンを始めとする学界の大多数に嫌われている。二〇一七年に同誌に発表した「あらゆるギアに砂をまけ」と題する記事のなかで、ピヴェンはこう語っている。「運動が一大勢力になる場合、そうなるのは、憤慨した市民がときには、ふだんは自分たちに協力や服従を促す法律に逆らうことがあり、そこから生まれる特有の力が展開されるからである。運動は、拒否や不服従、あるいは攻撃へと市民を動員できる。これを言い換えれば、運動に参加している市民、活動している市民は、自分たちの協力に依存している制度のギアに砂をまくことができる。そのための運動には数が必要になるが、自分たちの反抗やそれが引き起こす混乱が意思決定者の権威に及ぼす影響を明確に描く戦略も必要となる」（注67）。「抵抗運動は、体制の政治的主導権を抑制・妨害することで、エリートや有権者の間に亀裂を生み出したり、その亀裂をさらに深めたりすることができる」（注68）

ここでもやはり、暴力的な群衆を組織して活動させ、社会に亀裂を生み出し、人種差別や経済的不平等を非難し、市民生活や社会の連携を損なうよう訴えている。要するに、憲法で保障された自由を利用して、憲法が保護しようとしているものを攻撃せよと主張しているのである。ピヴェンの主張によれば、とりわけこうした騒乱が起こりそうなのが、左派の政治家が市長を務める大都市だ。実際そのような都市では、ピヴェンが奨励しているような出来事が展開されている。アンティファやＢＬＭの信奉者が暴動を起こし、民主党に所属する左派の市長がその大半を容認している。ピヴェンはこう断言する。「こうした大衆の拒否行動の影響は広範囲に及ぶ。それは、社会生活が複雑な協力システムに依存しているからにほかならない。これはわが国の統治制度にもあてはまる。国家レベルでの権力分立や分散的な連邦構造で有名なアメリカ政府は、集団の抵抗にことのほか弱いと思われる。（中略）人口の大多数が暮らす大都市は[右派に]占拠されていない。ニューヨーク、ロサンゼルス、ボストン、シアトル、サンフランシスコなどの都市を治めているのは、中道左派の市長たちだ。この事実により、都市の抵抗運動を発展させることが可能になる」（注69）

この高齢の革命論者はさらに、トランプ大統領やその支持者に対する抵抗運動を指揮するかのように、彼らに対する大衆運動をいますぐ起こさなければならないと主張する。「抵抗運動は難しい。手強く思える敵に対抗する集団行動を動員しなければならず、それが激しい報復を引き起こすおそれもある。それにたいていは、自分たちが対決する体制の弱みや、その協力者間のひずみがどこにあるのかもわからないまま、手探り状態で行動することになる。つまり、私たちの状況を表現すれば、こういうことになる。私たちは実際のところ、トランプが中央政府に招き入れている集団や個人の間に潜在的に存在する亀裂についてさほど多くを知ってはいない。（中略）だが、トランプ政権が大衆の抵抗もなく前進していくのを認めれば、政治的危機が訪れることはわかっている」（注70）

アメリカの大学には、ピヴェンと同じ考えを持つ革命論者が文字どおり何百人といる。そんな彼らに訴えかけるかのように、いまは亡き哲学教授アラン・ブルームが、一九八七年に出版した著書『アメリカン・マインドの終焉　文化と教育の危機』*のなかでこう述べている。「あらゆる教育制度には、その制度が達成しようとする、カリキュラムを特徴づける道徳的目標があり、それによりある種の人間を生み出そうとする。その意図は、明示されている場合もあれば明示されていない場合もあり、熟慮の結果である場合もあればそうでない場合もある。読み書きや算術といった中立的な科目でさえ、教育を受ける人間の展望に影響を及ぼす。（中略）民主的な教育は（中略）民主的な体制を支持する男女を生み出すことを必要としている」（注71）。そしてブルームはこう警告する。「私たちには教育の根幹となる文化があるのに、それを損なおうとする試みが始まっている。アメリカ建国の理想が、利己的な動機による空想的で人種差別的なものとして排除されている。わが国の文化がおとしめられているのだ」（注72）。「かつての書籍に真実が含まれていると思う者など、いまや一人もいない。そんなことはありえないとさえ思っている。（中略）もはや伝統が不適切なものと見なされている」（注73）

実際、アメリカの大学の教室は教授陣の手により、アメリカ社会に対する抵抗や反乱や革命の培養地、あるいは、マルクス主義やそれに似た教義による洗脳やプロパガンダの場と化している。そこでは学問の自由は、何よりもまず好戦的な教授たちのために存在するものであり、さまざまな思想間の競争は、かつての高等教育が理想とした古くさい概念でしかない。マルクス主義は、言論の自由や討論の自由をもたらす思想ではない。支配、抑圧、洗脳、服従、従順をもたらす思想である。既存の社会や文化、あるいはそのなかで（知的、精神的、経済的に）

＊邦訳は菅野盾樹、みすず書房、二〇一六年。

成功した人々、それを擁護する人々は、非難され、中傷されることになる。この思想において重要なのは、現状に対する幻滅だからだ。マルクス主義は言うなれば、よりよい新たな社会を約束する「新たな信仰」を提示し、それを目指す情熱もしくは強迫観念を未来の世代に植えつける。だがそれは、市民の大量死、奴隷化、貧困へと向かう道でしかない。

第3章

アメリカを憎悪する社会

Hate America,Inc.

マルクス主義（共産主義）のイデオロギーが現代の学界、社会、文化に植えつけられ、受け入れられる土台をつくったのは、一九世紀後半から二〇世紀前半にかけての進歩的知識人である。彼らは、さまざまな圧制に対する障壁として確立された立憲共和制や資本主義に対して、敵意をあらわにした。その圧制のなかには、暴徒から生まれた専制や中央集権的な独裁、そしてもちろん、のちに進歩主義と呼ばれるようになるものも含まれる。この知識人たちは、市民が一般的に、自分たちには無縁と思える目的には従わないことを理解していた。そこで、政府が運営する学校や高等教育機関を通じて、学生や学生運動家など、将来の急進派や革命論者に教育（より正確に言えば再教育）や洗脳を施す長期的な運動を展開した。

初期の進歩的知識人は現代の進歩的知識人と同じように、マルクス主義のイデオロギーに好意的であり、その中核的な思想を受け入れてもいた。また、教育による洗脳というルソーのアプローチを、多かれ少なかれ採用していた。つまり、学生は個人的な興味や動機に基づいて自由に学習すべきだと主張しながら、実際には教師が、学生の興味や動機を巧妙に操作すべきだと考えていたのである。というのは、公教育の最終的な目的は、個人の意志を一般意志に組み込むことにあるからだ。そのため進歩派は、個人のニーズや欲求を考慮はするが、「公共の利益」や「コミュニティの最善の利益」という観点からのみそれを認めると主張する場合が多い。

それから時代は下って三〇年ほど前になると、ほとんど記憶されてはいないが、アメリカの大学におけるマルクス主義の影響を論じた記事が発表された。《ニューヨーク・タイムズ》紙

の教育ライター、フェリシティ・バーリンガーが執筆した「アメリカの大学におけるマルクス主義の主流化」（一九八九年一〇月二九日）と題する記事である。バーリンガーはそのなかでこう述べている。「共産主義諸国では、カール・マルクスのイデオロギーの継承者がその政治的遺産を変革しようと悪戦苦闘しているようだが、アメリカの大学ではマルクスの知的継承者が、非難にさらされやすい向こう見ずな外部者から、社会に同化した学界内部者へと、事実上の転換を果たしている。これは、かつては破壊分子と見なされた階級闘争に携わる学生たちにとっては、成功物語だと考えられる。だが一部の学者によれば、マルクス主義者が適応するにつれて、一九世紀ドイツ哲学とのつながりが分断され、その思想は、ほとんど共通点のない理論の緩やかな寄せ集めになったという。過去一〇年の間に、西側諸国の経済発展により多くの人々がマルクス主義を重視しなくなるなか、マルクス主義そのものに異議を唱える新たな急進的理論が現れたのだ」（注１）

こうして「アメリカ化」されたマルクス主義が生まれた。それは、マルクスの中心的な教義をアメリカの制度にあてはめ、その政府・経済・社会・文化制度を事実上打倒することを目指す。前述の記事の続きにはこうある。「カリフォルニア大学アーバイン校の歴史学教授ジョナサン・Ｍ・ウィーナーは、『マルクス主義とフェミニズム、マルクス主義と脱構築、マルクス主義と人種——ここにこそ現代の刺激的な議論がある』と言う」（注２）。実際、この記事が発表された一九八九年には、非主流派の急進的イデオロギーだった批判理論（次章で詳しく取り

上げる）の種が芽を出し、文化を武器に既存の社会を解体する運動が、アメリカ全土で早々に花を開き始めていたのだが、ほとんど一般の注目を集めることはなかった。

この記事のなかで、バーリンガーは偶然にも、のちにアメリカ化されたマルクス主義（批判的人種理論など）の中心的教義となるものを明らかにしている。それは、アメリカの歴史、制度、伝統など、「支配的な白人文化」に対する攻撃である。こうした攻撃のなかには、筆者自身の雇用主でもある《ニューヨーク・タイムズ》紙が三〇年後に実施する《一六一九年プロジェクト》も含まれる。バーリンガーはこう記している。「脱構築主義者*は、いかなる結論を示す証拠も人々の見解から生まれ、その大半は文章に記されているのだから、過去の経験を理解することは可能だ、という考え方を否定して、こう主張する。過去の文章は、筆者が重要でないと判断した内容を除外して書かれたものでしかなく、そのような除外とともに執筆された歴史は、現実に関する信頼できる証拠とはなりえない」（注3）。こうして、伝統的な歴史教育に対する闘いが学界全体に広がり始めた。

アメリカの大学には、教授が学説上のツールとしてマルクス主義をどこまで利用していいのかに関する制約が一切ない。バーリンガーはこう説明する。「いまでは多様性が、かつては一枚岩だったマルクス主義の特徴になっている。ピッツバーグ大学の英語学教授［ガヤトリ・］スピヴァクは、マルクス主義的フェミニストを自称している。カリフォルニア大学デイビス校の経済学教授［ジョン・］ローマーは、マルクス主義的な市場主導経済を考案している。ウィ

＊既存の枠組みや体系を解体し、新たに構築することを目指す、20世紀哲学の全体に及ぶ大きな潮流。

スコンシン大学の社会学教授エリック・オーリン・ライトは、分析的マルクス主義者を自称し、マルクスの壮大な理論をその構成要素に分解しようとしている」（注4）

バーリンガーの解説はきわめて正確であり、マルクス主義を多面的に適用した結果は現代アメリカのあちこちに現れている。だがその一方で、「向こう見ず」なマルクス主義者もいまだに存在し、大学内はおろか、社会や文化、政府の至るところで数を増している。

また初期の進歩派は、終身在職権を得ている教師や教職員組合に加入している教師を通じて教育行政や教室を支配し、自分たちの教育活動を制度化しなければならないことを理解していた。そのためいままでは、イデオロギー主導（「社会的活動」）のカリキュラムで武装した志を同じくする教員が、あらゆるレベルの教育機関に入り込み、その後継者を選び、調査や競争から仲間を保護している。そしてさまざまな理由を挙げて、標準化された試験や能力に基づく教師評価、学校選択制などに断固として反対している。結局のところその目的は、進歩派が登場する前の伝統的な教育アプローチを根絶し、進歩主義・マルクス主義を志向するイデオロギーに基づいたアプローチへと道を開くことにある。

さらに指摘しておくべきは、初期の進歩派も、現代のその子孫と同じように、ルソーやヘーゲル、マルクスの知的所産であるという点である。彼らもまた、個人はより大きなコミュニティに従属しなければならないという基本的見解を共有している。《ニュー・リパブリック》誌を創刊した当時の進歩派の代表的人物、ハーバート・クローリー（一八六九～一九三〇年）は、一九〇九年に出版した著書『The Promise of American Life（アメリカ社会の展望）』のなかでこう述べている。「アメリカ人が建設しようとしているよりよい未来は、いくつかの重要な点においてアメリカ人をその過去から解放しなければならないという思想がなければ、意味を持たない。アメリカの歴史には、誇りや祝福の要素が無数にある一方で、後悔や屈辱の要素も無数にある。（中略）［アメリカ人は］その伝統的な理想像、およびそれを実現する伝統的な方法さえ手放す覚悟をしなければならない」（注5）。つまりクローリーは、アメリカの過去を非難し、それを拒絶するべきだと言うだけでなく、アメリカ人がそれを拒絶するようになるべきだと主張する。これを言い換えれば、マルクスが説いたように、個人の進歩、社会の進歩を求めるなら、市民は自身の歴史を厳しく非難し、放棄しなければならないということだ。もちろんこの姿勢は、いまや学界にしっかりと根を下ろし、大半の文化にまで波及している。

クローリーの言葉はさらに続く。「わが国の既存の国家制度に見られる経済的個人主義は、アメリカの個人の利益にきわめて深刻な損害を与えている。わが同胞たちが国益のために富の分配を規制することを組織的に軽視あるいは拒否しているかぎり、政治、科学、芸術におけるアメリカの個人的成果は今後も部分的に貧しいままだろう。（中略）アメリカではこれまでずっと、個人の自由が、利用可能なあらゆる経済的機会を誰もが制限なく享受できることと結びつけられてきた。だが、事実上制限のない経済的機会を誰もが享受できるというのは、個人の束縛を生み出す条件にほかならないと言ったほうが、はるかに的を射ていると思われる」（注

6）

これは言うまでもなく、ルソーやヘーゲル、マルクスの中核的な思想である。つまり、個人は公共の利益のために、個人の独立や自由意志、自己の追求を犠牲にしなければならず、そうすることで自分が満たされ、自己実現が可能になるとともに、コミュニティ全体も利益を得られる、という考え方である。アメリカでは資本主義と立憲主義が、マルクス主義や進歩主義に対抗する防御手段となっているため、それを崩し、最終的には破壊しなければならない。進歩派も、経済的な権力と政治的な権力とを一体化させ、比較的少数の者が国家を運営しなければならないと考える。

だが、哲人王*や知的な中心人物が社会を解体してつくり直すというこの異質な変革を幅広い大衆に受け入れさせ、それに黙って従うようにさせるためには、大がかりな基盤づくりが必要になる。その手段が「大衆」の洗脳である。大衆はこれまで、伝統や習慣、信仰、愛国主義を理想として崇敬し、組織的・集団的なユートピアを目指すいかにも古めかしい信念を捨てるよう育てられてきた。そんな大衆の考え方を、専制的な政府を受け入れ、支持さえするように変える。そのほうが、個人に任せるよりも適切に大衆の生活を管理できると信じ込ませるのである。そのためには、文化や統治手段を掌握して変革していかなければならない。

クローリーはこう述べる。「不十分な教育しか受けていない何百万もの人々には、科学［『専門家』により運営される中央集権的な行政国家］の本当の意味を知る数千人に比べ、不十分な

＊プラトンが中期対話篇『国家』において述べた理想国家の君主。

教育しか受けていない何百万もの人々には十分な教育を受ける能力がない、とは言いきれない。彼らは単に、機会を奪われていただけだ。十分な教育が行なわれていない理由の一端は、社会の側にあると思われるが、いずれにせよ十分な教育が行なわれないかぎり、それが大衆のなかに専門家が現れない正当な理由だと認識すべきである。［進歩主義を］大衆に広め、高等教育を受けた官吏を代表者とする民主主義を実現するためには、高等教育を大衆化するのがいちばんいい。専門家による統治は、それが十分な教育を受けた有権者を代表するものでなければ、十分に国民を代表しているとは言えない」〈注7〉

部分的にせよ、民主党が大学教育の無償化や学生ローンの返済免除により大学進学者を増やそうとしている理由はここにある。その目的は、より多くの学生に古典的な自由主義教育を施したり、科学や技術、工学、数学を教えたりすることにあるのではなく、まさにクローリーが勧めていることを実践することにある。つまり、急進的な理念を支持するようなるべく多くの若者を洗脳するのである。

とはいえ、四年制大学を卒業する若者の数は、現在では以前よりも大幅に増加しているが（一九四〇年には六パーセント未満だった〈注8〉）、それでもなお全成人人口のおよそ三分の一に過ぎない〈注9〉。そのため、もっと早いうちから洗脳プロセスを始める必要がある。こうして、政府が運営する初等学校や中等学校にも、イデオロギー主導のカリキュラムや教科書が広まった。本当の意味での学問の自由や大学構内での言論の自由に反対する闘争が繰り広げられている理由もここにある。この闘争は、アメリカ主義について教育したり、執筆したり、称賛したりする人々や、マルクス主義中心の教義に異議を唱えたり、それに同意したりしない人々に対する脅迫や暴力を通じて行なわれる。

クローリーよりはるかに多くの著作を残し、伝統的な教育目的を社会運動へと劇的に変えた著名な人物に、ジョン・デューイ（一八五九〜一九五二年）がいる。その影響は、現代の教育のあちこちに見て取れる。デューイは、進歩主義的な運動に対するマルクス主義の影響や両者の関係を認め、それに賛同してこう述べている。「［マルクスが］取り上げた問題、すなわち経済構造と政治構造との関係は、いまも根強く残っている。実際それが、現在の政治的問題の唯一の基礎となっている。（中略）私たちはいずれ、ある種の社会主義を経験し、それが実現したあかつきには、何であれ好きな名称でそれを表現することになるだろう。経済決定論［資本家と労働者との経済的階級闘争に関するマルクスの理論］はいまや、理論ではなく事実である。だが、金銭的利益を求めるビジネスに由来するやみくもで無秩序で無計画な決定論と、社会的に計画され秩序づけられた発展に基づく決定論との間には相違があり、どちらかを選ぶことができる。公的な社会主義と資本主義的な社会主義とは別ものであり、どちらかを選べるのである」（注10）

個人がその目標や夢を自由に追求できる場合、「経済決定論」は意味をなさない。「経済闘争」というのは、重労働や競争、自由意志、個人的責任、人生の教訓に間違って付与されたレッテルに過ぎない。私たちは、自由意志を行使し、自発的に行動し、個々のニーズや欲求を満足させ、機会や個人的責任や義務を創出して追求する。つまり各個人は、さまざまなあこがれに満ちた複雑な存在である。この点において、個人の自由と資本主義は密接につながり合う。そのため、個人が多数の名において少数の要求を受け入れ、それに従うべきであるのなら、資本主義を否定し、最終的には解体しなければならない。そう考えてデューイは、資本主義経済にゆっくりと忍び込む無秩序な社会主義ではなく、政府が管理する、トップダウン型の公的な「社会主義」を訴えた。

資本主義はもちろん、個人が自発的に経済的関係を結ぶことから生まれる自然発生的な商業形態であり、ある統治体制により大衆に押しつけられた計画的な経済制度ではない。デューイらはその点を問題視する。権威や社会工学、壮大な計画などは、国民に押しつけられた場合にのみ「効果」を発揮する。そのためには、アメリカが目標とするものの土台を突き崩す必要がある。立憲主義や資本主義は、中央集権的な独裁体制の役割や可能性を制限する一方で、市民社会の枠組みのなかで個人に権限を与える。したがってそれらは、マルクス主義やその子孫である進歩主義とはまったく相容れない。マルクス主義や進歩主義は、社会の発展や未来像を最優先するため、政党が政府を支配し、政府が社会を支配する。そこに思想的・政治的多様性を受け入れる余地はない。

最近では、これを証明する事例に事欠かない。民主党の指導層は、進歩的なイデオロギーの信奉者で裁判所を埋め尽くし、司法の独立を損なおうとしている。また、民主党の拠点から議員を追加して上院の定数を拡大し、上院における民主党の過半数維持を永久に制度化しようとするとともに、上院のフィリバスター制度を廃止して、実質的な討議や異議もなく、広範囲に影響の及ぶ進歩的な立法を強制しようとしている。さらには、公選により選出される政府部門を民主党が永久に支配できるような選挙制度を全国に広めようとしている。これらの政策がまとめて実現されれば、全国の共和党支持地域に暮らす保守派の市民数千万人が権利を奪われ、分断され、国家の統治を担う役割から除外され、共和制や代議政治が事実上死を迎えることになる。

これは、果てしなく政府中心的な社会主義型政策を推進する民主党が怒濤のように繰り出す、市場を壊滅させる反資本主義的な計画にもあてはまる。そこには、「グリーン・ニューディール」という新たな造語のもとで行なわれる政策や、「人為的な気候変動」との闘いなどが含まれるが、これらについてはのちの章で取り上げる。これらの計画はあまりに広範囲に及ぶため、やはり公共の利益や全体の名のもとに、私有財産権の原則が大打撃を受けることになりかねない。

さらに、アメリカに進歩主義が生まれた一世紀以上前に連邦所得税が導入されて以来、マルクス主義の言う階級闘争的な政治プロパガンダの後押しを受け、労働や所得、財産に重税を課して富を再分配することが、民主党の中心的な目標になっている。残念ながら現在これは、大半の国民の共感を呼んでいる。実際、民主党は新型コロナウイルスのパンデミックを口実に、福祉制度の規模や範囲を大幅に拡大した。数兆ドルもの資金を分配して、かつてないほど多くの個人を政府の助成金や無償給付金へと誘惑し、政治的・イデオロギー的基盤の強化を図ったのである。

教育改革はさまざまな点で、初期の進歩派知識人が意図していた社会変革へとつながった。デューイは当時の教育制度を非難し、それを進歩思想の工場に転換すべきだと主張しており、その目的を、ソクラテスのように生徒に考え方を教えるためと述べていたが、実際にデューイが望んでいたのはその反対だった。つまり、ルソーが望み、マルクスが要求していたような、子どもの洗脳である。それは、プラトンの著書『国家』*とも共通している。プラトンはそのなかでユートピア社会を論じているが、それもまた組織的な専制の一形態にほかならない。デューイはこう述べる。「生徒は記号を学びながら、その意味に至る手がかりを与えられない。技術的な情報体系を身につけながら、それと自分が知っている物体や作業とがどうつながっているかを突き止める能力を持たない。こうして生徒はたいてい、特定の語彙《ごい》だけを身につける。そこには、完成された形で学習内容を提示するのが学習の王道だという強い思い込みがある。有能な探求者が仕事を終えたところから始めれば、若者は時間も労力も節約でき、無用な過ちを犯さなくてすむと考えるのは当然ではないだろうか？　だがその結果は、教育の歴史のなかにはっきりと現れている。生徒は、専門家の指示に従って学習内容をテーマごとにまとめた教

＊邦訳は藤沢令夫、岩波書店、一九七九年。

科書を使って、科学の勉強を始める。最初から、専門的な概念や定義を教えられる。ごく早い段階から法則を教え込まれ、そこにたどり着いた方法については、せいぜいわずかな言及がある程度である。この場合、生徒は『科学』を学んでいるだけであって、身のまわりにあるありふれた素材を扱う科学的な方法を学んでいるわけではない。こうした優秀な学生向けの方法が大学の授業を支配しており、そのアプローチが高校やさらに下の学校にも、学習内容を容易にする省略を伴いながら適用されている」（注11）

そのためデューイは、マルクスと同じようにこう主張する。公教育を通じて、既存の道徳観、価値観、信念体系、伝統、慣習などから国家の若者を解放し、別種の教化を施さなければならない、と。実際、そうせずにいられるだろうか？　なにしろ教室では、いわば監禁された何百万もの子どもが話を聞いてくれる。共産主義的な思想を植えつけるにはうってつけの環境なのである。デューイは同時期の知識人同様、これを「科学」や「理性」に基づくものと表現し、こう記している。「実験科学が存在しない学習状態の影響を受け、過去のあらゆる支配的な学問において、経験は理性や合理性と対立していた。経験的知識とは、過去の無数の事例を積み重ねただけで、その事例の原理・原則への知的洞察を持たない知識を意味していた。（中略）それに対して科学は、合理化された経験である。そのため科学には、経験の性質や経験に内在する可能性について、人間の考え方を変える作用がある。（中略）科学は経験から、きわめて個人的かつ直接的なあらゆる要素をはぎ取る。そして、ほかの経験と共通する内容を分離し、その共通する内容をさらに活用できるように確保しておくことを目指す。（中略）科学の観点から見れば、個々の経験的素材は偶発的なものであり、そこに広く共有されている特徴こそが本質的なものである。（中略）ある考えから、それが生まれた特定の文脈をはぎ取り、その考えに幅広い適用性を与えることで、個人の経験から生まれたものを、あらゆる人間が自由に利用できるようになる。こうして科学は結果的に、理性的な観点から見て、全体的な社会の進歩を生み出す機関となる」（注12）

要するにデューイは、科学や理性に見せかけたイデオロギーのために、いまあるもの、これまであったものを放棄しようとした。このような進歩派やマルクス主義者の態度はもちろん、傲慢以外の何ものでもない（こうした傲慢さは、私たちを支配しようとする人々によく見られる）。一方、誤解のないように言っておくと、伝統・信仰・慣習を重んじる人々は、科学や理性を拒絶はしないものの、それらを崇拝してもいない。むしろ、老人などから永遠の真理や過去の知恵の価値を見聞きし、学んできた。そこには、アメリカ独立宣言に簡潔に記載された、アメリカ建国の基盤となった思想が反映されている。

デューイはルソー同様、自分の教育アプローチを、生徒の心を開くとともに生徒に従順を要求するものと表現しているが、これはむしろ、心を開いて洗脳や服従に身を委ねさせると言ったほうが正確である。デューイはこう断言する。「根本的な結論を言えば、学校を、現在よりもはるかに高い重要性を備えた社会機関にする必要があるということだ。（中略）コミュニティの繁栄への知的・実際的・情緒的関心、すなわち、社会の秩序や進歩、その原理・原則の実践に役立つものへの関心こそが、最終的に求められる倫理的習慣であり、学校だけが提供できるあらゆる習慣をそれに関連づけなければならない」（注13）

当然ながらデューイは、当初からソビエト連邦やその「教育制度」の支持者だった。もっと正確に言えば、服従や従順を新たな調和と言いくるめる、大規模なプロパガンダ工作の支持者である。実際、この共産主義国を訪問し、一九二八年一二月には《ニュー・リパブリック》誌にこう記している。「『過渡的』な状態にあるロシア（言うまでもなくマルクス主義体制は常に『過渡的な状態』にある）では、現在行なわれつつある（マルクス主義者には失礼ながら）精神的・道徳的変革に重点が置かれている。この変革は本来、経済的・政治的変化を達成する手段になるのだが、当面はその順序が逆になっている。精神的・道徳的変革を重視するこの考え方は、あらゆる機関の重要性は広い意味での教育にあり、それが人々の性質や姿勢に影響を及ぼす点にあるという考え方につながる。あらゆる機関の役割は、現在資本主義諸国の人々が進んで『個別』に行動しているように、進んで協調的・集団的に行動するような習慣を国民の間に生み出すことにある」（注14）

こうしてデューイは、アメリカの進歩主義運動の創始者の一人となって「科学と理性」を説き、独裁者ヨシフ・スターリン率いる残忍な共産主義体制によりロシア国民に強制された洗脳を称賛した。ここで注意しなければならないのは、このデューイがいまだに、学界やメディアなどの進歩的思想の中心にいる点である。

デューイはさらにこう続ける。「同じ考え方から、狭義の教育機関、すなわち学校の重要性や目的が明らかになる。学校は、分散的・間接的にしか成果を生み出せないほかの機関に代わり、集中的・直接的な取り組みを行なう。学校は現段階において、『革命のイデオロギー部門』を担当している。したがって学校の活動は、運営面においても組織面においても、目的においても精神においても、ほかのあらゆる社会機関や社会の利益と分かちがたく結びついている」(注15)

まさに「革命」である。その目的はやはり、学校やカリキュラムを支配し、教員や教室を支配し、いずれは国民の精神や心を支配することにある。これこそ、現代のアメリカが直面している教育事情なのではないか? のちに見るように、アメリカの文化が過激化しているのは、批判理論など、マルクス主義をベースにした急進的イデオロギーに基づく教育やメディアのプロパガンダによる。

デューイはこうも記している。「体制が過渡的な間は、学校で大規模な教育を施し、必要とされる集団的・協調的精神をひたすら育むことはできない。小作人は、伝統的な習慣や制度、狭い小作地、三圃《さんぽ》式農業、家庭や教会などの影響を自動的に受け、それぞれ個別のイデオロギーを生み出す。都市労働者は小作人より集産主義*に向かう傾向が高いとはいえ、その社会環境により、さまざまな点で集産主義に反する影響を受ける。そのため学校には、名目上は集産主

＊国が生産手段などの集約化・計画化・統制化を行なう経済体制。

義体制でありながらいまだ根強く存在する、これら家庭的・地域的傾向に対抗して、それを変革するという重要な使命がある」（注16）

これは、理想的な公立学校のあり方に関するきわめて露骨な宣言であり、現在の学校は本当にそうなっている。「必要とされる集団的・協調的精神」とはいったい何なのか？　マルクスは、これら進歩主義的な自分の子孫を見て誇りに思うことだろう。実際、驚くべきことにデューイは、小作農民は集産主義的ユートピアの障害になるとはっきり述べている。前述のデューイの記事が発表されてからおよそ四年後の一九三二年には、スターリンが大規模かつ無慈悲な飢餓推進運動を通じて、ウクライナの国民、とりわけその小作農民の撲滅を図った。その理由は、彼らがその「狭い小作地」をマルクス主義体制に譲り渡そうともしなければ、スターリンの集産主義的計画に従おうともしなかったからだ。これにより数百万人が命を落とした。その際、アメリカの有力紙の一つ、《ニューヨーク・タイムズ》紙は、人民の解放、平等の推進、正義の実現など、ロシア革命を支えた思想や原理を守るために、初期スターリン体制のプロパガンダ紙となり、ウクライナ人に対する残虐行為や大量虐殺を隠蔽する片棒を担いだ（注17）。

これを見ても、現代の進歩主義運動の土台となるイデオロギーがマルクス主義という子宮から生まれたのはこのうえなく明らかだ。このつながりに異論の余地はない。もちろん、現在実践され強制されているマルクス主義のあらゆる生まれ変わりが、何もかも同一である必要はなく、実際にそれぞれ違いはある。だがアメリカのさまざまな進歩派の間に、同じ中核的信念、同じ明確な主張が見られることに間違いはない。この進歩派が、数十年にわたり文化や政府を通じて洗脳や人心操作を行なった結果、アメリカは多大な被害を受けることになった。その後の世代の学生たちは、アメリカ建国時の理想に忠誠を誓い、自由な市民社会を称賛するどころか、自分の国やその歴史、建国の理念を軽蔑し、それらを放棄するよう教育されている。

多くの親は子どもたちを、政府に義務づけられた学校に通わせ、その後も未来の就職に有利になるようにと、高等教育機関への進学を自発的に支援している。ところがその結果、家族の一員として育てたはずの子どもたちが、第三者による洗脳を受け、イデオロギー運動の一員に変わり果ててしまった姿を見て、たいていは愕然《がくぜん》とすることになる。

教育や文化、社会に対する進歩派の支配が根づき始めた一九四八年、シカゴ大学の教授リチャード・M・ウィーヴァーが、『Ideas Have Consequences（思想には結果が伴う）』という著書を発表した。そのなかでウィーヴァーは、教育や市民社会が崩壊しつつある現状を憂慮し、こう記している。「私たちには間違いなく、現代について発言する権利がある。現代の愚かさを示す記念碑を見つけたければ、まわりを見てみるといい」（注18）。そして、いま自分が目のあたりにしている、昔の真実や信仰が拒絶され、信じられないほどの非情が蔓延している状況を非難する。「現代では、都市が破壊され、古の信仰が攻撃を受けている」。マタイ福音書の言葉を借り、『世界の初めから今までなく、今後も決してないほどの大きな苦難』[*]に直面しているのではないかと問いたくなるほどだ。私たちはこれまで、人間はついに、かつてのような制

＊マタイによる福音書第二四章二一節。新共同訳による。

約を必要としない独立した地位を獲得したのだという堂々たる自信をもって行動してきた。だが二〇世紀前半のいま、私たちは現代の進歩の絶頂において、前例のない憎悪と暴力の爆発に直面している。あらゆる国々が戦争で荒廃し、征服者による刑罰の場と化した。いまや人類の半分が、残りの半分を犯罪者と見なしている。集団精神病の兆候がどこにでも見られる。そのなかでもとりわけ不吉なのが、価値観の基盤が分断され、単一の地球という考え方が、異なる見解を持つさまざまな世界により笑いものにされているらしい状況である。こうした分裂の兆候は恐怖を呼び起こし、恐怖はそれぞれに生き残りを賭けた必死の取り組みを促し、分裂のプロセスをさらに進めるばかりだ」（注19）

ウィーヴァーの説明はさらに続く。「宗教の持つ威厳があいまいになり、合理主義や科学の世界で宗教が生き延びられるのかという疑念に直面せざるを得なくなっている」。その代わりに生まれたのが、「『人間化された』異常な宗教である」（注20）。実際、人類はいまや、環境により定義されるべきものとなった。マルクス主義を支える基本的原理である唯物論（唯物史観とも呼ばれる）である。「唯物論が地平線上に（中略）現れた。なぜならそれは、すでに形成されているもののなかに潜在していたからだ。こうして間もなく、人間を環境によって説明することが必須となった。（中略）人間は超越的な栄光の雲を引きずって今世紀にたどり着いたかもしれないが、いまや実証主義者*を満足させるような形で説明される存在になった」（注21）。それを成し遂げたのは、いわゆる専門家や行政国家の社会工学的取り組みにより、永遠の真実

＊経験的事実に基づいて理論や命題を検証し、神など超越的なものの存在を否定しようとする立場。

や時代を超えた経験を拒絶するようになったあの知識人たちである。彼らはデータや科学、実証主義を利用して社会を分析・管理・統制すると主張する。

ウィーヴァーはまた、チャールズ・ダーウィンの進化論を参照してこう述べている。「人間の起源という重要な問題が科学的唯物論に従って決定されると、それからは、適者生存のなかで生まれた生物学的必然が、直接原因［行動の主原因］と見なされるようになった。人間が主に環境圧力により形成されることを認めれば、同じ因果律理論を人間の制度にも拡大せざるを得なくなる。一九世紀の社会哲学者は、ダーウィンの思想のなかに、人間は常に経済的誘因に基づいて行動するという主張を支える力強い根拠を見つけ、意志の自由を無効にする理論を完成させた。こうしてそれまでの壮大な歴史劇は、個人や階級の経済的営みへと還元され、経済的な闘争や解決の理論に基づいて精緻な予言が構築された。そのなかでは、神の姿に似せてつくられ、魂の危機にさらされる壮大なドラマの主人公だった人間が、富を求めては消費する動物のごとき人間に置き換えられている」（注22）

つまり、人間存在の複雑な性質が、単純化された欠陥だらけの経済理論に還元される。その理論のなかの個人は、物的消費だけに集中する一面的な生物に過ぎない。

ウィーヴァーは言う。「とうとう心理的行動主義*が到来した。それは、意志の自由だけでなく、本能など、方向性を決める基本的な手段さえ否定する」。いま起きているのは、「愚かしい論理への零落《れいらく》である。それは、人間が自ら進んで超越的な概念［精神や信仰、神］に別れを告

＊あらゆる行動は環境との相互作用を通じて学習されるとする思想。

げたときに始まった。人間が現在置かれている状況を表現するのに、『最悪』ほど適切な言葉はない。人間はいま、底知れぬ暗い深淵におり、そこから浮上する術《すべ》を持たない。（中略）問題が押し寄せてきては場当たり的な対処を行ない、混乱をさらに深めている」（注23）

もちろんこれは、教育の問題にもつながる。かつての宗教は放棄され、教育に置き換えられた。ウィーヴァーは言う。「それはおそらく、同じ効果を発揮することになるだろう。モダニズムの誇るべき業績の一つである教育と宗教の分離は、知識と形而上学の分離の延長にほかならない。こうして教育が分離されれば、好きな方向への洗脳が可能になる。そこには（中略）教室での教育も含まれる。制度化された教育はすべて、国家という前提のもとに行なわれるからだ。だが、その目的を何よりも達成できるのは、情報や娯楽といった経路を通じて、日ごとに全市民を組織的に洗脳していく教育である」（注24）。ウィーヴァーは知る由もないが、およそ八〇年後にはその言葉どおり事態が悪化することになる。

こうした教育の結果、一九五〇年代後半から一九七〇年代前半にかけての時期にアメリカの大学で、現代のマルクス主義者が高く称賛する新左翼運動が生まれた。新左翼グループのなかでもひときわ目を引く存在だった「民主主義社会を求める学生連合（ＳＤＳ）」は一九五九年に設立され、一九六二年には「ポートヒューロン宣言」という政治綱領を発表している。資本主義を非難してマルクス主義的な革命を奨励する、大衆的な精神分析に満ちた、陳腐でまとまりのない小論文である。新左翼は「一般的に、従来の形態の政治組織を嫌い、大規模な抗議活動、直接行動、市民的不服従といった戦略を好んだ」(注25)。また、ドイツ生まれのマルクス主義者ヘルベルト・マルクーゼから多大な影響を受けていた。言うまでもなく、熱烈な反資本主義者である。当然ながらマルクーゼは、その生涯の間にコロンビア大学やハーバード大学、ブランダイス大学など、アメリカのさまざまな大学で教鞭をとった。「多作家でもあり、一九六四年に発表した著書『一次元的人間　先進産業社会におけるイデオロギーの研究』*はとりわけ新左翼の間で広く読まれ、その成功により、比較的無名の大学教授から、当時学生の間に芽生えていた反戦運動の予言者となり指導者となった」(注26)という。のちに見るように、その影響は新左翼をはるかに超え、現代の批判理論運動(アメリカの社会や文化を批判し、最終的には駆逐することを積極的に推進する運動)にまで及んでいる。そのため、以下でマルクーゼの言葉を詳しく取り上げてみよう。

マルクス主義を信奉する大半の教授同様、マルクーゼも洗脳だけに満足せず、具体的な革命への行動を呼びかけた。だが、アメリカでマルクス主義的な暴動が起きない理由について、マルクーゼの説明は時代によって変わっている。ある時期には、暴動は「大衆」から生まれるものと考えていた。だがのちには、資本主義社会が豊かなため、そのような革命が起きないのだと思い、権利を奪われた人々とともに行動する知識人たちから革命は起きると主張した。ところが、学生運動が到来すると、またも大衆的な革命運動思想に傾倒していった(注27)。いずれにせよ、マルクスと同じように、本格的な革命がなければ、資本主義や支配的な文化がもたら

＊邦訳は生松敬三・三沢謙一、河出書房新社、一九八〇年。

す社会悪を排除することはできないと確信していた。

マルクーゼはまた、資本主義制度あるいは「産業機構」は、心理的にも経済的にも至るところに蔓延して労働者階級や労働運動を呑み込み、吸収しようとさえしていると述べ、こう主張している。「現代の産業社会は、その技術的基盤をまとめあげてきた方法を利用して全体主義化する傾向がある。というのは、『全体主義』には、暴力的に政治を統合することだけでなく、非暴力的に経済や技術を統合することも含まれるからだ。この後者の統合は、既得権者がニーズを操作することで実現される。こうして産業社会は、全体に対する効果的な異議申し立てを封じ込める。つまり、特定の形態の政府や政党の支配だけでなく、特定の生産・分配制度もまた、全体主義を生み出す。この制度は、政党や新聞、『対抗勢力』が『複数存在する状態』とも共存できる」（注28）

さらにマルクーゼは言う。実際、資本主義の支配力があまりに強大なため、政府はそれを利用して社会を管理・統制しようとする。「現在の政治権力は、産業機構の活動や、その機構の技術組織に対する影響力を通じて行使される。先進社会やその途上にある社会の政府は、産業文明が利用できる技術的・科学的・機械的生産力を動員・組織化・利用できる場合にのみ、自らを維持・保護できる。この生産力が、特定の個人や利益集団だけでなく、社会全体を動員するからだ。産業機構の物理的な（中略）力は、産業労働者の力はおろか、いかなる特定の集団の力も超えている。この抗いがたい事実により産業機構は、主にその活動で構成されるいかな

る社会においても、もっとも効果的な政治的道具となる」(注29)

だがマルクーゼは、この「産業機構」の手中から逃れる方法があると述べる。「それには、社会の新たな可能性に対応した、新たな認識方法が必要になる。その方法は、否定文でのみ表現できる。なぜならそれは、支配的な認識方法を否定するものだからだ。したがって、経済的自由とは、経済からの自由、経済的な力や経済的な関係による支配からの自由を意味する。日々の生存競争からの自由、生計を立てることからの自由である。また、政治的自由とは、実質的な支配権がない政治からの個人の解放を意味する。(中略)もっとも効果的かつ持続的にこの解放を阻むには、もはや時代遅れの生存競争を永続化させる物質的・知的欲求を植えつければいい」(注30)

こうしたマルクス主義や、その擁護者であるマルクーゼらの思想に、内的矛盾があることは明々白々である。自由市場資本主義をあきらめ、集産主義に移行すれば、個人の自由や経済的自由を手に入れられるのか? それにより個人は満たされ、不足や生存競争から解放され、政府はいずれ衰えることになるのか? マルクス主義は実際に、世界中にそんな影響を及ぼしているのか? もちろん、そんなことはない。たとえば、警察国家にならなかったマルクス主義体制など、この地球上のどこにあるのか? 中国、北朝鮮、キューバ、ベネズエラ? むしろ、マルクス主義を強制し、抽象的概念を現実化した結果、何千万もの人々が苦しみ、命を落としたのではなかったか?

それにもかかわらずマルクーゼは、実際にはまだ既存の社会を打倒できてはいないが、いまやその基盤に深い亀裂ができていると主張する。「新左翼の『メッセージ』に耳を傾ける人々が、その仲間を超えて広がっている兆候がある。もちろん、それには理由がある。国際的な規模で、資本主義の安定性が揺らいでいる。この制度に内在する破壊性や不合理性が、次第に明らかになりつつある。だからこそ、ほとんど組織化されておらず、分散していてつながりもなく、いまだ明白な社会主義的目的もないというのに、抗議活動が発展・拡大しているのだ。労働者の抗議は、山猫スト、計画的欠勤、極秘の妨害行為、労働組合幹部への激怒という形をとって現れている。あるいは、抑圧された社会的マイノリティの闘争や女性の解放運動にも、それが見て取れる。労働者の士気が全体的に崩壊し、資本主義社会の基本的価値観やその偽善的な倫理観に対する不信感が広まっているのは明らかだ。資本主義が設定した優先順位や序列への信頼は、いまや完全に破綻している」（注31）

過去数十年にわたり、デューイの業績をもとに、マルクーゼらが支持し発展させたマルクス主義思想を採用し、それをアメリカの社会や文化に適応させた結果、いまやアメリカの大学にマルクス主義やその概念が蔓延し、教室で公然とそれらが教育・宣伝されている。前述したように、三〇年ほど前にはすでに、《ニューヨーク・タイムズ》紙の記事のなかで、それが指摘されていたほどだ（注32）。

誤解のないように言っておくが、ここで問題にしているのは、同紙の記事にあったように、教室で教えられているマルクス主義・共産主義が「ほとんど共通点のない理論の緩やかな寄せ集め」になったことではない。それはかえって、それらのメッセージが引き起こす不安を以前より低下させる役目を果たした。むしろ問題なのは、いまではマルクス主義の教義をさまざまな形で利用して、各種の方面からアメリカの社会や文化を攻撃するようになったため、これらの運動に対抗して異議を唱えるのが、以前よりもはるかに難しくなっている点である。

ジョナサン・M・ウィーナーが《ニューヨーク・タイムズ》紙に語った言葉を思い出してほしい。「『マルクス主義とフェミニズム、マルクス主義と脱構築、マルクス主義と人種——ここにこそ現代の刺激的な議論がある』(注33)。いまでは多様性が、かつては一枚岩だったマルクス主義の特徴になっている」(注34)

実際、マルクス主義はさまざまな亜流を生み出し、その支持者たちは、社会の欠点や個人の不満、あるいはマルクス主義を原型とする抑圧者対被抑圧者(ブルジョワジー対プロレタリアート)の階級闘争理論を絶えず利用して、文化的・社会的生活のそれぞれ異なる側面を打倒しようとしている。その結果、マルクス主義の影響力がアメリカ社会の奥深くにまで浸透している。その影響力は、企業の役員室、プロスポーツ界、ニュース編集室どころか、それを超えて至るところに蔓延し、大衆に黙認や受動的な受け入れを促している。しかも、別の表現を借りてはいるが、そのような状況が公然と称賛されてさえいる。だがマルクス主義はその核心において、やはりマルクス本人や、マルクスが無数の著作のなかで詳細に論じたイデオロギーに由来している。その原則や主張は、学界などでさまざまな変更が施されているにせよ、わが国の立憲共和制や市場主導経済の破壊を目指している。

とはいえ、本章で強調しているように、マルクス主義的な洗脳や支援運動を推進する強大な力、その受け入れや拡散を促す力強い要因を生み出しているのは、数世代もの学生の教育に対する学界の支配である。マルクス主義思想の真の標的であるこれらの学生が、抵抗や反乱、革命の基盤を形成している。

ボストン大学の教授リチャード・ランデスは、二〇一一年に発表した著書『Heaven on Earth（地上の天国）』のなかで、千年王国説*の信奉者が抱く感情的・知的・宗教的・精神的傾向について解説している。ランデスは実際のところ、この「千年王国説信奉者」という言葉に、私が本書で取り上げている人々よりも広い意味を持たせているのだが、その解説は、マルクス主義や革命運動に惹《ひ》かれる若者（特に大学生）の考え方や動機をみごとに表現している。そこで以下にその一部を紹介するが、それを読む際には、ランデスの「千年王国説信奉者」という言葉に、「ミレニアル世代」らしきものが含まれている点に留意してほしい。むしろ私がここで試みる分析においては、千年王国説信奉者をミレニアル世代と読み替えてもらってかまわない。いずれにせよランデスの学識は、社会の変革を推進しようとする大学内の精神構造を理解するうえで重要な意義を持つ。

ランデスはこう記している。「千年王国説信奉者は、正義に対する熱い思いを抱いている。

＊近い将来にキリストが地上に再臨し、正義と平和が支配する至福の千年王国を実現するという信仰。

善と悪の区別をよくわきまえていると思っている。人類を見る際には、そこに微妙な差異のある幅広い人間を見るのではなく、少数の聖人と無数の罪人（一部は救えるが、大半は救えない罪人）を見る。最後の啓示の際に誰が罰を受けるか、誰が報酬を受け取るかをはっきり区別しているのだ。また、その瞬間が来たときには、一切の妥協がないと信じている。腐敗、暴力、圧制などの悪が完全に根絶され、善人のための正義の王国が驚くべき至福をもたらすことを期待している。（中略）千年王国説の信奉者にとって、コルプス・ペルミクストゥム［信者と不信心者との混成体］による灰色の世界は幻影でしかない。そのなかでは『悪人』が、当面は最上位を占めるかもしれないが、そのような幻影はいずれ消える。そして最終的には、柔和な者、慎ましい者、非力な者が最上位に就く」（注35）

こうしてマルクス主義は、比類なく魅力的なイデオロギーになる。マルクスが自分のイデオロギーを敗残者や被抑圧者といった言葉で包み、徹底的に腐敗していると言われる現体制の撲滅を呼びかけているからだ。

ランデスはさらに言う。「千年王国説の信奉者はみな、社会的・政治的世界の変革をもたらすほど、自分たちの信念に傾倒する者が増えることを願っている。『義人がこの世界で自由に生きる』。それこそが、ほかの終末論とは違う千年王国説の本質である。つまり、集団的救済思想であり、社会的神秘主義でもある。それは間もなく訪れると言われているが、単なる空想物語ではない。それは人類の変革、これまでとは異なる人的交流への進化的跳躍を想定しており、感情に訴える多大な力を持つ。政治科学の言葉を使えば、千年王国説は（おそらく最初の）革命イデオロギーなのである」（注36）

このようにマルクス主義には、その唱道者や支持者にとって神学的側面がある。約束された社会の根本的変革や、社会の再生を通じた人間の性質の浄化は、生活共同体の平等主義に見られる「集団的救済」とつながる。

ランデスの記述はさらに続く。「革命イデオロギーは、変革の瞬間に近づいたと大衆が感じたときに初めて、大衆の心に響くものになる（つまり、ミームが広範囲に広がる）。実際のところ、私たちの多くはある意味では千年王国説を信奉している（いずれ人類が平和と正義の新たな段階に入ることを望んでいる）が、ヨハネの黙示録で預言されたような千年王国を信奉している（この世界史的事件がいままさに起ころうとしていると信じている）人はほとんどいない。大勢の人々がついに『時が来た』と確信し、その信念に結集するような比較的まれな瞬間が訪れたときに初めて、千年王国説は黙示録的な旋風を巻き起こす運動になる」（注37）

言うまでもなく、私たちが二〇二〇年夏に目のあたりにしたのはこれである。ＢＬＭやアンティファなど、マルクス主義志向のグループに組織・先導された激しい暴動が各地に広がった。いまやＢＬＭを受け入れ支持する傾向は、文化全体に行き渡っている。そのなかには、民主党、企業、プロスポーツ界、ニュース編集室なども含まれる。

ランデスは言う。「黙示録的な時代に入ったと信じる人々にとっては、あらゆるものが刺激を受け、活気を帯び、ひとつにまとまる。あらゆるものが記号論的に覚醒し、意味やパターンを持つようになる。ささいな出来事が計り知れない重要性を帯び、まったく新たな世界観への道を開く。その世界では、ほかの人間には見えない力が働いている。この世界の戦士が死を背負って戦っているのだとすれば、黙示録の戦士は、もう少しで手が届く目の前の宇宙的救済を心に抱いて戦うことになる」（注38）

さらにこうした革命論者は、異なる信念や思想、知的な異議や反論を認めない。従順を要求し、それをもって統一や共同と呼ぶ。ランデスはこう記している。「千年王国説の信奉者はきわめて行動的だ。刺激的な魔法の世界に暮らしており、ほかの人々をそこに連れていくことだけを望んでいる。私たちがそれを拒否すれば、その世界を私たちのもとへ持ってこようとする。それでもなお抵抗すれば、残念ながらたいていは、黙示録の敵として私たちを攻撃するか、そういう人を攻撃するよう私たちに強要することになる」（注39）

こうして見ると、世界的に悪名の高いマルクス主義革命家が、大学での経験や勉強に多大な影響を受けているのも驚くべきことではない。たとえば、ロシアの革命家ウラジーミル・イリイチ・ウリヤノフ、別名レーニンの略歴にはこうある。レーニンは「教養のある家庭に（中略）生まれ、学校では優秀な成績を収めた。大学で法学を学ぶうちに、急進思想に触れるとともに、革命グループの一員だった兄の処刑からも影響を受ける。やがて急進的な政治活動により大学から追放されたが、一八九一年に学外生として法律の学位を取得するとサンクトペテル

ブルクへ移り、職業革命家となった」（注40）

中国の革命家、毛沢東は農家に生まれたが、略歴にはこうある。「教員としての教育を受けると北京へ渡り、大学図書館で働いた。マルクス主義の文献を読み始めたのは、この時期である。そして一九二一年、中国共産党の創設メンバーとなり、湖南に支部を開設した」（注41）

カンボジアの革命家ポル・ポトは、比較的裕福な家庭に生まれた。略歴にはこう記されている。「フランス語を話す児童向けの学校で一連の教育を受けた。一九四九年に奨学金を得てパリに留学し、そこでマルクス主義の政治活動にかかわることになる」（注42）

大半のアメリカ人は、わが国の大学で起きていることをほとんど気に留めていないか、甘受している。そのなかには、子どもをこれらの大学に通わせるための授業料を支払っている親もいれば、これらの教育機関に毎年数百億ドルもの資金を助成している納税者もいる。これは、義務や責任の重大な放棄であり、数世代に及ぶ過失だと言ってもいい。

そのため以下で、不完全ではあるが、マルクス主義・共産主義に関連する影響が現在の高等教育にどれほど浸透しているのかを概観してみたいのだが、これについては、いまは亡きジーン・アニオン教授の主張や著作を検討してみれば、それで十分だろう。アニオンは、ニューヨーク市立大学大学院センターの都市教育博士課程で、社会・教育政策の教授を務めていた。学界以外ではほとんど知られていないが、教室を利用してマルクス主義関連の洗脳を推進した教授の一人であり、その後の高等教育に多大な影響を及ぼし、その影響力はいまも尾を引いている。
まずは、アニオンの古くからの友人であるバッファロー大学のロイス・ウェイス博士の著書から引用しよう。「過去三五年の間にアメリカやカナダ、オーストラリア、ニュージーランド、イギリスで都市教育、教育社会学、カリキュラム研究、教育人類学を学んだ大学院生のなかに、［アニオンの］著作に触れていない者はほとんどいない。一九七〇年代後半以来ジーン・アニオンは、のちに『公認カリキュラム』と呼ばれるものの性質（その内容、その地位を獲得した経緯、その対象者など）を明確化する学術運動の中心に位置している。一九七〇年代前半にイギリスで『新たな教育社会学』を求める声が高まると、学者たちは、何を『公認』の知識とするか、学校を通じてその知識を個別にどう伝えるかという問題に取り組み始めた。こうした分析の理論的な出発点について、マイケル・F・D・ヤングは一九七一年の論文のなかでこう述べている。『支配的なカテゴリーを正当化する権力や機会へのアクセスと、一部のグループがそのようなカテゴリーを利用することで、そのグループが他者に対する権力や支配を行使することが可能になるプロセスとの間には、弁証法的な関係がある』。この一般的枠組みを拡大し、数々の学者がこう主張している。知識の編成、知識の伝達形態、および知識の獲得に対する評価は、先進的な資本主義社会において階級関係を再生産する要因になる、と」（注43）
これをわかりやすく言えば、アニオンは教室で、知識を獲得する従来のアプローチの代わりに、易しく書き直された共産主義イデオロギーの普及を促進した。たとえば、アニオンのこんな言葉がある。「資本主義に見られる生産手段の私的所有は、（中略）マルクスが想像したような社会主義・共産主義体制とは異なる。その体制では、あらゆる人々がその能力に応じて経済財の生産に貢献し、各人の必要に応じて利益や財が提供される」（注44）

アニオンは、ブルジョワジー（財産を所有する資本家）対プロレタリアート（賃金を稼ぐ労働者）という一般的な階級闘争を喧伝《けんでん》し、複雑な世界や込み入った関係をそのようなカースト制度にいとも簡単に分解できるかのように主張した。二〇一一年に発表した著書『Marx and Education（マルクスと教育）』に、こう記している。「マルクスの重要性は、資本主義は根本に不平等がなければ機能できない経済制度だと見抜いた点にある。つまり、この制度の仕組みには不平等が組み込まれている。会社を所有する者は、生き残るために利益をあげなければならない。会社を所有しない者は、自分や家族を養っていくために、会社で仕事を見つけて働かなければならない。こうして労働者（やほかの被雇用者）は、市場でほかのものと同じように最低価格で売買される商品となる。資本家は利益をあげるために、生産する製品の売り値よりも安い賃金を労働者に払わなければならない（製品が医療やコンピューター作業といったサービスの場合には、会社の所有者は、被雇用者に支払う賃金よりも多くの利益を手に入れなければならない）。その結果、製品の販売やサービスの提供により生まれた余剰金が、利益として資本家のもとに保管される。ここで注意しなければならないのは、小企業の利益幅は比較的少ないものだが、大企業やその株主、幹部、管理者たちは一般的に、被雇用者の賃金や給与に比べ、巨額の利益を享受している点である。（中略）この労働者・被雇用者と所有者との非常に不平等な関係が、資本主義制度の根底にあり、マルクスにとっては、この制度の定義に欠かせないものとなっている」（注45）

こうした理論は当然、どれだけ証拠を見せても、資本主義社会に経済的・社会的流動性が存在することを受け入れようとしない。アメリカには、「無一文から大金持ちに」なった物語や「大金持ちから無一文に」なった物語がいくらでもある。またアメリカには、百万単位の人々が、自分や家族の命を危険にさらしてまで亡命してくる。そのなかには、楽園だったはずの共産主義諸国から逃れてくる人々もいる。なぜならアメリカには、よりよい生活もまたいくらでもあるからだ。その一方で、その反対の事例はどこにあるのか？「アメリカの資本主義がもたらす不平等」から「逃れ」、よりよい生活を求めて共産主義諸国へ向かう人がどこにいるのか？　このイデオロギーは全体的に、夢のようなおとぎ話に基づいているが、実際には恐るべき悪夢をもたらすだけだ。

ほかのマルクス主義者同様、アニオンもまた、人間の間に不平等が存在するという事実を利用している。だが、不平等が存在する理由は無数にある。その多くは、経済的な抑圧や断層、歴史的差別、不正義とは関係がなく、個々人の行為や動機、労働倫理、運（幸運や不運）などの性質や結果と関係している。そもそも、経済的な平等を実現するのは無理であり、不可能である。経済的な平等とはいったい何を意味しているのか？　それぞれ異なる多様な個人の集まりに、経済的平等をどの程度課すことができるのか？　それを、どのような手段や方法で課そうというのか？　経済的平等が達成されたかどうかをどう判断するのか？　それを次世代へどう確実につないでいくのか？　結局、経済的平等の基準は見る人によって違うのではないか？　経済的平等が何を意味し、それをどう実現するにせよ、それは経済的な成長や機会、社会全体の幸福にどんな影響を及ぼすことになるのか？　共産主義国を含め、世界に一九〇以上ある国のなかに、経済的平等が実際に存在する国がどこにあるのか？　こうした疑問は延々と続く。いずれも、共産主義理論や現実社会に対するその影響を考えるうえで、非常に重要な問題である。

さらに言えば、「所有者対労働者」という枠組みは、まったく合理的なものではない。「所有者」と「労働者」の区別はあいまいである場合が多く、区別できないことさえある。小規模な小売店やオンライン会社を自営している人は、所有者なのか、労働者なのか、それともその両方なのか？　大半の人は両方だと答えるだろう。また、自分が勤める企業が発行する株式に投資している労働者や、個人的な投資や年金制度を通じて株式を購入している労働者は、その株式を発行している企業の所有者とは言えないだろうか？　そのとおりである。それなのになぜ、経験的事実として、資本主義経済制度では雇用主が被雇用者を搾取していると前提されているのか？　たとえば、大小を問わずアメリカの企業で働いている被雇用者と、北朝鮮やキューバ、ベネズエラで奴隷労働のような条件で働いている労働者とでは、どちらが裕福な暮らしをしているだろう? あるいは、共産主義国の中国を見てほしい。中国では、自由に職を変更できず、政府の指示をきちんと守っているかどうかによって社会的信用を評価され、残忍な独裁者である習近平を最高指導者として崇拝しなければならない。また、宗教はほとんど禁止され、司法制度は共産党の正統性を押しつけるためにのみ存在し、ネットワーク化された無数の強制収容所が運営されている。これが、マルクス主義の唱道者(とりわけ大学の教授たち)が約束する牧歌的な至福の世界でないことは、一目瞭然である。

哲学者およびジャーナリストとして活躍した故レイモン・アロンは、マルクス主義を信奉する知識人やエリートの考え方に対して鋭い洞察を示している。一九五五年に発表した著書『The Opium of the Intellectuals(知識人のアヘン)』にこうある。「革命という神話のなかでは、いまだに異論のあるこの闘争が、避けられない必然と表現される。既得権者など、輝かしいロマンチックな未来に敵対する分子の抵抗を打ち破るには、力によるしかないという。こうして見ると、革命と理性は正反対の方向を向いている。理性は議論を提案し、革命は暴力を推奨する。理性は、議論により相手を説得しようとし、革命は、議論を放棄して武力に訴えようとする。暴力はこれまでもこれからも、一部の性急な合理主義者が最後に頼る手段となるだろう。どのような制度にするべきかを知っていると主張する人々は、ほかの人々の無知に激怒し、言葉の力を信じられなくなり、個人や社会の性質から生まれる同様の障害はこれからも常に存在することを忘れてしまう。こうして革命家は、自分が国家を支配したときにもやはり、妥協

か専制かという同じ選択肢に直面することになる」（注46）

だが、世界が実際にこうしたマルクス主義の現実を経験してきたにもかかわらず、アニオンのような教授たちは前に進むことをやめない。アニオンは、以下のような正統派のマルクス主義的見解を述べている。「被雇用者への給与や給付金を増やせば所有者の利益幅が縮小するため、資本家は（その定義においても多くの実例においても）労働者の利益とは正反対の立場にある。労働者は一般的に、労働組合の組織化や最低賃金の上昇、給付の強化を望んでいるからだ。このように労働者と所有者の経済的関係は、対立するものと見なせる。主要階級（労働者階級と資本家階級）間の対立は、緊張や絶え間ない闘争（ストライキ、怠業、政治的デモ）を引き起こす。労働者はこの階級闘争に勝利することにより、工場やオフィスなど、資本主義的企業に自分たちを縛りつけている『鎖』から解放される。この階級闘争を通じて、最終的には資本主義が打倒され、資本や利益が民主的に共有される社会主義やマルクス主義が発展していく。マルクスはそう考え、こう主張している。社会主義体制では、『階級や階級間の対立が存在する旧来のブルジョワ社会に代わり、個人の自由な発展が全体の自由の発展の条件となる共同が生まれる』（マルクス＆エンゲルス『共産党宣言』）」（注47）

ところが実際のところ、民間企業の被雇用者の大多数は労働組合に参加していない（注48）。その理由は、労働組合の拡大を妨害する何らかの陰謀があるからではなく、多くの産業で労働組合が時代遅れになっているからだ。労働組合は、ある産業では職を奪い、別の産業では何の目的も果たしていない。また、大半とは言わないまでも多くの雇用主が、労働者を酷使すれば自滅するだけだということを理解している。仕事の空きを埋め、多くの時間や資源や研修費用を投じた被雇用者を引き留め、忠誠心や生産性の高い労働環境を維持していくのが困難になるからだ。しかしアメリカのマルクス主義者から見れば、労働組合は、集産主義的な目標を共有する少数者の手に労働者の管理を一元化するのに役立つ。実際、労働組合が組合員の代弁者ではなく国家の代弁者と化しているケースが、多くの全体主義体制に頻繁に見られる。いずれにせよ、結果的に民間企業の労働組合が衰退しているのは、開かれた社会における経営者や個々の被雇用者の選択や必要から、自然に生まれた結果だと言える（注49）。

アニオンはさらにこう主張する。「マルクスによれば、資本主義社会では、経済的な階級関係が、職場以外の社会的立場にも強く作用し、人々が暮らす家庭的・市民的世界に影響を及ぼす。（中略）マルクスは言う。『物質的生活の生産様式は一般的に、社会的・政治的・知的な生活プロセスを条件づける。意識が人間のあり方を決定づけるのではなく、社会における人間のあり方が意識を決定づけるのである』（一八五九年）。（中略）さらにマルクスはこうも述べている。このように、労働者階級を取り巻く経済的関係や社会的状況が、労働者が現在の社会的立場を乗り越えていく能力を制限している。（中略）男性も女性も、ある程度の自由と主体性を持っているが、（資本主義的）民主主義国での暮らしが示唆するほど自由には、自分の人生の可能性を決定できない。『男性［も女性］も自身の歴史をつくっていくが、好きなように歴史をつくれるわけではない。自分が選んだ環境下ではなく、過去から受け継がれた、すでに存在する環境下で歴史をつくっていくほかないのである』と」（注50）

ここには明らかな誤謬《ごびゅう》がいくつかある。わが国にはある種のカースト制度や階級制度が存在するという点、私たちの全存在は人生の一時期における経済的状態により決定されるという点、この想定された状態を乗り越える力も希望も存在しないという点である。比較的自由な経済制度を伴う、比較的自由な社会では、これとは反対のことがあてはまる。実際、社会的・経済的階梯を上っていった人の事例も下っていった人の事例も無数にある。わが国には、固定された経済的・社会的カースト制度や階級制度など存在しない。これは、上流を気取る人間がまったくいないということではない。そんな人間はどの社会にもいる。それよりもむしろ、世界中の共産主義諸国にこそ、頑強なカースト制度や階級制度が根深く存在している。そこでは党や政府を支配する特権階級が、ほかの国民にはとうてい望み得ないような生活を送っている。

アロンもこの点を暴露している。「かつて人民のものとされていた美徳に比べると、プロレタリアートに課された使命にそれほどの希望はない。かつて、人民を信じるというのは、人類全体を受け入れることだった。だが、プロレタリアートを信じるというのは、苦しみによる選別を受け入れるということだ。人民もプロレタリアートも、庶民的な人間の真実を象徴しているという点では同じだが、人民は法的にも万人を意味しており、いざとなれば、特権階級でさえその仲間に含めることができる。一方プロレタリアートは、多くの階級のなかの一つであり、ほかの階級を一掃することで勝利を達成する。したがって、多くの闘争と流血のあとでなければ、社会全体と一体化できない。プロレタリアートの名において語る者は誰でも、数世紀にわたり主人と対立してきた奴隷を思い浮かべる。もはや自然の秩序の漸進《ぜんしん》的発展を信じられず、奴隷の栄えある反乱を通じて奴隷制を打倒しようとするのである」（注51）

こうした注目に値する事実があるにもかかわらず、アニオンはマルクス主義的なプロパガンダを繰り返す。「社会階級もまた、教育に携わる新マルクス主義者が広く利用してきたマルクスの概念である。社会階級は、個人や集団と生産手段との関係と定義される。つまり、工場や法人などの企業を所有・支配しているのか、そこでの雇用に依存している労働者なのか、ということだ。マルクスは資本主義体制を特徴づけるものとして、二つの主要階級を提示している。労働者階級に属する者は、（中略）自分を雇う所有者に対して、相反する不平等な関係にある。資本家は所有者の地位にあり、労働からではなく、労働者が生み出す余剰金を私物化することにより収入を得る。マルクスは、財やサービスの生産が経済活動のなかで組織・分配される方法に基づき、社会階級を基本的な社会的カテゴリーと見なしている」（注52）

アニオンの記述はさらに続く。「マルクスは（中略）こう述べている。『物質的生産の手段（産業資本や金融資本）を自由に使える階級は、精神的生産の手段（学校、書籍の出版、報道機関など）をも支配する』。（中略）このイデオロギーは、私たちが暮らす制度、私たちが学ぶ制度のなかで伝えられ、正当化される。経済的な力を持つ者が、イデオロギーの力を広め、社会の子どもたちや若者を育てあげる。だからマルクスは、『支配階級の影響から教育を解放する』必要があると主張した」（注53）

　こうした主張はまったくの誤りである。アメリカの小学校や中等学校には、さまざまな背景を持ち、さまざまな経済的状態に置かれた教師や生徒がいる。彼らは、富裕層の代弁者でもなければ操り人形でもない。むしろ、アメリカの公立学校を主に「支配」しているのは、圧倒的に「進歩主義的」な教師や、アメリカのマルクス主義の牙城である教職員組合に加入している教師である（注54）。そのうえ、たいていはこれらの教師の政治的偏見とともに、カリキュラムに沿った授業が行なわれる（注55）（その一例が批判的人種理論だが、これについてはのちの章で取り上げる）。アニオンは、公立学校でマルクスの革命や既存社会の打倒を強硬かつ迅速に推進していない点に異議を唱えている。学校が自分の急進的基準に達していない点をあげつらい、ばかばかしいことにそれを、教室がブルジョワ階級に支配されている証拠と考えている。

「私の世代は、反体制的な一九六〇年代に成年に達した。私たちの多くが学者として、アメリカ社会に関する教育に異議を唱える理論に惹きつけられた理由は、そこにあるのかもしれない。私たちは、わが国の教科書がこれまで教えてきた実力主義や民主主義、愛国主義に重点を置くのではなく、構造的な不平等と思えるものに重点を置くことにした。この不平等は組織的な手段を用いて、一部のグループや文化（労働者、アフリカ系アメリカ人、女性など）をアメリカン・ドリームからまとめて排除してきた」（注56）

「構造的な不平等」に「組織的な手段」。これらの言葉に聞き覚えがあるだろうか？　言うまでもなくこれらの言葉は、わが国の社会を、このうえなく放縦《ほうしょう》で、不公平で、不道徳なものだと印象づけるために利用されている。アニオンの主張によれば、この社会には正義も、改善の余地もありえない。現体制は最初から救いようがなく、これまでに社会が大きく改善されたことはなく、これからもそれを期待できない。したがって、歴史全体を通じてさまざまな負担を押しつけ、苦悩のみをもたらしてきたこの現実離れした社会を、絶えず攻撃・非難し、大小さまざまな形で苦しめ、最終的には根絶しなければならない。

アニオンやその同志たちはアメリカ社会全体を、権力に必死にしがみつく古くからの邪悪な勢力に奉仕する、逃れられない抑圧に満ちた連動システムだと考える。そればかりか、そのような内容が憲法や資本主義体制のなかに正式に組み込まれ、制度化されていると主張する。どこを見ても、差別があり、不正義があり、隷属がある、と。だがここでもやはり、「運動」を推進する鍵となるのは洗脳である。

アニオンは言う。「批判的教育学の中心には、生徒は必ずしも支配的なイデオロギーに組み込まれているわけではなく、抵抗するときもあるという考え方がある。実際に生徒が、私たちが思っている以上に抵抗する場合もある」（注57）。新マルクス主義的研究によると、一九七〇年代後半から一九八九年にかけての時期には、「アメリカの学校は、社会的な抑圧や排除に関して中立的ではなく、経済的不平等や社会的イデオロギーの再生産に大きく関与していた。そのあとの一九九〇年から二〇〇五年にかけての時期には、教育学的分析から人種やジェンダーの観点が抜け落ちているという批判に目を向け、新マルクス主義を新たな方向へ導いた」。それを受けてアニオン自身の研究も、「学校教育における社会階級運動の分析から、基本的には強大な企業や立法府の経済的・政治的判断により、学校制度や、さまざまな生徒集団に提供される（あるいは提供されない）機会が形成されていく過程の調査へ」と変わったという（注58）。

さらにアニオンの言葉はこう続く。「新たな状況においては、マルクス主義理論を拡大するだけでなく、理論の実践を拡大する必要がある。批判的教育学は、あらゆるレベルの教育において持続的かつ重要な意味を持つ、新マルクス主義の実践形態である。この実践の効果を高めて若者の政治参加を促し、社会正義を求める政治闘争に従事させるためには、教室の壁を超え、低所得家庭の学生、黒人やヒスパニックの学生、移民の学生が暮らす世界に踏み込む必要がある。そうすれば（中略）学生たちを、権利や不正義、機会をめぐる公の場での闘争に参加させることが可能になる」（注59）

こうして、マルクス主義を教えるだけでは飽き足らず、学生を革命に参加させることを求めるようになった。アニオンは、大衆が政治闘争に参加するようになる理由はいくつもあるという。それは「政治的・経済的環境に対する解釈の仕方やその変化と関係している。社会的抗議活動に従事する意欲を持つには、現在の状況を、闘争の機会を提供するものと認識する必要がある。（中略）つまり、かつては抑圧的だが変えられないものと見なしていた状況を再考し、それを有用なものと見なすのである」（注60）。「現代の批判的な教育者は、一見すると人種的・階級的・ジェンダー的隷属が強固に確立され、変革などできないように思える状況のなかに可能性を見出すよう、学生を支援する重要な役割がある」（注61）

アニオンらはこのように、マルクス主義用語に「再考」という言葉を導入した。その目的は、威嚇的でない呼びかけにより、強圧的なマルクス主義の見かけを和らげることにある。この言葉はやがて、民主党の政治家やメディアでも人気を博するようになった。つい最近では、「警察予算を打ち切れ」というスローガンを訴える際にも使われた。「いまこそ警察のあり方を再考するときだ」といった具合である。アニオンは言う。「批判的な教育者は、学校や教室を、社会正義を構築する空間として再考する重要な活動に携わっている。この活動には信じられないほどの困難が伴うが、（中略）アメリカの黒人たちが経済的関係や教会、文化を再考し、公民権運動で勝利を収めた事実を考えれば、決して不可能ではない」（注62）

つまり、マルクス主義の教えに基づき、あらゆる可能性を考慮して、まったく新たな社会を再考せよということだ。しかし、マルクス主義による全体主義や大量虐殺が人類に地獄のような経験をもたらしたことを考えれば、当然ながらそのような場を再考する理由などない。ところが、そのような事実が現実世界の結果としてよく知られているにもかかわらず、それについて触れられることはほとんどない。まれに触れる場合があったとしても、あまりに非人道的な結果からは目を背ける。よく見られるのは、こんな表現である。「スターリンは人間として欠陥があり、真のマルクス主義者ではなかった」「毛沢東のおかげで小作民の運命が改善された」「カストロのキューバでは無料で医療を受けられる」。つまり、本質的ではない余談を利用して、専制の恐怖をごまかしているのだ。

多くの同業者と同じように、アニオンはもはや単なる学者ではない。マルクス同様、市民社会の城壁に突撃するよう大衆をあおっている。「経済変動や経済制度を潜在的に対立するものとして再考するだけでは、社会変化は生まれない。情報提供や読書、議論を通じて大衆の心に批判的意識を育むだけでは、それが理解の批判的基盤になるとはいえ、大衆を反抗的な政治活動に参加させることはできない。公共闘争を始めたりそれに参加したりするよう大衆を促すには、何らかの抗議活動に大衆を実際に従事させることが重要になる」（注63）。実際、「政治的アイデンティティが変わると、それが反抗的な政治活動の動機になるというより、その変化から論理的に帰結されるものになる。デモや行進、合唱、近隣の社会正義団体の活動への参加などから、政治的なアイデンティティや責任感が育まれ、意識が変化する。つまり、参加することで参加者が生まれる。それはまた、社会変革の主体という集団的アイデンティティを育む集団へとつながっていく」（注64）

二〇二〇年の夏以降、大学生ぐらいの若者が激しい暴動に参加しているのはなぜなのかと不思議に思っている人がいるかもしれないが、その主たる理由は間違いなく、ＢＬＭやアンティファなどの組織が率いる「革命」や「抵抗運動」に「参加」するよう洗脳を受けていたからだ。

それに、新型コロナウイルスの蔓延により大半の大学が休校になり、「ほぼ平和的な抗議活動」に参加する時間も機会も増えたのである。

アニオンはこうも記している。「若者が自分を変革の主体、積極的な政治活動家と見なす意識を育むには、そのような活動に従事する機会が必要になる。（中略）従事することが、さらなる従事を続けるのに欠かせない要素となる。自転車の乗り方を学ぶときには、自転車に乗らなければならないのと同じである。（中略）大衆が活動的になる重要なきっかけが、もう一つある。すでに活動している組織やネットワークの一員になることだ」（注65）

アメリカの建国の理念や市民社会に反対する洗脳や、（必要であれば暴力的な）社会活動や抗議行動を推奨する教唆は、あらゆる大学で絶えず行なわれている。その目的は、革命的な世代をつくることにある。アニオンは言う。「批判的な教育者は、服従の制度的要因に関する情報を学生に伝えてはいるが、社会正義を求める闘争に学生を従事させるには、それだけでは足りない。（中略）学生が、経済的・政治的状況を運動参加への機会と解釈し、既存の制度や組織を有効利用できるよう手を貸すなど、実際の公共闘争や、自分こそが自分やコミュニティの未来をつくる積極的主体なのだという意識の育成（中略）を物理的・精神的に支援していくことが必要になる。（中略）私たちは、学生に社会正義活動を直接経験させることにより、より公正な社会の創出を目指すあの民主的活動（漸進的な社会変革を進める公共闘争）を正当に評価し、その価値を認めるよう学生を教育することができる。学校で、政治的な公的闘争を実践できる状況を設定し、そのスキルの獲得を支援することにより、この活動を正当化し、学生がそれに従事する傾向を高めていくことができるのである」（注66）

こうして見ると、マルクス主義的な教職員の意図は明らかだ。それは、若者が学業を終えて社会人となった際にマルクス主義的な教授陣の命令を実行してくれる、反米的な軍隊を創設することにある。アニオンは繰り返しこう公言する。「経済変動や経済制度、文化形態を潜在的に対立するものとして再考するだけでは、社会変化は生まれない。情報提供や読書、議論を通じて大衆の心に『批判的意識』を育むだけでは、それが理解の批判的基盤になるとはいえ、大衆を反抗的な政治活動に参加させることはできない。社会運動を始めたりそれに参加したりするよう大衆を促すには、何らかの抗議活動に大衆を実際に従事させることが重要になる。（中略）対話やデモ、行進、合唱、投票、『座り込み』など、他者との示威行動から、政治的なアイデンティティや責任感が育まれ、意識が変化する」（注67）

カリフォルニア大学サンタクルーズ校の著名な名誉教授ジョン・M・エリスは、二〇二〇年に『The Breakdown of Higher Education（高等教育の崩壊）』という著書を発表している。そのなかで、二〇〇六年にニール・グロスとソロン・シモンズが九二七の教育機関に勤める多数の教員を対象に行なった調査結果を分析し、こう述べている。「教員の思想傾向を調べてみると、保守派が九パーセント（しかも平均的に見れば穏健な保守派である）しかいない一方で、紛れもない左派が八〇パーセントもいる。しかもその半数以上が極左である。（中略）また、社会科学の教授の五分の一は、『マルクス主義者』を自称している（社会学の分野ではその割合が四分の一以上になる）」「驚くべき結果だが、この統計はほぼ間違いなく実態を過小評価している。『マルクス主義者』という言葉は、一般大衆の受けがまるでよくない。そのため、主にマルクスの思想によりその知的枠組みを形成してきた多くの教授は、『社会主義者』や『進歩主義者』、あるいは単に『活動家』と自称するのを好む。したがって、共産主義思想を信奉している社会科学の教授の実数は、もっと多いものと推定される。もしかしたら調査結果の二倍、間違いのないところでも五分の一を大きく上まわることだろう」（注68）

エリスは言う。「自称マルクス主義者は、アメリカの一般大衆のほんの一部を占めるに過ぎないと言っていい。つまり、国民のなかではきわめて少数派なのに、社会科学の教授のなかではかなりの多数派であり、そこに大きな不一致がある」（注69）。民主党全体、あるいはバーニー・サンダース上院議員が、大学教育の無償化や学生ローンの返済免除を推進している理由はここにある。アメリカの大学を通じて洗脳・教唆される若者が増えれば増えるほど、革命の可能性は高くなる。

第4章

人種差別・ジェンダー差別とマルクス共産主義

Racism,Genderism,and Marxism

まずは基本的な問いから始めよう。さまざまな批判理論運動やマルクス主義（共産主義）運動を生み出した「批判理論（Critical Theory）」とは何なのか？　オンライン・マガジン《クィレット》に記載されたウリ・ハリスの説明にはこうある。「批判理論は、カール・マルクスのイデオロギー概念を大いに利用している。マルクスは言う。ブルジョワジーは生産手段を支配することで、文化をも支配した。社会の法や信念、道徳律は、ブルジョワジーの利益を反映するものとなった。しかも重要なことに、大衆はそれに気づいていなかった。要するに資本主義は、特定のグループ（社会を支配するグループ）の利益が、実際にはそうではないのに、普遍的な真実や価値観であるかのように見せかける状況をつくりあげた、と」（注1）

ハリスの説明はさらに続く。「批判理論の創始者たちは、この考え方を発展させた。権力が社会の信念や価値観に与える歪んだ影響を特定することで、世界をより正確に見通せるようになり、世界の本当の姿を見られるようになったときに、大衆は解放されると考えた。彼らはこう主張する。『理論』は常に、一部の人々の利益になる。『伝統的』理論は、それが権力に好意的であるがために、自動的に権力者の利益になる。一方『批判的』理論は、これらの利益を暴露するがために、権力を持たない弱者の利益になる。あらゆる理論は政治的であり、伝統的理論よりも批判的理論を選べば、現体制に異議を唱える選択をすることになる。それは、以下に示すマルクスの有名な言葉と一致している。『哲学者はこれまで、この世界をさまざまに解釈してきたが、その目的はこの世界を変えることにある』」（注2）

この批判理論イデオロギーを生み出したのが、ヘルベルト・マルクーゼだと言われている。それを機に、人種やジェンダーなど、批判理論に基づく運動がアメリカで始まった。前に述べたようにマルクーゼは、ドイツ生まれのヘーゲル派マルクス主義イデオロギーの信奉者であり、フランクフルト学派*の政治理論家である。アメリカなどのいわゆるプロレタリアート（労働者）が、ブルジョワジーの支配する資本主義体制の打倒のために蜂起しない理由を解明しようとしたことでよく知られている。そこで、マルクーゼの「理論」をもう少し詳しく見てみることにしよう。

マルクーゼは一九六五年、「抑圧的寛容」と題する論文（論理と現実をねじ曲げた、きわめて倒錯的で奇妙なタイトルである）を発表し、そのなかでこう述べている。「本論文では、この先進的な産業社会における寛容の概念を検証している。結論を言えば、寛容という目的を実現するには、支配的な方針や姿勢、見解に不寛容になり、非合法化・弾圧されている方針や姿勢、見解へと寛容を拡大することが求められる。つまり、いまあるべき寛容とは、その起源となる近世初頭の市民革命時に現れた寛容のような、被抑圧者側に特化した目標、破壊的な解放の概念や実践である。逆に言えば、現在寛容として公言され実践されているものは、それがもっとも効果的に現れている多くの場合において、抑圧に貢献している」（注3）

このように、マルクーゼから見れば、寛容とは実際のところ、強大で狡猾《こうかつ》なブルジョワジー勢力が制度化した、疑うことを知らないプロレタリアートに対する策略である。大衆はそれに

＊マルクス主義を進化させ、ヘーゲルの弁証法とフロイトの精神分析理論の融合を試み、「社会の批判的理論」を展開したグループ。

よりだまされ、圧制者を支持するようプログラムされている。要するに、人民を抑圧するために寛容が利用されているのである。

マルクーゼはこう断言する。「寛容はそれ自体が目的である。人間や動物を不当な攻撃や虐待から守るのに必要なレベルまで暴力を排除し、抑圧を低減させることが、人道的な社会を創出する前提条件になる。だが、そのような社会はいまだ存在しない。そんな社会への歩みが、おそらくはかつてないほど、地球規模の暴力や抑圧により阻止されているからだ。民主主義政府でも独裁政府でも、核戦争に対する抑止力として、破壊活動に対する警察行動として、反帝国主義・反マルクス主義闘争への技術支援として、新たな植民地の平定手段として、暴力や抑圧が広められ、実践され、擁護されている。これらの政府に従う人々は、現体制の維持に必要なものとして、そのような暴力や抑圧を支持するよう教育される」（注4）

そのため、非マルクス主義的社会や非革命的社会の大衆は愚かにも、自分たちが抑圧されていること、むしろその社会を支配する富裕層や権力者層に奉仕していることに気づいていない。

マルクーゼは主張する。「寛容はいまや、恐怖や悲惨のない生活を生み出す可能性を阻害・破壊するために決して容認すべきではない方針や状況、行動様式にまで拡大されている。この種の寛容は、本当の自由主義者が反対する多数派の専制を強化する。寛容の政治的焦点はこのように変わった。寛容を、密かに敵対者から制度的に奪い去る一方で、確立された方針に関する義務的行動としているのである。寛容はこうして、積極的状態から消極的状態へ、実践から非実践へと変わり、制度化された権威の自由放任を生み出す。大衆は政府を容認し、その代わりに政府は、制度化された権威が決めた枠組みのなかで反対意見を容認する。その結果いまでは、根本的な悪に対する寛容が善と見なされる。それが、（さらなる）豊かさへと向かう全体の団結に資するからだ。宣伝やプロパガンダによる子どもや大人の組織的愚鈍化の容認、攻撃的な運動に見られる破壊性の解除、特殊部隊の募集や訓練、売買や廃棄、計画的旧式化に見られる明白な欺瞞《ぎまん》に対する慈悲深い無力な寛容は、歪みでもなければ逸脱でもない。それが、生存競争を永続化して別の可能性を抑圧する手段として寛容を育成する制度の本質なのである。教育、道徳、心理の権威は、若者の非行の増加を声高に批判するが、それよりもはるかに強力なミサイルやロケット、爆弾を誇らしげに紹介する言葉や行為や映像を声高に批判することはない。だがそれは、ある文明全体が生み出した大人の非行と呼ぶべきものだ」（注５）

つまり、アメリカはチャンスと自由の国だというのはつくり話に過ぎない。このつくり話を受け入れている大多数の市民は、自主性のない愚かなゾンビであり、無意識のうちに、経済的・政治的な解放運動を阻害している迫害者たちのしもべと化している。寛容は、この詐欺とも思われるものを実現する手段なのである。

実際、マルクーゼはこう述べている。「かつて自由の範囲や内容を拡大する寛容は、常に党派的であり、抑圧的な体制の主役に対しては不寛容だった。そこで、不寛容の程度や範囲が問題になった。イギリスやアメリカなど自由主義が堅固に確立された社会では、急進的な社会の敵に対しても言論の自由や集会の自由が認められたが、それは、言葉から行為へ、言論から行動への移行を伴わない場合に限られていた」（注6）

だがアメリカ社会が、マルクス主義運動による社会の解体や打倒を容認していないのなら、それは真に寛容だとは言えない。マルクーゼによれば、共産主義革命による解体の種をまいていない社会は、真に寛容ではない。

マルクーゼはそれを、自分のイデオロギーがアメリカ国民の間に根づいていない口実にして、こう続ける。「実際に社会における反対勢力は衰退し、たいていは相対立する小規模なグループに分断されて孤立させられている。社会の階層構造により設定された狭い範囲のなかで容認されていたとしても、無力なままその範囲のなかに留まっている。だが、反対勢力に対するこの寛容は欺瞞であり、協調を促すものでしかない。質的な変化への道をほぼ閉ざされた協調的な社会の堅固な基盤のもとでは、寛容は、そのような変化を促進するどころか、むしろ抑制する働きをする。また同じ条件のもとでは、そのような寛容への批判は抽象的・空論的なものとされるため、解放を促す寛容の機能を回復しようと、右派への寛容と左派への寛容とのバランスを根本的に是正すべきだと提案しても、非現実的な意見と見なされるだけになる。実際、そのような是正は、破壊活動にまで及ぶ『抵抗権』を確立するに等しいものと考えられている。いかなる集団や個人であれ、国民の大多数が支持する立憲政体に反対するそのような権利を付与することなど、ありえないのである」（注7）

共和制が自身の破壊や解体に同意せず、それにより真の寛容を拒絶する以上、マルクス主義者は暴力など、その制度を打倒するほかの手段に頼らざるを得ない。マルクーゼは言う。「合法的な手段では不十分な場合、抑圧・制圧されている少数派には、超法規的な手段を利用して抵抗する『生得の権利』があると思われる。法と秩序はいつでもどこでも、確立された階層構造を守るための法と秩序でしかない。この法と秩序に苦しんでいる人々に対して、その絶対的権威を引き合いに出すのはばかげている。彼らは、個人的な利益や復讐のためではなく人間愛を共有するために、その法と秩序と闘っている。彼らを裁けるのは、制度化された権威や警察、および彼ら自身の良心以外にない。彼らが暴力を採用したとしても、それは新たな暴力の連鎖を始めるためではなく、確立された暴力を断ち切るためだ。そうすれば罰せられるため、リスクがあることは彼らも承知している。だがそれを喜んで引き受ける以上、教育者や知識人を含めいかなる第三者にも、彼らに暴力を慎むよう説く権利はない」（注８）

そこから必然的に導き出される結論として、マルクーゼは最終的に、暴力によるアメリカ社会の打倒を呼びかけている。アメリカ社会では、「確立された階層構造」が寛容を利用して、少数派に対する抑圧を永続化しているからだ。このばかげた主張を土台にさまざまな批判理論が生み出され、それがマルクス主義関連のイデオロギー運動へと発展した。この運動はいまや、バイデン政権や民主党、メディア、わが国の社会や文化全体に広がる制度に受け入れられ、推進されている。この運動のなかでもきわめて破壊的なのが、批判的人種理論（Critical Race

Theory）である。

手短に言うと、批判的人種理論とは、アメリカの文化や社会全体に広まっている狡猾《こうかつ》で人種差別的なマルクス主義イデオロギーである。ヘリテージ財団のジョナサン・ブッチャーとマイク・ゴンサレスの研究論文「新たな不寛容が支配するアメリカ」によれば、批判的人種理論は何よりも以下を推進しているという。

・抑圧者と被抑圧者というカテゴリーから成るマルクス主義的な社会分析。
・革命が起きないのは、被抑圧者が抑圧者の文化的信条を信じているためであり、再教育の期間が必要だという認識。
・同時に、絶えざる批判を通じてすべての社会規範を解体する必要性。
・あらゆる権力構造やその表現を、抑圧者と被抑圧者だけから成る世界観に置き換える取り組み。

これらの思想は、単なる学術理論に終始するものではなく、現実生活に影響を及ぼす」（注9）

メリーランド大学で公共政策や政治科学を研究する教授ジョージ・R・ラ・ヌーは、批判的人種理論を擁護する二人のベストセラー作家、ロビン・ディアンジェロとイブラム・X・ケンディの著作をもとに、批判的人種理論をこう説明している。「批判的人種理論は、人種は人間を特定・分析する主要な手段になるという信念を起点としており、白人を最上位、黒人を最下位とする人種階層が存在すると仮定する。そのなかでは、個人的な行動は重視されない。なぜならアメリカに暮らす人はみな、組織的人種差別、構造的人種差別、制度的人種差別の社会のなかでそれぞれの役割を果たしているに過ぎないからだ。批判的人種理論は、既存のさまざまな人種格差を指摘し、それを人種差別の結果だと主張することにより、こうした視点を支持する。この視点から見れば、雇用、住宅、契約、教育などの分野で公民権法を施行しようとする公的機関や民間機関の取り組みは、不十分あるいは無意味である。批判的人種理論は、この状況に対して二つの反応を示す。第一に、あらゆる白人は、白人優越主義により有利な立場にあることを認め、自分たちが非難に値することを受け入れなければならない。そうできないとしたら、それは『白人の心のもろさ』のためだ。つまり、人種差別に加担していたと教えられたときに白人が示すと言われる本能的な自己防衛である。第二に、なかには、個人的にはこれまで差別をしておらず、人種による区別のない法や政策を支持してきたという白人もいるかもしれないが、そんな言い訳は許されない。なぜなら、白人の集団的行動が抑圧的だったからだ」(注10)

ラ・ヌーは白人が特権を与えられていたことを認め、こう主張する。「白人は（中略）各分野において無期限にわたり、さまざまな形で非白人の人種的優先を要求する『反人種差別的』

政策を支持しなければならない。これは、白人がマイノリティであり、黒人や先住民、有色人種などの非白人（現代の用語で言う『ＢＩＰＯＣ』）が権力構造を支配している地域にもあてはまる」（注11）

一方、著作家・学者・教授であるトーマス・ソウェル博士は、その著書『Intellectuals and Society（知識人と社会）』のなかで、多文化運動やアイデンティティ・ポリティクス*運動を全面的に非難し、こう述べている。「人種集団・民族集団に対して要求される集団的正義がしばしば、『社会正義』として支持されている。それが、環境が生み出した格差も、人間の不正義が生み出した格差も是正しようとしているからだ。また、普遍的な正義が、個人から集団へ拡張されるだけでなく、現代の集団を超え、別の時代の抽象概念にまで拡張され、現代の集団はそれを現代において具現化している存在だと見なされている」（注12）

ソウェルの主張は続く。「非難を原因と混同している知識人の間では、『被害者を非難している』という論点回避的な表現が、集団間の相違に関する議論の中心になっている。確かに、恵まれない環境（文化など）に生まれた個人や集団を非難することはできない。だが、『社会』がそのような格差の原因にも是正手段にもなると自動的に想定することもまたできない。ましてや、雇用や価格設定、融資において集団ごとに異なる判断を示している特定の機関が、これらの相違を引き起こしていると自動的に見なすことはできない」（注13）。実際のところ批判的人種理論は、非難を、これまでにないほど危険な憎悪のレベルにまで高めている。白人の特権

＊性・人種・性的指向など、社会的不公正の犠牲になっている特定のアイデンティティ集団の社会的地位の向上を目指す政治活動。

や支配的な白人文化こそが、黒人やマイノリティのあらゆる不平や不満の原因なのだという。

さらに、既存の制度は、白人の人種差別主義者が建国した当初から永遠に、黒人やマイノリティに不利になるよう仕組まれているとも主張している。だがソウェルはこう主張する。「環境が集団間の相違の鍵になると考えるにせよ、その環境には過去からの文化遺産も含まれる。だが過去は、地理的環境や歴史的偶然と同じように、私たちの自由にはならない。それらは、特定の個人や集団だけでなく全国民や文明全体に、さまざまに異なる遺産を残してきた」（注14）

マルクーゼやその継承者は、個人をカテゴリー化し、その集団を発展しないもの、その枠組みのなかで活動するものとして扱うことに取りつかれている。それに対してソウェルは、そのような信念やアプローチはむしろ、抑圧されていると言われる人々に破滅をもたらすものだと断言し、多文化主義の文脈のなかでこう述べている。「多文化主義の理念が、それぞれの文化は等しく正当なものであり、だからこそそれを変える取り組みを認めないと明言しているのなら、その理念は単に、現実を見る目を閉ざすだけである。つまり、遅れている集団にいる多くの人々を、周囲にあるほかの文化が持つ進歩から切り離し、悪の勢力に対する聖戦や怒りの鬱積へと向かう動機のみをもたらす。たとえそれが、その道徳的メロドラマの恩恵を受けるはずの人々の役に立たず、逆効果さえ及ぼしたとしてもである」（注15）
実際、批判的人種理論は、さまざまな文化が等しく正当なものだと主張するだけに留まらない。社会は、全体的に人種差別的な白人優位の文化に支配されていると明言し、不平や不満を抱いている人々に、ますます拡大する反米革命闘争への参加を求める。マイノリティが「白人優位」の社会勢力と刃を交える闘争である。マルクーゼは一九六四年に発表した著書『一次元的人間』のなかで、マルクス主義のイデオロギーや革命を、人種集団や民族集団にまで拡大するよう推進している。「保守的な大衆基盤の下には、見捨てられた人やのけ者の層がある。肌の色が異なるために搾取・迫害されている人々や失業者、雇用不適格者である。彼らは民主的プロセスの外側に存在する。その生活は、この耐えられない状況や制度をすぐにでも終わらせることをこのうえなく求めている。こうして、彼らの意識が革命的なものでなかったとしても、彼らの抵抗は革命的なものになる。その抵抗は外側から体制を攻撃するため、体制はそれをかわせない。この抵抗は、ゲームのルールを破る基礎的な力となり、その力を通じて、そのゲームが不正に仕組まれたものであることを明らかにする。彼らは、警察犬や投石、爆弾、監獄、強制収容所、あるいは死に直面することを理解しながらも、ごく基本的な公民権を求めて団結し、武器も防御手段もなく街路に繰り出す。法と秩序の犠牲者のためのあらゆる政治デモの背後には、彼らの力がある。その事実が、ある時代の終わりの始まりを告げる」（注16）

マルクーゼらマルクス主義者は、批判的人種理論を生み出すと同時に、不満を抱えるイデオロギー集団を無数に生み出した。差別は、人種、民族、ジェンダー、性的指向、経済状態、そのほかさまざまな人間の特徴、性質、好み、環境をもとに起きる。実際いまでは、個人や集団は複数の差別の犠牲者だと言われることが多い。たとえば、女性でイスラム教徒で黒人であれば、三様の差別にさらされるという。これにもまた、カリフォルニア大学ロサンゼルス校の法学教授キンバリー・クレンショーにより「インターセクショナリティ（交差性）」という名称が与えられている。

クレンショーは二〇二〇年に放映されたＣＮＮのインタビューのなかで、批判的人種理論についてこう語っている。「これは一つの実践です。白人優越主義の歴史に立ち向かい、過去のものは過去のものであるという考え方、過去から発展した法や制度は過去とは無縁であるという考え方を拒否するためのアプローチなのです」（注17）

さらにクレンショーは言う。「法には変革を引き起こす役割があり、それがしばしば称賛されていますが、批判的人種理論はそんな法の役割に注目するだけでなく、法改正により改正されなければならないような権利や特権を確立してきた法の役割にも注目します。アメリカの歴史と同じように、私たちの立場を適切に理解するには、わが国の過去や現在に関する愛国心をあおる物語に安易に傾倒するのではなく、バランスの取れた評価をすることが必要になります」（注18）

これを言い換えれば、批判的人種理論は、アメリカが独自に成功を収めた多様性の融合や文化の同化を不当に攻撃し、過去の社会的欠陥という文脈のなかであらゆる問題を考察する。南北戦争や大規模な経済的再分配、画期的な法改正など、社会をより完璧にする膨大な奮闘努力があったにもかかわらずである。さらにこの理論は、この社会を撲滅し、この国を変革する新たな（あるいは追加の）理由として、ますます多くの理念を取り入れ、推進している。要するに批判的人種理論は、地球上でもっとも寛容かつ慈悲深いこの社会を、その始まりから現代に至るまで、悲惨なほど不毛な暗黒の社会と位置づけている。

マルクーゼはマイノリティ集団に革命を呼びかけているが、一部の純粋なマルクス主義者は批判的人種理論を、マルクスの唯物史観を拡散させたもの、あるいは損なうものと見なしている。そこに、経済的条件に基づく階級闘争という概念はほとんどない。だが、批判的人種理論の理論家たちはいかにもマルクス主義的な志向を持ち、その大半は、社会を変革する自分たちの理論を、マルクス主義的な目標と調和するものと見なす。たとえば、マルクス主義者も批判的人種理論の理論家も、過去は、さまざまな階級の人々が操作され、搾取され、虐待され、腐敗させられていた事実を明白に示していると考える。そのためアメリカ社会は、救いがたいほど侮蔑《ぶべつ》に値するものとなっており、絶えずそれを非難し、最終的には打倒しなければならない、と。

マルクス同様、批判的人種理論の支持者は、加害者と被害者どちらの話をするにせよ、人種などに基づいた固定観念や偏見を利用する。個々の人間について、身体的・宗教的な特徴や祖先から伝わる特徴に基づいた判断を下す。だが人間は、経済的状態だけで判断できるものでもなければ、人種だけで判断できるものでもない。マルクス主義は、人間の性質を致命的なほど大きく歪めている。個々の人間は、それぞれに異なる複雑な精神的存在であり、無数の出来事や環境、動機、欲求、関心などの影響を受ける。それなのに、マルクス主義や批判的人種理論の学者や活動家は、自分たちの都合や革命という目的のため、すなわち社会を解体し、ユートピア的な独裁政治や暴民政治の国として再生させるために、一部のカテゴリーに人間を押し込めている。もちろんこれは、個人や社会は人種などの差異による影響を受けないと言っているわけではない。人間に影響を与えるものはほかにもたくさんあり、それらを排除してはならないし、それらだけに限定されるものでもないということである。

批判的人種理論に関する書籍のなかでもっとも広く読まれているのは、当然ながら『Critical Race Theory（批判的人種理論）』である。アラバマ大学の法学教授リチャード・デルガドとジーン・ステファンシックが執筆したこの著書には、こう記されている。批判的人種理論運動とは、「人種と人種差別と権力との関係の研究・変革に従事する活動家や学者の集合体である。この運動は、従来の公民権や民族学の議論が取り上げてきた問題を多く扱っているが、その問題を、経済や歴史、環境、集団や個人の利益、感情や無意識を含む広い視野で考察する。従来の公民権に関する議論は、*漸進主義《ぜんしんしゅぎ》や段階的な進展を強調するが、批判的人種理論はそれとは違い、平等理論、法的論拠、啓蒙的な合理主義、憲法の中立の原則などを含め、自由主義的な秩序の土台そのものを疑問視する。誕生から一〇年ほどしてから分派が生まれ始め、いまでは、かなりの規模を持つアジア系アメリカ人の法律関連組織、ヒスパニック系の強力な批判的人種

＊社会変革・社会改革を行なうにあたり、急進的・過激的方法を排除して一歩一歩前進する方法に立脚する思想や行動。

理論団体、積極的なＬＧＢＴ利益集団、イスラム教徒やアラブ人のグループなどが加わっている。これらの集団は、批判的人種理論の傘下で良好な関係を維持しているが、それぞれが独自の研究を発展させ、独自の優先事項を策定している」（注19）

このように批判的人種理論運動は、マルクス同様、数世紀あるいは数千年にわたる人類の進歩を公然と蔑視・拒否する。その進歩が、アメリカなどの先進的な社会や、わが国で成し遂げられてきた人種間関係の向上の土台となっているのに、それを、白人特権階級による、白人特権階級のための、白人特権階級の改善でしかないと位置づけ、「平等理論、法的論拠、啓蒙的な合理主義、憲法の中立の原則」を拒絶する。つまり批判的人種理論運動の正体は、狂信者に導かれた過激な理念、常軌を逸した運動でしかない。

デルガドとステファンシックは、批判的人種理論の意味と基本原理を以下のように分析している。「第一に、人種差別はあたりまえのものであって異常なものではない。それが『普通』であり、社会がビジネスを行なう際の一般的な方法であり、この国のほとんどの有色人種が日常的かつ共通に経験していることである」（注20）

人種差別は至るところに蔓延しており、意識的・無意識的に行なわれる。どこにでもあり、決して逃れられない。マイノリティは、個人としても一つの階級としても、あらゆる形で、支配的な白人に絶えず手ひどく扱われる。この社会を根絶する以外に、この問題を解決する術はない。それが基本的な考え方、基本的な理念である。

「第二に、これには大半の人が同意すると思われるが、白人を優位な立場に置くわが国の制度は、精神的にも物質的にも、支配者集団にとって重要な目的を果たしている。この制度の第一の特徴は、人種差別が認識されていないために、その是正が難しいという点である。法令のなかで『形式的』に、人種にとらわれない平等の概念を表明し、全体に対して同じ処遇を要求するだけでは、きわめてあからさまな差別しか是正できない」（注21）

そのため、真に人種間関係の向上を望むのであれば、白人の特権や優位が蔓延していることを科学的事実として認識する必要がある。「人種にとらわれない平等」の推進を謳い、それに基づいて行動するのは無意味であり、真の文化革命から目をそらすことにしかならない。

「この制度の第二の特徴は（中略）唯物論的決定論であり、それがさらに新たな局面をもたらす。人種差別は、白人エリート層の（物質的）利益とともに、白人労働者階級の（精神的）利益をも高める。そのため社会の大部分は、現社会を根絶する動機を持たない」（注22）。ちなみに、マルクスの言う「唯物論的決定論」を簡単に説明すれば、個々の人間や人類は、純粋に物質的な要因により影響を受け、動機づけられることを意味する。

だが批判的人種理論は、マルクスから唯物論的決定論の概念を借用して喧伝《けんでん》するだけでなく、それをさらに人種間関係に応用した。つまり、白人エリート層のみならず、白人の労働者階級までもが、マルクスの言う階級闘争モデルのブルジョワジー側に含まれるというのだ。こうして多数派の白人は、人種差別的な社会体制を支持し続ける。それにより白人が、経済面でも

「権力」面でも恩恵を受けられるからだ。

「批判的人種理論の第三の基本原理は（中略）『社会的構造』論である。これは人種を、社会的な思想や関係の産物だと考える。人種とは、客観的なものでも、生まれつきのものでも、固定されたものでもなく、生物学的・遺伝的現実と一致するものでもない。むしろ、社会がその都合に合わせて生み出し、操作し、廃棄するカテゴリーなのである。共通の起源を持つ人々はもちろん、肌の色、体格、髪質など、ある程度は同じ身体的特徴を有している。だがそれは、彼らの遺伝的素質のごくわずかな部分を占めるに過ぎず、私たち人間が共有しているものに比べればささいなものであり、性格や知性、道徳的行動など、きわめて人間的な高次の特徴とはほとんど関係がない。社会はこうした科学的真実を無視して、人種というカテゴリーを生み出し、それに半ば永久的な特徴を付与する。その点に、批判的人種理論は多大な関心を向ける」（注23）

読者がこの第三の基本原理に多少とまどいを感じたとしても無理はない。批判的人種理論運動やその理論家たちは、相反する二つの思想を同時に推進しようとしている。マイノリティ集団は人種やジェンダー、民族などにより差別されていると言いながら、これらのカテゴリーは、不当な社会が固定観念を広めるために生み出したものだと述べているからだ。実際のところ、いつでもどこでも固定観念を持ち出し、既知あるいは未知の不正義や差別、意識的あるいは無意識的な不正義や差別にさらされているという集団について語り、そんな集団を新たに生み出しているのは、批判的人種理論の支持者のほうだ。その結果生まれたのが、アイデンティティ・ポリティクスやインターセクショナリティなのである。

言うまでもなくデルガドとステファンシックは、批判的人種理論運動の重要な一要素としてインターセクショナリティを支持し、差別はたいてい複数レベルで起きると述べている。「差別的な人種化（各人種は独自の起源や進化の歴史を持っているとする思想）と密接に関係しているのが、インターセクショナリティや反本質主義の概念である。容易に表現できる、統一された単一のアイデンティティを持っている人間などいない。（中略）誰もが、（相反する可能性さえある）重複するアイデンティティや愛情、忠誠心を持っている」（注24）。反本質主義とは、どんな状況にも単一の回答などないという思想である。そのため政府は、現在および未来に人種差別的社会で行なわれるあらゆる差別的思考・行動・実践に対処できるよう、柔軟な差別対策を無限に続ける必要があると考える。

となると当然、大学は、どう考えるべきか（マルクス主義や批判的人種理論の場合で言えば、反復や洗脳を通じて何を考えるべきか）を教えるだけでなく、積極的に活動する革命家の軍隊をどう育てていくかを学生に教える場となる。デルガドとステファンシックは言う。「一部の学科とは違い、批判的人種理論には積極的行動という側面も含まれる。それは、わが国の社会的状況を理解するだけでなく、その状況を変えようとする。人種的な区別や階層に従って社会がどう組織されているかを解明するだけでなく、それをよい方向へ変革しようと試みる」（注

25）
一部の人々から現代の批判的人種理論の創始者だと考えられているのが、ハーバード大学の法学教授だった故デリック・ベルである。トーマス・ソウェルはベルと知り合いだったが、ベルにもそのイデオロギー運動にも興味を示さなかった。それどころかソウェルは、ベルはハーバード大学や、それ以前に勤めていたスタンフォード大学法科大学院の教授にふさわしくないと考え、「人種による雇用だけでなく、自分のイデオロギーに合致するような雇用をも」要求するベルを公然と批判していた（注26）。

ベルは、個人的な挫折や、同僚や学生から批判を受けた経験から、それに影響を受けた人生観や被害者意識を育んだようだ。ソウェルは、一九九三年に発表した著書『Inside American Education: The Decline, the Deception, the Dogmas（アメリカの教育の内実　衰退・欺瞞・独断）』のなかで、ベルをこう評している。「ベルは、法よりも効果的なのは『直接行動』であり、『改革には衝突が必要』であり、それは『知的に処理できるものではない』と論じた。また、『国民的な名声を博しているマイノリティの学者、主要な法学雑誌に頻繁に論文が掲載されるマイノリティの学者がほとんどいない』ことを指摘し、その理由を、白人がマイノリティを『排除』しているからだと訴えた。そして、それとは別の考え方をする黒人を、『黒人のような見かけをしている』が『白人のように考える』人間として退けていた」（注27）

ベルは、これまでに実現されたほとんどの公民権の向上を批判した。そこには、公民権法の制定や、《ブラウン対教育委員会》*裁判などの最高裁判決、人種にとらわれない考え方、実力主義や機会の平等といった概念も含まれる。これらはむしろ、果てしなく続く人種差別を覆い隠し、それにより白人エリート層の利益を守る役割を果たしてきたという。いわゆる「利益収束のジレンマ」**である（注28）。ベルやその支持者に言わせれば、中立的な法も判決も行動も存在しえない。それらはいずれも、白人優位の文化や白人が持つ特権の影響を受けている。そのためマルクスの言うように、社会に存在する過去を一掃しなければならない。

ベルは言う。「学術的な抵抗が、広範な抵抗の土台になることを望んでいる。白人の権力を強化するため白人の権力によりつくられた基準や制度には、抵抗するべきだ。私たちの見解によれば、文脈から切り離すことにより、規制もされず認識もされていない権力が覆い隠されてしまう事例があまりに多すぎる。たとえば特権者は、『合理的』あるいは『客観的』真実として抽象的概念を提示することで、その主張から人格をはぎ取り、それを普遍的な権威や普遍的な善のように見せかける特権的選択肢を潜り込ませる。私たちはそのような支配に対抗するため、人種など社会的に構築された階層構造に対する関心を、法学研究に生かし、経験に基づき、変革を求めて反抗的に表明していこうとしている」（注29）

言うまでもなく、ベルのこの「正義」の理念に対するいかなる批判も、白人の傲慢および白人の無知のせいということになる。したがって、ベルや批判的人種理論に対する正当な批判などありえない。そのような批判は、ベルが訴える制度的な人種差別の証拠だと見なされる。ベ

＊教育機関における人種分離を不平等とし、その後の公民権運動への道を切り開いた裁判。
＊＊有色人種に利益をもたらせば、白人にとっても同等あるいはそれ以上の利益になるという考え方。

ルは言う。「批判的人種理論の著作を宗教書にたとえるのは、不当な奇想ではあるが、両者の本質はよく似ている。どちらも、敵対的な世界に捕らわれた困窮する魂に、理解や確証を与えるからだ。また、非正統的な構造や言語、形式を利用して、感知できないものを理解するという点も似ている。間違いなく予想されるように、既存の法律機範に縛られた批判者たちは、自身の優劣の基準に従って批判的人種理論やフェミニストによる同様の著作を批判し、この新たな作品をひどく不適切なものと見なすだろう。こうした批判者の多くは理論ばかりに染まっており、経験を死ぬほど怖れている。そのため、これらの著作の一部（自伝的な性質や寓意的・物語的な特徴）を分析することで、その意味を探ろうとする。だが、こうした批判はすべて的を外している。差別や不利益の論拠を多数派に伝えることに成功していないといくら主張したところで、批判的人種理論を理解することはできない。また、これらの著作に否定的であれ関心を寄せれば、むしろその著作に正当性を与えることになり、大衆がそれを真剣に受け止めるようになると一部の批判者が主張しているが、これはあまりに失礼である。それが正しいとしても、このような見方はあまりに高圧的なだけでなく、支配的な立場を取り戻すのに痛ましいほどわずかな効果しかもたらさない」（注30）

だが、初期の公民権運動に参加していた著名人のなかにも、批判的人種理論を批判している人物がいる。たとえば、マーティン・ルーサー・キング・ジュニア牧師の参謀であり、側近であり、友人でもあったワイアット・ティー・ウォーカー博士である。ウォーカーは、キングの側近という立場を考慮しなくても、公民権運動における伝説的人物だった。ともに学校選択制推進運動を展開した友人、スティーヴ・クリンスキーはこう記している。ウォーカーは「バーミングハムの悪名高い公安委員長ブル・コナーに対する組織的な抵抗運動において『現場司令官』を務めた。キングの『バーミングハム刑務所からの手紙』をまとめ、そう命名したのも彼である。また、キングが『私には夢がある』というあの演説を行なったワシントン大行進の際にも、オスロでノーベル平和賞を受賞したときにも、キングとともにいた」（注31）。そんなウォーカーが、批判的人種理論には断固として反対していた。二〇一五年、クリンスキーと共同で執筆した論文のなかで、こう述べている。「現在では、批判的人種理論に代表されるように、精神的レベルや一対一の人間的レベルで社会を分析するのではなく、制度的な集団権力構造として社会を分析するポストマルクス主義／ポストモダニズム的アプローチがますます流行しているが、こうした『解決策』は私たちを間違った方向へ導いている。小学校の児童さえ明確な人種集団に分離し、類似よりも相違を強調している」（注32）

ウォーカーとクリンスキーは言う。「本当の解決策は、人種の奥、富の奥、民族的アイデンティティの奥、ジェンダーの奥に分け入ることだ。それぞれの人間を、集団のシンボルとしてではなく、人間性を共有しているという共通の文脈のなかで、唯一の特別な個人として理解しようとすることだ。誰もが単なる死すべき存在であるというあの基本的な認識に立ち返り、あまりにも頻繁に無原則や乱雑へひとりでに向かおうとする世界において、秩序や美、家族や結

びつきを生み出そうと努力することだ」（注33）
クリンスキーはこうも述べている。「ウォーカー博士は、民族集団や宗教、肌の色に関係なく、基本的にあらゆる人々を尊重することに賛成していた。公民権に対する博士の考え方は、宗教的価値観や人道主義、合理主義、啓蒙主義と結びついている。一方、批判的人種理論は、それとはまったく異なる知的土壌に根づいている。この理論の起点には、『集団』がある（マルクス主義のように、各人をアイデンティティ集団や経済的集団に割り当てる）。人間対人間の相互作用を、集団対集団の相互作用に置き換えている。（中略）現にある事実や実際の意図に基づいて互いを一人の人間として理解しなければ、さまざまな人種や宗教の間に平和を見出すことなどできるだろうか？」（注34）
実際のところ当初の批判的人種理論は、ベルに率いられた少数のマルクス主義的な法学教授たちが、犠牲者意識や感情的な訴え、小集団主義、分離主義に基づいて生み出した疑似学問に過ぎなかった。それがいまでは明らかに、むき出しの偏見や敵意、憎悪が全面的に絡み合った、マルクス主義に基づくイデオロギーと化している。
当然のことながら、デルガドとステファンシックは、純粋な学問としてではなく、もっとも効果のある説得手段の一つとして、「法的な物語の分析*」を推進している。「批判的人種理論の理論家は、説得力ある物語が持つ視野や観点、力を日常的に経験し、それをもとに、アメリカ人が人種をどう見ているかを深く理解してきた。寓話や自伝、『既存の物語に対立する物語』

＊法理論に内在する抽象性に対抗する手段として、説得力のある多様な物語を軸に、解放や治癒、共感の構築、記憶の支援を推進していく物語手法。

を執筆し、事例集では無視されることの多い人格の事実的背景を調査してきた。（中略）それと同じように、デリック・ベルのような法的な物語の語り手は（中略）捕らわれの黒人が自分たちの状況を描写し、白人プランテーション社会の欺瞞的な上流気取りを暴露した奴隷物語にまでさかのぼる長い歴史を利用する。（中略）なかには、あまりに後ろ向きであり、前向きな内容を提示していないと批判的人種理論を批判する語り手もいるが、法的な物語の分析は、疑いの余地なく前向きなものだと断言できる。（中略）そもそも法的な物語りには、この国を支配する人種集団の一員は、非白人であるとはどういうことかを容易に理解できないという前提がある」（注35）

それに対して、ヘリテージ財団のジョナサン・ブッチャーとマイク・ゴンサレスはこう主張する。「批判的人種理論には政治的な意図があり、権利という思想がない。なぜなら、あらゆる不平等を、同理論の信奉者たちがアメリカに蔓延していると主張する人種差別のせいにしているからだ。批判的人種理論の議論には、『白人優越主義』という言葉が繰り返し現れ、現在ではＢＬＭの諸団体の指導者たちもその言葉を頻繁に利用しているが、何よりもまずこの『白人優越主義』を粉砕しなければならないという。だが実際のところ、彼らの言う白人優越主義とは、白人を優位に置く立場だけを意味しているのではない。それはむしろ、古典哲学から啓蒙思想や産業革命まで、ありとあらゆるものを意味している」（注36）

ブッチャーとゴンサレスは、批判的人種理論を支持する著作家ロビン・ディアンジェロが

「白人優越主義」という言葉を使って社会のあらゆる側面を批判していると指摘する。ワシントン大学の教育学客員准教授であるディアンジェロは、その著書『ホワイト・フラジリティ 私たちはなぜレイシズムに向き合えないのか？』*のなかでこう述べている。「白人優越主義は、白人と定義・認識されている人々の全面的な中心性や見せかけの優位性、およびその仮定に基づく実践をうまく表現した、利便性の高い記述用語である。この文脈での白人優越主義とは、個々の白人の意図や行動を意味しているのではなく、政治的・経済的・社会的な支配体制全体を意味している。ここでも、人種差別は構造であって事象ではない。ちなみにこの言葉は、公然と白人優位を主張する扇動グループをも意味し、大衆は一般的に、白人優越主義をこれら過激なグループと結びつけるだけだ。しかしこのような狭い定義は、より大きな制度が稼働している現実を覆い隠し、この制度に対処する取り組みを妨げることになる」（注37）。こうして白人優越主義は、白人優越主義的な過激派だけでなく、アメリカ全体の試みを明確に説明するものということになる。

批判的人種理論の理論家や活動家は、社会は救いがたいほど人種差別的で白人優位であるだけでなく、「権利」を主張・追求しても無駄だと主張する。というのは、そのような権利は実際のところ、権利ではないからだ。それはなぜか？　権利は、批判的人種理論が要求するマルクス主義的な平等主義や人民（労働者）の楽園をもたらさないからだ。実際には権利は、白人優位の人種構造を守り、マイノリティに力を与えないために利用されている。デルガドとステ

＊邦訳は貴堂嘉之・上田勢子、明石書店、二〇二一年。

ファンシックは言う。「わが国の制度では、ほとんどの権利は手続きに関するもの（たとえば、公平なプロセスに対する権利）であって、実質に関するもの（たとえば、食料や住居、教育に対する権利）ではない。この制度は、機会の平等を万人に喜んで与える一方で、結果の平等を確保する政策を拒否する。その政策とは、一流大学におけるマイノリティ優遇措置や、公立学校運営資金の地区間格差をなくす取り組みなどである。また権利は、権力層の利益と衝突する場合にはほぼ必ず削減される。たとえば、主にマイノリティやゲイやレズビアンなど、社会のけ者が対象となるヘイトスピーチが法律により認められている一方で、権力者グループの利益を侵害するスピーチは、即座に憲法修正第一条*の対象外とされる。（中略）さらに権利は、人間を孤立させる。権利は、敬意に満ちた密接な共同体の形成を促すどころか、人々を分離させる。『近寄るな、私には私の権利がある』というわけだ」（注38）

批判的人種理論の活動家は、マルクス主義の革命家同様、自分たちの意見に反する議論や異議を認めない。そのため言論の自由は、その「理念」にとってことさら脅威となる。ワシントン大学タコマ校のコミュニケーション学准教授クリス・デマスクは、ヘイトスピーチについて述べていると思われる記事のなかでこう訴えている（ちなみにヘイトスピーチとは、あからさまに攻撃的な人種的中傷にも、より幅広い政治的・理論的異議にも適用される用語である）。「批判的人種理論の学者は、憲法修正第一条のイデオロギーを構成していると思われる前提の多くを批判している。たとえば、こんな主張である。憲法修正第一条は、健全で堅実な議論の

＊表現の自由や報道の自由を妨げる法律の制定を禁じている。

実現を促すどころか、実際には現体制の不平等を維持する役目を果たしている。法全般においても憲法修正第一条においても、内容中立的で客観的な解釈といったものはありえない。すべての言論を、それが言論であるがために価値を認めるのではなく、一部の言論については、それがもたらす弊害という観点から評価すべきだ。言論の『自由』に『平等』はない」（注39）

批判的人種理論の支持者から見れば、これに対抗する言論やそれに追加される言論、および思想市場はすべて、白人の支配や特権に毒されているという。言うまでもなくこれは、抑圧や検閲、現代の「キャンセル・カルチャー」につながるのだが、これらについてはのちの章で取り上げる。

デルガドとステファンシックは言う。「批判的人種理論による第一の提案は、ヘイトスピーチと関係している。マイノリティに属する多くの人々が毎日のように浴びている侮辱や罵倒、中傷である。この種のスピーチが及ぼしうる弊害については、以前発表された記事に記されている。その記事にはこうある。裁判所はすでに、名誉毀損や精神的苦痛の意図的付与、暴行などの法理に基づき、ヘイトスピーチの犠牲者に断続的に救済策を提供しているが、意図的かつ直接的な罵倒についても、これを新たに独立した不法行為と見なし、その被害者が告訴して損害賠償を請求できるようにすべきだ、と。その後、この指摘を受けてさまざまな記事や書籍が執筆された。ある筆者は、一つの解決策としてヘイトスピーチを犯罪と見なすよう提案した。また別の筆者は、大学が、構内でのヘイトスピーチの防止を目的とする学生行動規範を採用すべきだと訴えた。さらに別の筆者は、ヘイトスピーチを《人種の社会的構造》仮説と結びつけ、集団による人種的中傷が、有色人種は怠惰で不道徳で知的欠陥があるという社会的なイメージや偏見を植えつける一因になると指摘した」（注40）

いずれにせよ、解決策は言論の統制に帰結する。その結果、所管官庁や、大手ＩＴ企業やメディア、大学におけるその代理人たちが、どのようなスピーチを認め、どのようなスピーチを認めないかを決める仕事に従事することになる。言うまでもなくマルクス主義者や批判的人種理論の信奉者たちは、一種類のスピーチしか認めようとしない。つまり、自分たちのスピーチである。こうして、大学での言論規範が求められ、学問の自由に関する闘いが起き、教授の間でも学生の間でも知的多様性が脅《おびや》かされ、連邦レベルでも州レベルでもヘイトスピーチを犯罪とする法律が要求される。すると当然、そのような政策や法律のあいまいさや行き過ぎ、範囲の過剰な拡大が問題になり、最終的には政府当局や所管官庁が言論を統制するようになる。これもまた、マルクス主義や批判的人種理論運動の矛盾や偽善の一例である。これらの活動家は、既存の社会を悪しざまにののしる一方で、そのイデオロギーの目的を達成するために政府の介入を要求しているのだ。

デルガドとステファンシックはまた、インターネットも標的にしている。「インターネット上のヘイトスピーチは、難しい問題を引き起こしている。ブログやツイート、風刺漫画（中略）など、このメディア上のメッセージは、ほとんどが匿名であり、費用をかけずに流布させせやすい。そのため、ある人物や人種を嫌う人が、同じ好みの人々を見つけることができ、たいていは反対者もいないまま、仲間同士の結びつきを強化していく。こうして社会は分断され、各グループは相互に不信感を抱き、相手側が間違っているのだと思い込む。もちろんインターネット上では、それに対抗するスピーチも簡単で費用もかからない。だが、罵倒のメッセージに返信する手段が容易に利用できたとしても、それは問題の完全な解決にはならない」（注41）。だが彼らはその後、自分たちの目的のためにインターネットを利用する手段を考え出した。これについても、詳しくはのちに取り上げる。

さらに二人は、実力主義を社会における正当で客観的な目標にするのが望ましいという考え方も、白人特権階級の視点を通じて理解・適用されていると述べ、こう明言している。「批判的人種理論はさまざまな形で実力主義を批判しているが、それはいずれも、実力主義が、その支持者が思うほど中立的な基準ではないことを示そうとしてのことだ。複数の論者が、標準化された試験を批判し、大学進学適性試験や法科大学院進学適性試験などは高得点を取れるよう指導することが可能であり、高価な試験対策コースを受講できる社会経済的に高い地位にある学生に有利であることを証明している。そもそも、これらの試験の点数が低かったとしても、それはせいぜい一年目の成績を（ある程度だけ）予見しているに過ぎず、共感能力や実現能力、姿勢、目標達成への志向性、コミュニケーション能力などの重要な資質を示すものではない。それらの論者によれば、実力は状況による部分が大きい。バスケットボールのリングを一五セ

ンチメートル上下にずらすだけで、実力がある人の配分は劇的に変わる」（注42）
批判的人種理論は間違いなく、大学全体だけでなくメディアや政界、企業にも広がり、事実上あらゆる職業や地位の人々の人種化をもたらしている。私は以前から繰り返し、ソビエト連邦は崩壊したものの、その全体主義体制の兆候がアメリカの大学キャンパスに見られると主張してきた。ブッチャーとゴンサレスは、その理由をこう説明する。「批判的人種理論は中等教育後の教育機関で生まれたため、大学キャンパスでもっとも不寛容な批判的人種理論運動が見られたとしても不思議ではない。大学構内は数十年前から抗議の拠点だったが、現世代の暴徒の多くは、ときには暴力に訴えてでも自分たちの見解を受け入れさせ、それ以外の意見表明を認めないと固く決意している。さらに活動家の学生やその協力者は、学校当局に対して、権威ある立場の人々に力を行使するよう要求することもある」（注43）。こうして、言論を押しつぶす不寛容なキャンセル・カルチャーが大学キャンパスから広がり、いまではどこにでも見られる。その果てにあるのは、マルクス主義の目標と同じ、既存の社会の破壊である。
現在では出版社が、批判的人種理論にまつわる書籍を矢継ぎ早に出版している。アメリカ全土の公立学校の教室で児童を教唆・洗脳する教材が利用される一方で、教員たちもまた「再教育」の対象となり、批判的人種理論を教え込まれている。実際、公教育の現場の至るところで、オズレム・センソイとロビン・ディアンジェロの共著『Is Everyone Really Equal: An Introduction to Key Concepts in Social Justice Education（本当に誰もが平等なのか？　社会正義教育の重要概念に関する概論)』が人気を博している。その前書きで、多文化教育シリーズの編集者ジェイムズ・A・バンクスが、この著書の意図を以下のように説明している。「時宜を得たこの辛辣《しんらつ》な書籍は、主流の集団も含め、多種多様な集団に属する生徒に効果的に働きかける際に必要となる知識や姿勢、スキルを、研修中の教師および現役の教師に提供することを目的に執筆された。教師は、人種、ジェンダー、階級、アメリカやカナダの例外性にまつわる複雑な問題を理解し、社会正義や平等を促進する教育を行なうために、社会正義に関する批判的視野を育む必要がある。本書には、そのような大前提がある」(注44)

バンクスはこう警告する。「私たちが教員教育を受ける学生に多文化教育コースを教える際に最大の問題となるのが、私たちが教える知識やスキルへの抵抗である。この抵抗は、教員教育を受ける学生が育ったコミュニティや、学界や大衆文化のなかで制度化された主流の知識に深く根差している。大半の学生は、多文化教育コースや多様性教育コースを受けるまで、そのようなコミュニティや知識に疑問を抱かない」(注45)

この書籍は、以下のような章立てになっている。

第一章　社会正義に関する批判的アプローチを学ぶコースに建設的に参加するには
第二章　批判的思考と批判理論
第三章　文化と社会的適応

第四章　偏見と差別
第五章　抑圧と権力
第六章　身障者差別を通じて特権を理解する
第七章　性差別を通じて目に見えない抑圧を理解する
第八章　人種差別を通じて構造的性質を持つ抑圧を理解する
第九章　白人優越主義を通じて地球規模で組織された人種差別を理解する
第一〇章　階級差別を通じてインターセクショナリティを理解する
第一一章　「うん、でも……」よくある反論
第一二章　すべての理解をつなぎ合わせる（注46）

バンクスはさらに、この書籍のイデオロギー的目標を以下のように述べる。

「私たちは本書の読者を、直接的・表面的レベルを超え、深く埋め込まれた不正義に目を向ける能力を高める旅路へと連れていく。（中略）その不正義とは、私たちの多くがあたりまえだと思い、正常だと見なしている不正義である。不正義を真正面から見つめるのはつらいかもしれない。誰もがそれに加担していることを理解したときにはなおさらだ。しかし私たちは、そのような旅路に読者を連れていくからといって、罪悪感を抱かせたり、責任の所在を明らかにしたりしようとしているわけではない。いまの段階では、罪悪感や責任の所在など、有益でも

なければ建設的でもない。それに、本書を読んでいる人は誰も、不正義を支える制度の創設に関与してはいない。だが私たち一人ひとりには、選択肢がある。この制度を中断・解体する努力をするか、この制度を無視することでその存続を支持するかの選択である。ここには、中立的な立場はない。不正義と対決する行動を選択しないのは、不正義を容認する選択をするのと同じだ。読者が本書により、不正義と対決するための概念的基盤を確立してくれることを願っている」（注47）

批判的人種理論はいまや、アメリカの大学で揺るぎない地位を確立し、その影響力をさらに広げつつある。コーネル大学法科大学院のウィリアム・ジェイコブソン教授が創設したウェブサイト《リーガル・インサレクション（合法的反乱）》には、批判的人種理論研修を採用している大学の包括的なデータベースがあるが、それを見ると、そのような大学がアメリカに二〇〇以上あるという（注48）。

さらに批判的人種理論は、アメリカの公立学校へも急速に浸透している。それに大きく貢献しているのが、《ニューヨーク・タイムズ》紙という企業組織と、同紙が運営する《一六一九年プロジェクト》という力強い支援運動である。

《一六一九年プロジェクト》とは何か？　ヒルズデール大学の研究助手クリスティーナ・スカークは、ウェブサイト《リアル・クリア・パブリック・アフェアズ（真に明らかな公共問題）》に掲載された記事のなかで、以下のように説明している。これは「《ニューヨーク・タイムズ》

紙が発表している一連の論文である。（中略）《一六一九年プロジェクト》は、ジェイムズタウンに初めて奴隷が連れてこられた一六一九年を、真のアメリカ建国の年と見なすことで、アメリカの歴史の再構築を目指す。同紙との協力のもと、ピューリッツァー危機報道センターが、この構想に基づいたカリキュラムを作成し、それを三五〇〇以上の学校に配布している。同センターの授業計画によると、このカリキュラムでは、奴隷制がアメリカのあらゆる制度に持続的な影響を及ぼしてきたことを教育するという。たとえば、討論の指針として、以下のような質問を提示している。黒人の奴隷化を維持するために構築された社会構造や、奴隷制を正当化するために生み出された黒人に対する人種差別は、現代の法律や政策、制度、文化のさまざまな側面にどのような影響を及ぼしているか？」（注49）

スカークの記事はさらに続く。「このカリキュラムのために作成された動画を見ると、同プロジェクトの考案者であるニコール・ハンナ＝ジョーンズが、こう解説している。アメリカ中西部で育った自分は、スクールバスの窓越しに『不平等な風景を見ていた』と。この動画のなかでもっとも核心的なのは、ハンナ＝ジョーンズがアメリカの歴史について語る場面である。そのなかで彼女は最初、アメリカ独立の年である一七七六年を、『世界史上もっとも自由に奉仕する民主的試み』が始動した年として積極的に評価する。彼女の語りに合わせ、初期の移住者や建国の父たち、一九五〇年代、自由の女神といった象徴的な映像が現れる。だがやがて映像が逆再生を始め、ハンナ＝ジョーンズがこう告げる。『この国が、世界にかつてなかったほど自由に奉仕する民主国家だということを受け入れるためには、当然のことながら、すでにこの地に住んでいた先住民の存在を忘れ、（中略）奴隷化されたアフリカ人を無視することが必要になります』」（注50）

ハンナ＝ジョーンズは、自分が勤める《ニューヨーク・タイムズ》紙の視点から、至るところに人種差別を見出す。スカークは言う。「ハンナ＝ジョーンズは、現代のアメリカ社会にあるほとんどのものが、奴隷制という遺産に毒されていると主張する。たとえば、人種差別が持続的な影響を及ぼしている例として、高い受刑率、国民皆保険制度の欠如、短い産休、最低賃金法、低い労働組合加入率、幹線道路網、明示的・黙示的な差別法、マイノリティ居住区において成績不振が続く学校制度を挙げている」（注51）

《ニューヨーク・タイムズ》紙のこのプロジェクトにはどんな目的があるのか？　同紙の編集長ジェイク・シルヴァースタインは言う。その目的は、「［一七七六年ではなく］一六一九年をわが国の誕生年と見なすことにどんな意味があるのかを考察し、それによりアメリカの歴史を再構築することにある。そのためには、奴隷制の影響や黒人アメリカ人の貢献を物語の中心に据えて、アメリカ国民とは何者なのかを語る必要がある」（注52）

全米学識者協会の会長であり元教授でもあるピーター・W・ウッドは、その著書『1620: A Critical Reponse to the 1619 Project（一六二〇年《一六一九年プロジェクト》に対する批判的回答）』のなかで、同プロジェクトに辛辣な反応を示している。とりわけ批判的なのが、以下の記述である。「《一六一九年プロジェクト》にはもっと大きな目的がある。それは、アメリカに対するアメリカの理解を変えることだ。最終的にそれに成功するかどうかはまだわからないが、歴史の主要な側面に関するアメリカ人の議論を方向づけることには、すでに間違いなく成功している。同プロジェクトは、アメリカを憎悪し、アメリカを異なる形の国家に根本的に変革したいと願っている進歩的左派の見解と一致している。だがそのような変革は、とんでもない誤りだと思われる。そんなことをすれば、苦労して手に入れた自由や自治、人間としての美徳を危険にさらすことになりかねない」（注53）。ウッドはさらにこう続ける。「《一六一九年プロジェクト》は、わずか数年前にはまったくの傍流に過ぎなかった思想を、みごと主流の見解へと引き上げた。たとえば、アメリカ独立革命は奴隷制を支持する出来事だったなどという見解は、かつては、漫画のような歴史理論を信奉する陰謀論好きの活動家の間で共有されているだけだった。このプロジェクトは、そのような見方を教室へと持ち込み、至るところで真面目な歴史学者を驚愕させることになった」（注54）

ウッドは、このプロジェクトを似非学問だと非難しているが、そのとおりであることは言うまでもない。これは、歴史を装った批判的人種理論である。ウッドは言う。「歴史に関する論争を解決する際には一般的に、歴史学者が学術論文に、もっとも信頼できると思われる論拠や出典を提示する。そうすれば両陣営が、それぞれその証拠を検証し、真実を導き出すことができる。《一六一九年プロジェクト》には、このような透明性が欠けている。（中略）ハンナ＝ジヨーンズは、きわめて無謀な主張を展開しておきながら、出典をまったく挙げていない。［ニューヨーク・タイムズ・］マガジン誌に［当初］掲載された論文には、脚注や参考文献など、学術的な立脚点が一切示されていない」（注55）

二〇一九年一二月には、《ニューヨーク・タイムズ・マガジン》誌上にこんな記事が掲載された。模範的な歴史学者五人が、「《一六一九年プロジェクト》の重要な側面に対して強い懸念を（中略）表明した。このプロジェクトは、奴隷制と白人優越主義を主要なテーマとしてまとめあげた、新たな解釈によるアメリカ史を提示することを意図している。《ニューヨーク・タイムズ》紙は、各学校がこのプロジェクトカリキュラムや関連教材に利用できるようにするという野心的な計画を発表している」（注56）。その五人とは、テキサス州立大学の著名な歴史学名誉教授ヴィクトリア・バイナム、プリンストン大学のアメリカ史学教授（ジョージ・ヘンリー・デイヴィス一八八六年教授）ジェイムズ・M・マクファーソン、ニューヨーク市立大学大学院センターの著名な教授ジェイムズ・オークス、プリンストン大学のアメリカ史学教授（ジョージ・ヘンリー・デイヴィス一八八六年教授）ショーン・ウィレンツ、ブラウン大学の歴史学名誉教授（アルヴァ・O・ウェイド大学名誉教授）ゴードン・S・ウッドである。

五人の歴史学者はこう述べている。「主要な出来事に関するこれらの過ちは、解釈とも『構想』とも言えない。これは、まっとうな学識やジャーナリズムの基盤となる、証明可能な史実に関する問題である。だがこのプロジェクトは、歴史理解をイデオロギーに置き換えることを提案している。『白人の歴史学者』からのみ反論があると主張し、人種的立場に基づいて反論を棄却することで、この置き換えを支持してきた」（注57）

五人は言う。「このプロジェクトでは、わが国の歴史において何よりも重要なアメリカ独立革命について、建国の父たちがイギリスからの独立を宣言したのは『奴隷制を存続させるため』だったと主張する。これは正しくない。そんな主張を証明できたら驚くべき見解となるだろうが、それを立証するために同プロジェクトが提示している見解は、いずれも事実ではない。また、事実が歪められている素材もある。たとえば、黒人アメリカ人は『ほぼ常に』、自由を得るために『単独で』闘ってきたという主張がそうである」（注58）

歴史学者たちの反論はさらに続く。「さらに、誤解を招くような素材もある。このプロジェクトでは、エイブラハム・リンカーンの人種的平等に関する見解を批判しているが、独立宣言は黒人も白人も含めた普遍的平等を訴えているとリンカーンが確信していた事実を無視している。リンカーンは、自分に敵対する強力な白人優越主義者に対して、繰り返しこの見解を擁護していた。このプロジェクトはまた、アメリカ合衆国憲法は『栄光ある自由の文書』だと述べたフレデリック・ダグラスにリンカーンが同意していた事実を無視するとともに、アメリカは人種的奴隷制に基づいて創設されたと主張する。だがこれは、奴隷制廃止論者の大多数が否定し、ジョン・C・カルフーンのような奴隷制支持者が公然と述べていた主張である」（注59）

この歴史学者グループの一員であるウィレンツは、別の《アトランティック》誌とのインタビューでこう語っている。「アメリカ独立革命には奴隷制を維持する目的もあったと児童に教えれば、アメリカ独立革命とは何だったのかという点だけでなく、アメリカは何を支持しているのか、建国以来何を支持してきたのかという点においても、根本的な誤解を与えることになる」。さらにこんな記述もある。「ウィレンツの説明によれば、奴隷制に反対するイデオロギーは『一八世紀にこの世に生まれたばかり』であり、『奴隷制に反対する活動は、イギリス本国よりも植民地のほうが活発だった』という」（注60）

さらに思い出してほしいのが、《ニューヨーク・タイムズ》紙には、真実や人権をないがしろにしてきた実績があるという事実である。同紙はこれまで、現代史上最悪とも言える怪物や体制を支持するプロパガンダ作戦を展開してきた。拙著『失われた報道の自由』でも詳細に述べたように、同紙は、アドルフ・ヒトラーによるヨーロッパのユダヤ人の殺戮を、その全期間にわたりほぼ隠蔽していた。それ以前に目を向ければ、一九二二年から一九三六年まで同紙のモスクワ支局長を務めたウォルター・デュランティは、ヨシフ・スターリンお気に入りの西側記者だった。大量虐殺を引き起こしたこの独裁者やソ連を称賛する記事を書き、一九三二年にウクライナ人数百万人を意図的な大量飢餓に追いやった事実を隠蔽する手助けをしている（注61）。さらに一九五〇年代後半には、同紙の海外特派員ハーバート・L・マシューズが「フィデル・カストロにインタビューし、この人物が無慈悲で少々気のふれた全体主義的な殺戮者だとする認識を改めた最初のアメリカ人記者になった。そして、実際に起きていることを理解しないままカストロ神話をつくりあげ、それに惚れ込み、最終的にそれに呑み込まれた」（注62）。現在も《ニューヨーク・タイムズ》紙は、マルクス主義の思想や戦術に基づいた人種差別的な反米イデオロギーを表明し、嘘で子どもたちを洗脳し、わが国の社会を攻撃している。

そもそもメディアは《一六一九年プロジェクト》以前から、批判的人種理論を擁護・推進し、無数の都市で発生した激しい暴動の土台づくりをしていた。ジョージア州立大学で政治科学の博士課程を履修していたザック・ゴールドバーグが、人種や人種差別に関するメディア報道について、近年ではもっとも広範囲に及ぶ調査を行なっている。その結果を示した論文にはこうある。「ミネアポリスでジョージ・フロイドが警察官に殺害された事件をきっかけに抗議や暴動、全体的混乱が起き、アメリカはいまや人種による報復を経験している。アメリカのエリートが運営するリベラルな諸機関を調査したところ、その多くが、抗議者のイデオロギーを受け入れている。その例として、わが国の二大有力紙である《ワシントン・ポスト》紙と《ニューヨーク・タイムズ》紙に過去一カ月の間に掲載された意見記事やニュース記事のタイトルを抜き書きしてみよう。

『黒人が苦しんでいるのに、白人は読書クラブに参加している』

『黒人活動家は言う――白人にとって抗議は流行に過ぎないのか？』

『「善良な人間」になりたがっている白人へ』

『アメリカにいまも存在するカースト制度――わが国の建国の理念は万人の自由と平等を約束

しているが、現実には人種による階層制が数世紀にわたり存続している』最後のタイトルは、《ニューヨーク・タイムズ・マガジン》誌に掲載されたアメリカの『カースト制度』に関する長い特集記事に付されたものだが、その記事でははっきりと、アメリカをナチス・ドイツになぞらえている」（注63）

ゴールドバーグの論考はさらに続く。「証拠が示すところによれば、主要出版社は、（黒人大統領のもとで、もどかしいほどゆっくりとだが、着実に人種間関係が向上していることを多くの指標が示していた時期に）人種差別の定義を大幅に広げ、より人種化された視点でアメリカ社会を見るよう積極的に推進しただけでなく、部分的にはそれを、『白人』の集団的責任という概念を標準化・一般化することで成し遂げてきた。《ニューヨーク・タイムズ》紙が提供する人気ポッドキャストの最新エピソードのタイトルには、（中略）『立派な白人の親』とあり、それがまさにこの点を明らかにしている。このエピソードでは、さまざまな改革の取り組みにもかかわらずアメリカの公立学校の問題を解決できていない理由を、こう説明している。問題の根源は『わが国の学校でほぼ間違いなく最大の勢力を誇る白人の親』にある、と」（注64）

ゴールドバーグは、《ニューヨーク・タイムズ》紙と《ワシントン・ポスト》紙に焦点をあてて調査を行ない、以下の事実を発見した。「二〇一三年以前は、すべての単語のなかに『白人』や『人種的特権』という言葉が登場する割合は、《ニューヨーク・タイムズ》紙が平均して〇・〇〇〇〇一三パーセント、《ワシントン・ポスト》紙が平均して〇・〇〇〇〇一五パーセントだった。ところがこの平均的頻度が、二〇一三年から二〇一九年にかけての時期になると、《ニューヨーク・タイムズ》紙では一二〇〇パーセントという驚異的な伸びを見せた。《ワシントン・ポスト》紙はそれをさらに上まわり、一五〇〇パーセント近い伸び率を示している。この期間に、『特権』という単語が『白人』『肌』『色』といった単語と同じ語彙空間を共有している頻度が、過去最高を記録したのである」（注65）

たとえニュースを毎日見たり読んだりしない人でも、現在のジャーナリズムの過激化・急進化には気づいているに違いない。ゴールドバーグはこう指摘する。「『白人優越主義』という言葉やその類似語の使用頻度の急増は、それらの言葉が決して新しいものではなく、そのために使用頻度を急増させるのが難しい状態から始まったことを考えれば、注目に値する現象である。数年前までこれらの言葉を使用するのは、正真正銘の白人優越主義者に言及する場合に限られていたと思われる。だがこれらの言葉はそれ以来、『人種差別』という言葉と同様に、急速に忍び寄るイデオロギー主導の概念により劇的に広まった。いまや白人優越主義という言葉は、すべてを包含する漠然としたレッテルと化している。特定の組織や個人によるあからさまに差別的な思想や活動を意味するのではなく、多くの進歩派はこの言葉を、アメリカの制度全体の根本的特質と理解している」（注66）

現在ではメディアが、「白人優越主義」やそれに関連する言葉を、批判的人種理論の人種差別的イデオロギーに同調しない組織や個人に使用する風潮が蔓延している。ゴールドバーグは言う。「白人優越主義という言葉が以前どんな意味で使われていたにせよ、この言葉はいまやどこにでも現れ、いかなる文脈にも適用される。二〇一五年までは、前述の新聞各紙が一年間に掲載したすべての単語のなかに『白人優越主義』に関する言葉が登場する割合は、ほとんど〇・〇〇一パーセントを超えることはなかった。しかしそれ以降は毎年、この上限値を優に超えている（ただし、増加傾向がさほど一貫していない《ウォールストリート・ジャーナル》紙だけは例外である）。二〇一九年には、これらの言葉の使用頻度が二〇一四年に比べて、《ニューヨーク・タイムズ》紙でおよそ一七倍、《ワシントン・タイムズ》紙でおよそ一八倍に増えた」（注67）

批判的人種理論の思想や教育はさらに、連邦政府の巨大官僚機構にまで浸透している。トランプ大統領は二〇二〇年九月二二日、このイデオロギーの蔓延を食い止めるべく、大統領行政命令一三九五〇号を発表した。そこにはこう記されている。「この破壊的なイデオロギーは、わが国の歴史や世界におけるその役割に関する偽りの見解に基づいている。その見解は革新的なものと言われているが、実際には、一九世紀の奴隷制支持者の疑わしい考え方を復活させたものに過ぎない。リンカーン大統領の政敵だったスティーヴン・A・ダグラスをはじめ、当時の奴隷制支持者は、わが国の政府は『白人を基盤にして（中略）白人により、白人の利益のためにつくられた』と主張していたものだ。わが国の建国文書は、こうした人種化された視点でアメリカを見ることを拒否した。そのような視点は、南北戦争の血まみれの戦場で完全に敗北した。だがいまでは、それが装いを新たにして、最新の知見として売り込まれている。その目的は、国民を分断し、一つの運命共同体であるこの偉大な国のために一つの国民として団結するのを妨害することにある」（注68）

この大統領行政命令では、批判的人種理論運動やそのマルクス主義的・人種差別的思想が政府を浸食していると指摘している。「残念ながらこの有害なイデオロギーは、いまやアメリカ社会の傍流から主流に躍り出て、わが国の中核的な機関に影響を及ぼそうとしている。男性や一部の人種に属する人々、わが国の由緒ある機関は生まれながらにして性差別的・人種差別的であると教える教師や教材が、連邦政府の構成機関や連邦政府の契約企業など、全国各地の職場の多様性研修に登場している。たとえば、財務省が最近開催したセミナーを見てみるといい。そのセミナーでは、『「ウォーク」であるかどうかを問わず、事実上すべての白人が人種差別に加担している』という考え方を広め、アメリカ人は『もっと人種にとらわれないようにする』べきだとか、『個人のスキルや性格で差異化を図るようにする』べきだという『物語』を受け入れないよう管理者に指導していた。連邦政府の一機関であるアルゴンヌ国立研究所が作成した研修教材には、人種差別は『アメリカのあらゆる基本構造に織り込まれて』おり、『人種にとらわれない』や『実力主義』といった発言は『偏見に満ちた行為』だと記されている。やはり連邦政府の一機関であるサンディア国立研究所が非マイノリティの男性向けに作成した教材では、『感情よりも合理性』を強調するのは『白人男性』の特徴だと述べ、自分たちが『特権者』であることを相互に『認め合う』よう出席者に求めている。また、最近作成されたスミソニアン博物館のパンフレットには、『客観的・合理的な直線的思考』や『勤勉は成功の鍵』『核家族』、唯一神信仰などの概念は、アメリカのあらゆる人種を一つにまとめる価値観などではなく、『白人的な側面であり、白人の思い込み』に過ぎないとある。また同じパンフレットには、『自分の白人性と向き合うのは難しく、罪悪感や悲しみ、混乱、保身、恐怖などを感じることもある』と記されている」(注69)

大統領行政命令はこう述べ、「人種や性によるステレオタイプ化や責任転嫁」を教えることを禁止した。これは、具体的には以下のような考え方を指す。

一、ある人種や性は生まれつき、ほかの人種や性より優れている。
二、人間は意識的にせよ無意識的にせよ、その人種や性により、生まれつき人種差別的・性差別的・抑圧的である。
三、人間は、その人種や性だけを理由に、あるいはそれを一つの理由として、差別されたり不当な待遇を受けたりすべきである。
四、ある人種や性に属する人は、人種や性を考慮することなく他人を扱ってはならない。
五、人間の道徳的性質は、その人種や性により必然的に決まる。
六、人間はその人種や性により、同じ人種や性に属するほかの人が過去に犯した行為の責任を負う。

七、いかなる人間も、その人種や性であることを理由に、不快感や罪悪感、苦悶などの精神的苦痛を感じるべきである。

八、実力主義や勤勉を尊ぶ倫理観は、人種差別・性差別的であるか、ある人種が別の人種を抑圧するために生み出した考え方である（注70）。

だがジョー・バイデン大統領は、大統領に就任したその日に、トランプ前大統領の行政命令は多様性教育を排除するものだと偽りの主張を展開し、その行政命令を無効にするとともに、それとは正反対の大統領行政命令に署名した。その行政命令のなかでとりわけ注目すべきは、バイデンが「人種的平等」という表現を「人種的公正」に置き換えた点である。これは明らかに、バイデンの意図が、批判的人種理論運動の見解と一致していることを示している。利用機会の平等や待遇の平等ではなく、結果の平等を目標とする見解である。だが実際には、「公正」を追求すれば、平等を追求することができなくなる。さらにバイデンは、連邦政府の省庁に対し、市民一人ひとりの特徴に関するあらゆるデータを積極的に収集するよう指示している。公正な結果を強制できるようにするためだ（急進的な平等主義と呼ばれるものである）。こちらの大統領行政命令にはこう記されている。「連邦政府のデータセットの多くは、人種や民族、ジェンダー、障害、所得、兵役経験の有無などの人口統計学的変数により分類されていない。

こうしたデータ不足は、連鎖的な影響を引き起こし、公正を測定・推進する取り組みを遅らせる。公正を推進する政府がまずなすべきは、その取り組みに必要なデータを収集することだ。（中略）したがってここに、《公正なデータに関する省庁間作業部会（データ作業部会）》を設置する」（注71）

政府の社会的・文化的目標（この場合は人種差別的な批判的人種理論の目標）を実現するために政府のデータベースで市民の行動を追跡するというのは、共産主義国中国の社会信用制度を想起させる。中国政府は、ポイント制度により市民の行動を規制している。フォックス・ニュースはこう報じている。「政府はこの制度のもと、政府や企業の記録や裁判所文書、あるいは市民を監視する人々から収集したデータに基づき、生活のさまざまな領域で市民をランクづけする。高いポイントを持つ市民は、銀行から融資を受けることも、無料で健康診断を受けることも、暖房費を割引してもらうことも容易にできる。このポイントは、交通違反や欠陥商品の販売、ローンの滞納などにより差し引かれる。社会信用ポイントが低くなると、場合によっては、飛行機や列車のチケットを購入できなくなる。そのほかの違反行為としては、禁煙区域での喫煙、ビデオゲームの過剰な購入あるいはプレイ、虚偽のニュース記事のオンライン投稿などがある」（注72）。さらにこうも伝えている。「違反が多い人は、いわゆる『ブラックリスト』に登録される。企業は雇用を検討する際に、このブラックリストを参照できる。両親の社会信用ポイントが低いために、子どもの大学入学が許可されない場合もある」（注73）

それだけではない。バイデンが大統領としてまず行なった施策のなかには、トランプが設置した《一七七六年大統領諮問委員会》の廃止もある。これは、「新たな世代に一七七六年のアメリカ建国の歴史や理念を理解させ、より完璧な社会の統合を目指す」ために設置された（注74）。「この委員会の第一の責務は、アメリカ建国の理念や、その理念がわが国を形成してきた経緯をまとめた報告書を作成することにある」（注75）。この委員会は、バイデンの就任宣誓の直前に《一七七六年レポート》を発表したが、即座にメディアにこきおろされた。

二〇二一年一月一九日、NBC放送のチャック・トッドとMSNBC放送のトライメイン・リーは放送中に、このレポートを掘り下げて考察することもないまま、その内容を嘲笑した。二人が批判的人種理論に傾倒していることは明らかだ。

トッド：いいですか、スポーツ界にも見られるんですよ。たとえばディオン・サンダースが、ジャクソン州立大学のあの壁を壊して、HBCU［歴史的黒人大学］*のためにいろんなことをやり直そうとしている。その大学の学生と話して、「一七七六年云々」というタイトルについてどんな反応を示しているか聞いてみるといいんですよ。

リー：そうね、チャック。政治科学の教授と話をしたんですが、その教授も、このレポートは《一六一九年プロジェクト》に対抗するものでしかなく、一つのフィクション、奴隷

＊古くから黒人学生の教育を目的としてきた高等教育機関の総称。

制のもつれをほどく方法などないというアメリカの偽善に基づいているとおっしゃっていました。率直に言って、いまさらこれほど粗悪でいい加減なものを提示されても、衝撃を受ける人は誰もいません。ずいぶん前から行なわれていることですから。

トッド：衝撃的ではあるけど、残念ながら国民がそれに驚いたとは思えませんね（注76）。

トッドやリーを含めメディア関係の司会者は、このような政策綱領に従っている。つまり、マルクス主義から生まれたさまざまな運動の集団思考やイデオロギー的責務にとらわれているということだ。彼らは、純真なイデオロギーの代弁者であり強制者である。マルクス主義の周囲にさまざまに交錯する理念や信念体系の熱狂的な信者であり、大半は民主党の忠実な支持者である。そのため、この政策綱領との不一致や、そこからの逸脱などあるはずもない。実際、不一致や逸脱はほとんどない。

デルガドとステファンシックは、以前のマルクーゼ同様、以下のような指摘をしている。「白人支配層が、上級レベルの仕事や専門的な仕事、政策機関や政府の役職などにおいて、秩序正しく権力の共有へと移行することに抵抗する可能性がある」ことを考えれば、最終的には「平和的な移行」が起こらない場合もある。そのときには、第二の可能性として、「南アフリカであったように、すさまじい急激な変化が起こるかもしれない。そうなると批判理論の理論家や活動家は、抵抗運動組織や活動家の犯罪を擁護するとともに、抵抗のための理論や戦略を表明することが必要になるだろう。あるいは第三の可能性として、中間的な体制が始まるかもしれない。（中略）白人が新植民地的な手法を展開し、わずかばかり譲歩したり、肌の色の薄いマイノリティを中間管理層に仕立てあげ、権力の移譲をなるべく回避しようとしたりする」（注77）。真に危険で、人種差別的で、常軌を逸しているのは、このような運動である。

ブラック・ライブズ・マター（ＢＬＭ）という組織は、マルクス主義と批判的人種理論の融合から生まれた。二〇一五年、ＢＬＭの三人の創設者の一人パトリッセ・カラーズは、ボルティモアを拠点とするリアル・ニュース・ネットワークのビデオ取材に応じ、そのなかで取材相手のジャレッド・ボールに、自分もアリシア・ガーザ（ＢＬＭの三人の創設者の一人）もマルクス主義者だと述べている。「いろんなことを考えているけど、最初に言いたいのは、実は私たちにもイデオロギー的な枠組みがあるってこと。私もアリシア［・ガーザ］も、組織者としての教育、マルクス主義者としての教育を受けている。二人とも、イデオロギー理論に精通している。それをもとに、たくさんの黒人の仲間が利用できるような運動を起こそうとしているの」（注78）（創設者の残りの一人はオーパル・トメティである）

だが、ＢＬＭのカラーズはその一方で、合計数百万ドルもの価値を有する四つの住宅を購入している。ベストセラー本を執筆するとともに、急進的な思想を広めるために、ワーナー・ブラザーズなどの企業と有利な契約を結んでいるからだ（注79）。自分たちが訴えているような生活をしているマルクス主義の革命家や支持者など、ほとんどいない。

また、ＢＬＭ運動の包括的組織であるＢＬＭグローバル・ネットワークと、過去の暴力的なマルクス主義・無政府主義運動との結びつきを示す証拠はいくらでもある。ヘリテージ財団のマイク・ゴンサレスが執筆した記事には、こうある。「カラーズは、労働者／コミュニティ戦略センターで一〇年間、急進的運動の組織者としての訓練を受けた。このセンターを設立・運営しているエリック・マンは、一九六〇年代にＦＢＩが国内テロ集団と認定していた過激派組織《ウェザー・アンダーグラウンド》の元メンバーである。同組織が一九六九年に発表した設立声明にはこうある。『アメリカ帝国主義の破壊と、階級なき世界、すなわち世界共産主義の実現』に身を捧げる、と」（注80）

ゴンサレスは同じ記事のなかで、マンが講師を務めるあるセミナーの内容を紹介している。そのなかでマンは出席者に、自分にこう問いかけるよう指導している。「自分は体制を変革する決心をしているか？　自分を大衆と結びつけているか？」。さらにマンはこうも述べている。「大学は、毛沢東を過激化させた場所、レーニンやフィデル［・カストロ］を過激化させた場所、チェ［・ゲバラ］を過激化させた場所だ。植民地化された人々で構成された急進的な中間階級、あるいは私の場合のように、特権を持つ人々で構成された急進的な中間階級が、一つの革命家のモデルである」「この国を白人入植者政府から解放しよう。この国を帝国主義から解放し、反人種差別・反帝国主義・反ファシズムの革命を起こそう」（注81）

資本研究センターのスコット・ウォルターはこう解説する。「ＢＬＭ運動は一九六〇年代のマルクス主義テロリストとイデオロギー的に結びついているのか、という疑問については、スーザン・ローゼンバーグの立場を考えれば、おのずと回答がわかるはずである。（中略）ローゼンバーグがＢＬＭの中心グループの役員を務めている点から見ても、ＢＬＭは、暴力的な過激思想の歴史を持つ熟練のマルクス主義者と、イデオロギー的に結びついている。実際ローゼンバーグは、《五月一九日マルクス主義機構（Ｍ19）》のメンバーだった」（注82）。ローゼンバーグには、マルクス主義革命家として長期にわたる暴力的な犯罪歴がある。そのために懲役五八年の判決を受けたが、刑期を一六年間務めたところで、クリントン大統領の恩赦により全面的に赦免された。ゴンサレスも以下の点を指摘している。ローゼンバーグは「《サウザンド・カレンツ》の役員会の副議長でもある。これは、二〇二〇年七月までＢＬＭグローバル・ネットワークを支援していた急進的な助成金提供団体である。ローゼンバーグはまた、一九七九年にジョアン・チェシマードの脱獄を幇助《ほうじょ》した嫌疑をかけられていた。現在キューバで暮らしているマルクス主義者である」（注83）

ローゼンバーグもマンも、バラク・オバマのかつての仲間ビル・エアーズやバーナディーン・ドーンと同じように、《ウェザー・アンダーグラウンド》と関係していた。ブリタニカ百科事典を見ると、この組織についてこう記されている。「《ウェザー・アンダーグラウンド》（当初は《ウェザーメン》と呼ばれていた）は、《サード・ワールド・マルクシスツ》から発展した組織であり、一九六〇年代後半に急成長した新左翼を代表する全国的組織《民主主義社会を求める学生連合（SDS）》内の一派だった」（注84）

さらにBLMは、当初の綱領によれば（のちにウェブサイトから削除された）、核家族の解消を訴えていた。「私たちは、西側諸国により規定された核家族の構造的必要性を解体し、集団で互い（特に子ども）の面倒を見る拡大家族や『村』を通して相互に支え合い、母親や両親、子どもたちが快適に暮らせる社会を目指す」（注85）。これが当初の綱領に記載されたのも、のちに削除されたのも、決して偶然ではない。マルクスによれば、核家族はブルジョワ社会の現れにほかならない。核家族は宗教と同じように、マルクス主義の楽園を実現するのに欠かせない社会イデオロギーの洗脳の妨げになる。そこでマルクスは、核家族を攻撃し、その破壊を訴えた。

家族の廃止！　きわめて急進的な人々でさえ、マルクス主義者のこの恥ずべき提案に憤慨する。

だが、現在の家族、ブルジョワ的家族は何を土台にしているのか？　資本であり、私的利益である。十分に発達した形態では、この家族はブルジョワジーの間にしか存在しない。だが、そのような状態は、プロレタリアートにおける実質的な家族の不在や売買春の公認により補完され、支えられている。

この補完物がなくなれば、当然このブルジョワ的家族もなくなる。資本の消滅とともに、そのいずれもが消滅する。

諸君は、親による子どもの搾取をやめさせようとする罪により、私たちを非難するのか？　その罪があることは、私たちも認めよう。

しかし、と諸君は言うだろう。私たちは、家庭による教育を社会による教育に置き換えることで、もっとも神聖な人間関係を破壊しようとしている、と。

だが、諸君の言う教育とは何か？　それもやはり社会的なものではないのか？　教育を受ける社会的条件や、学校などを通じた社会の直接的・間接的介入によって決まるのではないのか？　マルクス主義者が、教育に対する社会の介入を生み出したのではない。むしろマルクス主義者は、その介入の性質を改め、支配階級の影響から教育を解放しようとしているだけである。

近代産業の作用により、プロレタリアートのあらゆる家族の絆がずたずたに引き裂かれ、その子どもたちが単なる商品や労働の道具になればなるほど、家族や教育、親子の神聖な相互関係に関するブルジョワのたわ言は、ますます不愉快なものになる（注86）。

そんなＢＬＭに、無数の企業や助成金提供団体、スポーツ選手、俳優、事業経営者などが、数千万ドルもの資金援助を行なっている。民主党の市長は、自分が治める街の通りの名称に、この組織名を採用している。BLMはいまや、あらゆる文化やメディアで称賛され、もてはやされており、無数の人々（特に若者）の支援を取りつけている。

マルクス主義／批判理論のイデオロギーやプロパガンダが学界やメディア全体に、あるいはそれらを超えて広がるにつれ、それに関連した運動の数も増えている。たとえば、成長著しいそのような運動の一つとして大きな影響を及ぼしているのが、「ラテン系批判的人種理論」（LatCrit と略称される）である。カリフォルニア大学ロサンゼルス校の「ポスドク研究員」リンジー・ペレス・ヒューバーは、この理論について以下のように述べている。「この理論は、移民、地位、言語、民族、文化など、ラテン系コミュニティ独自の経験に関係している。この理論により研究者は、人種差別的な排外主義に関する概念的枠組み、つまり人種差別と排外主義との交差性を強調する視点を構築することが可能になった。（中略）包括的な理論的枠組みとなるのが（中略）批判的人種理論、とりわけラテン系批判的人種理論なのである。教育研究における批判的人種理論は臆することなく、人種や階級、ジェンダー、性的指向などへの抑圧が、有色人種の教育経験にどのように現れているかに重点を置く。さまざまな分野を活用して、人種にとらわれない姿勢や実力主義といった支配的イデオロギーに異議を唱える。これらのイデオロギーは、教育機関はすべての生徒に対して同じように機能する中立的な存在だと主張する。だがこの理論では、抑圧的な構造と実践に特徴づけられた教育経験を持つ有色人種コミュニティから学習・構築した学識を通じて、こうした考え方に異議を唱える。教育における人種差別を明らかにするこの取り組みは、社会的・人種的正義、および有色人種コミュニティの地位向上へ向けた意識的行動と言える」（注87）

ラテン系批判的人種理論を理解するには、人種や人種差別を理解しなければならない。つまり、一般的な批判的人種理論と同じように、白人優越主義や白人が支配する文化の性質を理解する必要がある。「人種差別は有色人種を服従させるためのツールだと理解すれば、その目的が白人優越主義イデオロギーに関係していることがわかる。白人優越主義を、人種的な支配や搾取の制度として理解できる。その制度のもとでは、権力や資源が不平等に分配され、白人を優遇するとともに有色人種を抑圧している」。ヒューバーはこうも記している。「実際に相違があるかどうかにかかわらず、誰もが人種差別の犠牲者になりうる。（中略）人種差別は以下のように定義できる。有色人種の犠牲のもと、白人の信念に沿って白人優越主義を正当化し、それにより白人の支配権を守るために、実質的な相違もしくは想像上の相違に価値を置くこと」（注88）（傍点は原文による）

さらにヒューバーは、人種差別的排外主義を定義するにあたってこう述べている。「歴史的に先住民という概念が直接、白人と結びつけられてきた。白人優越主義を信じて歴史を忘却したがために、ヨーロッパの白人入植者が初めて到来する前にアメリカに暮らしていた先住民コミュニティの歴史がかき消されてしまった。そのため、歴史的にも法的にも、白人こそがアメリカの先住民であり、その『建国の父』だと見なされてきた。こうした排外主義と白人性との重要な結びつきを念頭に置くと、人種差別的排外主義はこう定義できる。非先住民（有色人種やその移民）よりも先住民（白人）のほうが優れていることを正当化し、それにより先住民の支配権を守るために、実質的な相違および想像上の相違に価値を置くこと」（注89）

ステファンシックによれば、ラテン系批判的人種理論は五〇年ほど前から存在していたという。「その創始者はロドルフォ・アクーニャである」。「アクーニャは、合衆国の歴史を再構成し、かつてメキシコが保有していた土地を合衆国が植民地化したことにより、そこに住んでいたメキシコ人がどんな影響を受けたのかを考察した最初の学者だった。デリック・ベルの力強い理論が人種の動態を理解しようとする黒人に多大な刺激をもたらしたように、アクーニャの主張はラテン系アメリカ人に強烈な影響を及ぼした」（注90）

つまり合衆国は、あらゆる有色人種を抑圧する、組織的に人種差別的な、白人優位の社会であるだけでなく、この国の存在自体が、メキシコの土地の植民地化に基づく違法なものなのである。合衆国の真の先住民は、そこに暮らしていたメキシコ人であり、人種差別的排外主義を推進する白人ではない。

アクーニャが一九七二年に発表した著書『Occupied America（占領されたアメリカ）』の冒頭には、こう記されている。「現在合衆国に暮らすメキシコ人（チカーノ）は、抑圧された民族である。彼らは市民とされているが、せいぜい二流の市民権しかない。権力を握る人々に搾取・操作されている。そのため不幸にも彼らの多くは、白系アメリカ人のなかでうまく暮らしていくには自身を『アメリカ化』するしかないと思い込んでいる。だが自分たちの歴史（自分たちの貢献や努力、あるいは、自分たちは白系アメリカ人の歴史が伝えるような『信用できない敵』などではないという事実）を知れば、長い間抑圧されてきた民族の誇りや伝統を取り戻せる。それを知れば、自分たちを解放できる」（注91）

これを言い換えれば、真の先住民であるメキシコ人やチカーノは、白系アメリカ人の文化に同化すべきではない、ということだ。前者は抑圧された民族であり、後者は植民地主義者なのである。

しかしながら、合衆国に暮らすメキシコ人の状態に悲惨な評価を下したアクーニャの論法では、以下の事実を説明できない。「メキシコは、合衆国にもっとも多くの移民を送り込んでいる国である。二〇一八年には、合衆国で暮らすメキシコ移民の数がおよそ一一二〇万人に達し、合衆国に暮らす全移民の二五パーセントを占めるに至った」（注92）。命や手足を失うおそれがあるかもしれないのに、なぜ数百万ものメキシコ市民が母国を離れ、ただ「搾取・操作」されるだけのために、合法・非合法を問わず合衆国に移住してくるのか？　実際のところ彼らは、母国での抑圧や貧困、犯罪、腐敗から逃れ、合衆国でのよりよい暮らしを求めて移住してくるのである。

アリゾナ大学の教授リカルド・カストロ＝サラサールとダラム大学（イギリス）の教授カール・バグリーは、その著書『Navigating Borders: Critical Race Theory Research and

Counter History of Undocumented Americans（国境を渡る　アメリカの不法移民に関する批判的人種理論研究と対抗史）』のなかで、こう訴えている。「学者たちは繰り返し、合衆国の国民や指導者は『常習的に歴史を無視する』傾向があると指摘している。合衆国やその国民のアイデンティティを扱う現代の物語のなかにどこまでの人々を含めるべきかを決める際に、この忘却は有害な影響を及ぼす。合衆国で過去や現在の出来事を日常的に語る際に見過ごされがちなのだが、『アメリカ』は二つの大陸から成り、アルゼンチン人、ブラジル人、カナダ人、コロンビア人、キューバ人、ドミニカ人、グアテマラ人、ハイチ人、ジャマイカ人、メキシコ人、エルサルバドル人、ベネズエラ人など、一六世紀にヨーロッパの探検家が旅した地域の人々も、そこに含まれる。単純化と省略化が好きな多くの合衆国民は、（中略）合衆国がアメリカの一部であり、その反対ではないことを忘れている。合衆国は北アメリカに位置しながら、中央アメリカや南アメリカの諸国民の現実に影響を及ぼしてきた」（注93）

その後の記述によると、アメリカは合衆国よりも広く、二つの大陸を含んだものであり、ヨーロッパと結びついた白人が多数派を占める『合衆国民』は、実際には侵入者に過ぎない。そのため、「アメリカの白系プロテスタント」よりも「メキシコ系アメリカ人」のほうが、合衆国の土地の領有権を主張する権利があるという。カストロ＝サラサールとバグリーはこう続ける。「皮肉にも、不法滞在するメキシコ系アメリカ人は、実際には二重のアメリカ人アイデンティティ（合衆国民とメキシコ国民）を備えており、アメリカ大陸との歴史的つながりという点では、合衆国で多数派を占める白人よりも強いつながりを持っている。メキシコ系の人々（先住民の伝統とヨーロッパの伝統をあわせ持つ人々）は、現在では合衆国の南西部となっている土地に暮らしていた。その土地の半分を、合衆国は数世紀前にメキシコから奪ったのである。メキシコ系アメリカ人を、アメリカの『白系プロテスタント的アイデンティティ』に対する脅威だと考える人たちは、この点を見落としている。あるいはこんな不安を抱いている。『合衆国史上、合衆国の土地の歴史的領有権を主張できる移民集団はほかにいない。メキシコ人やメキシコ系アメリカ人はそれを主張することができ、現にそうしている』」（注94）

カストロ＝サラサールとバグリーはさらに、「不法滞在するメキシコ系アメリカ人」の定義に関する議論に批判的人種理論を適用し、こう主張する。批判的人種理論では「あらゆる知識は歴史に基づいており、それゆえ主観的で偏見に満ちている」と考える。「そのため、社会に関する批判理論では、客観的知識だといういかなる主張も拒否し、社会の抑圧的な仕組みを解明することを重視してきた。その目的は、そうした仕組みを理解し、被抑圧者が自身を解放できる条件を整えることにあった」（注95）

こうして考えると、不法在留外国人は不法在留でもなければ外国人でもなく、実際には「国内植民地主義」の犠牲者だということになる。「征服された集団は、その集団の文化・言語・宗教・歴史に対するさりげない攻撃や暴力など、さまざまな手段を通じて支配・統制される」（注96）。その結果、多数の人種的・民族的活動家がアメリカ文化への同化に抵抗・反対し、白系プロテスタント的アイデンティティに基づく文化、白人が支配する文化を全面的に激しく侮蔑するようになる。

では、この狂信的イデオロギーを受け入れないラテン系アメリカ人はどうなのか？　カストロ＝サラサールとバグリーはここでもやはり、マルクーゼの「抑圧的寛容」論をまねてこう主張する。「征服された人々が征服者の考え方を内面化し、多数派の一部になってしまうと、事態はいっそう複雑になる。多元的な資本主義的民主主義では、征服者の考え方を内面化した人々が征服構造の一部となり、その活動の多くを支持するようになる場合がある」（注97）。こうしてメキシコ系アメリカ人などの移民は、「多数派の白人征服者」にだまされるか寝返るかして、アメリカ社会に同化する。

カストロ＝サラサールとバグリーはこう断言する。「国内植民地主義は、不平等な多元主義の一形態である。そこでは、さまざまな民族や文化が共存しているが、合衆国で見られるように、伝統的に同化モデルに従った民族関係が確立されている。これは、一種の人種差別である。支配的な文化が、征服された民族や文化を、異国の劣ったものと見なしている。征服された民族の好例が、合衆国における先住アメリカ人、アフリカ系アメリカ人、アジア系アメリカ人、メキシコ系アメリカ人である。国内植民地主義は、国民一人ひとりにその意図があるかどうかを問わず、合衆国に間違いなく存在し、生活のあらゆる側面に見られる。（中略）それは、統合された民主的な社会という概念に反するが、一部の研究者によれば、政治的・経済的不平等は一時的なものではなく、産業資本主義体制に必要不可欠なものだという。支配層はこうした齟齬《そご》に目を向けることなく、自身の特権を永続化する」（注98）

このように同化*主義や資本主義は、白人が支配するとされる社会がマイノリティを標的に行なう抑圧や不平等化を促進するという。

批判的人種理論を受け入れていたバイデンは、大統領に就任するとすぐに、移民政策を一方的に変更する五つの大統領行政命令に署名した。いずれも、「ラテン系批判的人種理論」運動に賛同し、それを支援する内容である。これによりバイデンは、国境の壁の建設を中止させ（のちにほんの二一キロメートルばかり建設を続けた）、トランプ政権の移民取り締まり政策を終わらせ、一〇〇日間の本国送還猶予措置を設け、法的地位のない個人への恩赦を提案した（注99）。そのうえ、トランプ政権がメキシコなどの中米諸国から合意をとりつけていた、アメリカ＝メキシコ国境にやって来た亡命希望者を三つの中米諸国のいずれかに送還する協定を破棄した。その結果、バイデンを支持する《ワシントン・ポスト》紙さえ、次のような記事を掲載している。「新大統領は、［トランプ政権が設置した］ガードレールの破壊にとりかかった。大統領就任の日に早々と、移民に関する五つの大統領行政命令を発表し、前任者よりもはるかに人道的かつ友好的な移民政策を約束したのだ。バイデン政権はさらに、付添人のいない未成年者の入国を認めた。これもやはり、トランプ政権時の方針からの著しい脱却である。（中略）現在の国境の状況を生み出したのは（バイデンやその顧問は、これを危機と呼ぶのを断固とし

＊移民に対して価値観、信念、習慣を共有させる。

て拒んでいるが）、来《きた》るべき移民の急増をあらかじめ警告されていながら、いまだ十分な準備ができず、対処能力の欠如を露呈している政府である。政府職員は混乱する指示に翻弄され、ときには、移住を断念するよう説得すべき移民にではなく、リベラル活動家に訴えているかのような言葉を口にする」（注100）

バイデンの政権移行チームは以前から、そんな計画を実施すれば国境や移民制度が対処不能になると、入国管理当局者から警告を受けていたが、バイデンはそれを無視した。《ワシントン・ポスト》紙の記事はさらに続く。「政権移行期間の間に、税関・国境警備局の責任者たちはバイデンのチームに、国境で国家の管理能力を超える危機が瞬く間に起こる可能性について理にかなった警告を発していた。実際、国土安全保障省の現職員一人および元職員二人の話によれば、同局の高官は政権移行チームにズームで概要説明を行ない、トランプ政権の政策を突然解除すれば付添人のいない未成年者の到来が急増することを示す予測モデルなどを提示していた」（注101）

この記事には書かれていないことがある。それは、バイデンの判断が、ラテン系批判的人種理論の移民の考え方に沿ったものであり、その支持者にアピールしていた点である。移民制度や国境警備が対処不能になった結果、税関・国境警備局のかなりの数の職員が、国境を取り締まる職務を果たせなくなり、穴だらけの無人の国境を生み出した。それにより数千もの移民が、裁判所で亡命のための聴聞を受ける日程を決めることもなくわが国になだれ込んだ。新型コロナウイルスなどの病気を持ち込んだ者もいる。つまりバイデン政権は、税関・国境警備局の予算を減らすどころか（民主党内のマルクス主義者やラテン系批判的人種理論の活動家が推進していた政策だが、連邦議会で十分な信任票を得られたとは思えない）、大統領行政命令により移民や国境の動態を変えただけだった。

ラテン系批判的人種理論によれば、アメリカは合衆国よりも広く、「合衆国民」は紛れもない侵入者であるために、残念ながら合衆国の主権といったものは存在しない。数十万単位で国境を越えてやって来る人々こそが、本当の意味での先住アメリカ人だという。それだけではない。民主党は、この運動を支持することで恩恵を受けようとしている。次から次へと押し寄せる不法在留外国人の票をあてにしているのだ。続く恩赦の付与も、民主党が永遠に権力を維持するための手段なのである。実際、ピュー研究所の調査によれば、ラテン系アメリカ人の有権者は、かなりの割合で民主党を支持している（注102）。

世論調査会社ギャラップの会長兼CEOのジム・クリフトンは言う。「以下のような問いなら、支持する政策に関係なく、どんな指導者でも答えられるはずだ。南部国境にやって来る人々がどれだけ増えているのか？　それに対するどんな計画があるのか？　ラテンアメリカやカリブ海には三三の国がある。その地域に、およそ四億五〇〇〇万人の成人が暮らしている。わが社はその住民に、可能であれば永久に別の国に移住したいかと尋ねる調査を実施した。すると驚くべきことに、二七パーセントが『移住したい』と答えた。およそ一億二〇〇〇万人がどこかに移住したいと思っているということだ。わが社は次いで、どこの国に移住したいかと尋ねてみた。すると、永久に故国を離れたいと思っている人々の三五パーセント（四二〇〇万人）が、アメリカに行きたいと回答した。市民権や亡命を希望している人々は機会をうかがい、移住の最適のタイミングを見計らっている。現在国境にいる何千もの移民の問題を解決するだけでなく、それ以上に解決の難しいこの大問題についても考えてみてほしい。わが国に来たがっているほかの人々はどうするのか？　彼らに何と言うのか？　どんな一〇年計画があるのか？　三億三〇〇〇万人のアメリカ市民はそう思っている。四二〇〇万人のラテンアメリカ人もそうだ」（注103）

この計画は、批判理論のマルクス主義イデオロギーと関係している。つまり、移民が増えれば増えるほどいい。そうすれば、制度が破綻・崩壊を続け、国家の政策や人口動態、市民が変わり、最終的には統治体制の性質が転換される。決して同化主義を支持したり受け入れたりしてはいけない。分裂が進み、小集団が乱立すれば、どんな国も間違いなく崩壊する。

強力な政治勢力に成長しつつあるインターセクショナリティ運動のなかには、ジェンダーに関するものもある。批判的ジェンダー理論である。ほかの批判理論運動と同じように、この批判的ジェンダー理論運動の中心には、支配的な社会や文化がＬＧＢＴＱ＋コミュニティを抑圧しているとの主張がある。支配的な社会は、生物学的・経験的・科学的・規範的な視点からジェンダーをとらえる。一方ＬＧＢＴＱ＋コミュニティは、ジェンダーを社会的構成概念と見なし、支配的な社会の考え方は、現体制の特権者が抱く一時的な視点や慣習に過ぎないと考える。したがって、ジェンダーや性に関する伝統的な二分法やそれに関連する道徳的信念はほぼすべて、抑圧的で偏見に満ちた不正なものとされる。

さらに、「性」と「ジェンダー」が区別されるようになったのは過去数十年のことであり、それまでは両者の意味や使用法に違いはなかったが、もはやそういうわけにはいかない。ボイシー州立大学の政治科学教授スコット・イェナーは、こう述べている。「現在では多くのアメリカ人が、一世代前には想像もできなかったような考え方を受け入れている。ジェンダーは、社会的に構成された人工的なものであり、個人が自由に選べるものだとする考え方である。生物学的な性とジェンダーを自由に切り離せるというこの思想は、一九五〇年代から一九七〇年にかけて影響力を振るった急進的なフェミニストの主張に端を発している。その理論を根拠に、トランスジェンダー主義*という新たな世界が幕を開けた。こうして、昨日には衝撃的だった理論が、今日では一般に認められた規範となり、さらなる変化が生まれようとしている。だが、この新たな世界が人間の繁栄にふさわしいものなのかどうかは、まだわからない」。イェナーはさらにこう続ける。現在では「人間のアイデンティティは、その人の生体構造や遺伝子、生育環境で決まるのではなく、その人が自分をどう考えているかによる。この観点に従えば人間は、どちらか一方の性の肉体にとらわれた性別のない存在であり、過去のジェンダーの台本に従う必要はない。哲学者のロジャー・スクルートンもこう述べている。『道徳的思想のために

＊ジェンダーは生まれ持った性と必ずしも一致しないとする思想。

生物学的運命を乗り越えようとする人間の決意を、これほど鮮明に示す事例はない』」（注104）

いまでは、性やジェンダーに関する指向は、かつて考えられていた以上に複雑だと言われている。「カリフォルニア大学ロサンゼルス校のジェンダー別生物学センターの所長を務め、性的発育や性差に関する遺伝学を研究するエリック・ヴィレイン博士は言う。『たいていの人は、性やジェンダーが生物学的に複雑なことを知らず、二分法で性を定義する傾向がある。身体的特徴やその人が持つ性染色体に基づいて、完全なる男性か完全なる女性に分ける。だが、性やジェンダーは二分されているように見えるだけで、実際にはさまざまな中間体がある』」（注105）

その結果、大学や企業、メディアはおろか連邦議会下院でも、代名詞による男女の区別を廃止する言論規定を採用している。下院では、「『He（彼）』や『She（彼女）』は『Mmeber』や『Delegate』、*『Resident Commissioner』に、『father（父）』や『mother（母）』は『parent（親）』に、『brother（兄弟）』や『sister（姉妹）』は『sibling（きょうだい）』に置き換えられる」（注106）。だがナンシー・ペロシは、自身が女性初の下院議長であることを何度も誇らしげに語っている。それについてはメディアも同様である。

ABCニュースの報道によると、フェイスブックのユーザーは、「him（男）」、「her（女）」、**「them」だけでなく、そのほか五六種もの選択肢から自分のジェンダーを選択できる。その選択肢とは以下のとおりである。「Agender、Androgyne、Androgynous、Bigender、Cis、

＊それぞれ「下院議員」「もと準州選出の下院議員」「プエルトリコ代表の下院議員」を意味する。

＊＊近年、性別を問わない代名詞として「they」を単数形で使う動きが広がっている。

Cisgender、Cis Female、Cis Male、Cis Man、Cis Woman、Cisgender Female、Cisgender Male、Cisgender Man、Cisgender Woman、Female to Male、FTM、Gender Fluid、Gender Nonconforming、Gender Questioning、Gender Variant、Genderqueer、Intersex、Male to Female、MTF、Neither、Neutrois、Nonbinary、Other、Pangender、Trans、Trans*、Trans Female、Trans* Female、Trans Male、Trans* Male、Trans Man、Trans* Man、Trans Person、Trans* Person、Trans Woman、Trans* Woman、Transfeminine、Transgender、Transgender Female、Transgender Male、Transgender Man、Transgender Person、Transgender Woman、Transmasculine、Transsexual、Transsexual Female、Transsexual Male、Transsexual Man、Transsexual Person、Transsexual Woman、and Two-Spirit」（注107）。これはフェイスブックだけの話ではない。

バイデンは批判的人種理論やラテン系批判的人種理論の場合と同じように、大統領就任から数時間後には、オバマ政権時代の重要なジェンダー政策を復活させる大統領行政命令に署名した。その命令にはこうある。「あらゆる人間は性自認や性的指向に関係なく、法のもとで平等な待遇を受けるべきである。この原則は、法による平等な保護を約束する憲法に表現されている。また、一九六四年に改正された公民権法の第七編（合衆国法典第四二編第二〇〇〇e条以下を参照）など、わが国の反差別法にも明記されている」（注108）

だが、一九六四年公民権法では、「性自認」や「性的指向」には一切触れていない。同法は、公共施設や連邦政府が資金を提供する計画における差別、および人種や肌の色、宗教、性、国籍による雇用差別を禁止している。そのため性による差別については、すでに連邦法違反となる。

しかし実際のところ、「バイデン政権が（中略）学校や更衣室、スポーツチームから医療やホームレス施設に至るまで、あらゆる生活圏でトランスジェンダー・イデオロギーを実現する計画を進めているのは明白である」と《ナショナル・レヴュー》誌の記事にある。この記事はさらにこう続く。「この大統領行政命令は『各機関の責任者』に、『性差別』の禁止が明記された既存のあらゆる法令を見直し、《ボストック対クレイトン郡裁判》における昨夏の最高裁判*決に基づき、『性自認や性的指向による性差別の禁止』を適用するよう指示している。しかし、これが過剰な拡大解釈であるのは言うまでもない。同裁判では、この判決を［一九六四年公民権法の］第七編に限定すると明白に述べており、『浴室や更衣室、その他同種のもの』を含む『ほかの方針や慣行』については、『今後の訴訟の課題』とするとしている。それなのに大統領行政命令は、同裁判の判決に間違った解釈を施し、『性自認』による差別は『性による差別』を必然的に伴うものと考え、それを『性差別を禁止するほかのあらゆる法令や規則』にまで適用しようとしている」（注109）

さらにバイデン政権の教育省は、最高裁で争われていた二つの訴訟においてこれまでの立場を逆転させた。コネチカット州とアイダホ州の高校の女子運動選手が、生物学的には男性だが

＊ＬＧＢＴを理由とした不当解雇を違法とした判決。

女性を自認する運動選手が女子として競技登録するのに反対して起こした裁判で、トランプ政権時にはこの女子運動選手を支持していたのに、バイデン政権になるとその逆の立場を示した。こうして批判的ジェンダー理論が、科学だけでなく、高校女子スポーツ活動の一貫性をも打ち負かしたのである。

バイデンはまた、別の大統領行政命令により、「大統領府内にホワイトハウス・ジェンダー政策審議会を設立」し、広範な職権を付与した。同審議会には、「ジェンダーの公正と平等を推進する連邦政府の取り組みを調整する」幅広い権限が与えられているという。ここでもやはり、平等と公正が区別されている。公正とは結果もしくは目標にかかわるものであり、それを追求すれば、個人や集団を不平等に扱わざるを得なくなる場合が多い。たとえば、生物学的には男性だが女性を自認する選手にとっての「公正」を推進するためには、生物学的に女性である選手のスポーツ活動を破壊しなければならない。それにもかかわらず同審議会は、性自認や性的指向を公正に扱うという批判的ジェンダー理論運動の目的を遂行するよう指示されている（注110）。

バイデン政権のこれらの指令や措置は、わが国の子どもたちにも適用されるのか？　ＬＧＢＴＱ支援団体であるヒューマン・ライツ・キャンペーンによれば、その答えはイエスである。同団体のウェブサイトには、「トランスジェンダーの児童や若者たち　その基礎を理解するために」と題する以下のような記述がある。

子どもたちは、男あるいは女であるとはどういうことかを生まれつき知っているわけではない。両親や年上の子ども、周囲の人々からそれを学ぶ。この学習プロセスは、早いうちから始まる。医師などの医療提供者が、新生児の外性器に基づいて「男の子です」あるいは「女の子です」と言った瞬間から、周囲の世界がこれらの知識を教え始める。青い服とピンクの服、「男児用のおもちゃ」と「女児用のおもちゃ」を区別し、幼い女児には「かわいいね」と言い、幼い男児には「強いね」と言う。それが思春期や成人期になっても続き、男らしさや女らしさを示す表現や行動に対する社会の期待が、ますます厳しいものになっていく。だがジェンダーは、このように二項対立的に存在するわけではない。ジェンダーはスペクトルのようなものであり、あらゆる個人が男らしさと女らしさの双方を備え、それぞれ異なる度合いでそれらを認識・表現している。トランスジェンダーの人はこのスペクトルに従い、出生時に割り当てられたジェンダーとは異なるジェンダーとして自身を認識している（注111）。

一方、小児科医など、児童の健康や福祉にかかわる医療専門家の全国組織である米国小児科医学会の事務局長を務めるミシェル・クレテラ医学博士は、これに異議を唱えている。「トランスジェンダー・イデオロギーは、わが国の法に悪影響を及ぼしているだけではない。誰よりも無垢《むく》な子どもたちの生活に押し入り、医療専門家の間で支持を高めつつあるようだ」（注112）。クレテラはこうも述べている。「性別の転換やその承認を推進する現在の制度により子どもたちは、異性のふりをするよう強いられ、第二次性徴遮断薬や避妊手術、健全な体の部位の切除、無数の精神的ダメージへ至る道へと送り込まれている」（注113）

では、これがマルクス主義とどう関係しているのか？　まずは、マルクスが核家族に反対する闘争を訴えていたことを思い出してほしい。また、《ワイリー・オンライン・ライブラリー》に次のような記事がある。「マルクス主義的フェミニズムとは、マルクス主義を理論的支柱とするフェミニズム理論・方針のことであり、労働の搾取、人間の疎外、自由の低下を推進する構造、慣行、制度、誘因、考え方として資本主義を批判する。マルクス主義的なフェミニストたちは、資本主義の枠組みのなかでは、女性の地位の向上や平等を達成できないと考える。また『女性』を、同じ利害や願望を備えた独立した集団として扱うことを嫌がる。階級による階層化など社会の経済構造全体に批判的な目を向け、『女性』というカテゴリーに階級とは関係のない別個の特別な地位を与えることを拒否し、資本主義の打倒に身を捧げ、労働者階級の貧しい女性に忠誠を誓うことで、ほかのフェミニズム思想・活動との差別化を図っている」（注114）

さらに、《インターナショナル・ソーシャリズム（国際社会主義）》というウェブサイトにこんな説明がある。「生産力や生産関係の発展により、生物学的構造が女性の地位および女性の抑圧の発展に及ぼす影響が形成され、さまざまな形でそれが維持されてきた。だが、この生産力と家族構造との結びつきは、決して自動的なものではない。新たに形成されるものは、これまでに形成されたものの上につくられるのであり、相対立する階級間の闘争からの影響も受ける」「史的唯物論では、女性（のちにはトランスジェンダー）の抑圧が現れ、発展していった特定の歴史的状況を重視する。それにより、生物学的なものと社会的なものとの相互作用に目を向けることが可能になる。重要なのは、トランスジェンダーが存在する理由を問うことではなく、その性自認の権利を無条件に擁護することだ」（注115）

『Transgender Resistance: Socialism and the Fight for Trans Liberation（トランスジェンダーの抵抗　社会主義とトランスジェンダー解放闘争）』の著者であり、《ソーシャル・レヴュー》誌にも寄稿しているローラ・マイルズによれば、「トランスジェンダー抑圧の起源は、生産力に大変革をもたらした産業革命の時代に生まれた核家族のなかで、性別役割の固定化が強制された点にあるという。女性や子どもは、男性と一緒に新たな工場に駆り出され、悲惨な条件で働かされ、結果的に幼児死亡率の急増をもたらした。支配階級は、未来の労働力を安定的に供給する必要があったため、なかにはこれを脅威だと見なす者もいた」（注116）

ほかの批判理論運動と同様に、この運動にもマルクス主義の古典的な史的唯物論や階級理論と直接的なつながりや類似性があることを受け入れられないとしても、それはそれでかまわない。いずれにせよこの運動もまた、マルクス主義イデオロギーから発展したか、それを受けて仕立てあげられたものと言われている。実際、そのもとになったマルクーゼの思想の基盤はそこにある。

子どもたちがこれらの運動に巻き込まれ、考え方を方向づけられている事実にも触れておきたい。《ワシントン・ポスト》紙に、ナタリー・ジェシオンカが次のような記事を寄稿している。「ブラック・ライブズ・マターや #MeToo の運動が流行するなか、多くの親は、社会正義について子どもたちに教えるのはいつごろがいいのかと悩んでいる。専門家によれば、その時期は早ければ早いほどよく、最近増えているツールや教材が会話のいいきっかけになるという。音楽教室でも（中略）ジェンダーや人間性に対する理解を深められる。いずれテレビで、ドラァッグクイーン*の読み聞かせ番組が始まるかもしれない。インターセクショナリティの説明をして子どもの想像力を広げる本も増えている。反人種差別思想について親も幼児も学べるような教材用カードや短い動画もある」（注117）。「スキッドモア大学で人種や社会的相互作用を研究する心理学教授リー・ウィルトンとジェシカ・サリヴァンによれば、子どもは早くも生後三カ月で暗黙の偏見を抱き、四歳になると固定観念に従って人を分類するようになるという」（注118）

アンドレア・ジョーンズとエミリー・カオは、「性的イデオロギーの洗脳　学校カリキュラムや親の権利に対する平等法の影響」と題するヘリテージ財団の論文のなかで、批判的ジェンダー理論についてこう解説している。「近年では活動家グループが議員や教育者への圧力を強

＊女装で行なうパフォーマンスの一種、パフォーマー。

め、レズビアンやゲイ、バイセクシャル、トランスジェンダーに関する急進的イデオロギーを学校で教育するよう要求している。彼らの主張によれば、ゲイやトランスジェンダーを自認する生徒を包摂し、差別を排除するには、根本的なカリキュラムの改革が必要だという。そのためいまでは、アメリカ全土および世界中の学校が、非科学的な思想を生徒に教え込むカリキュラムを導入しようとしている。ジェンダーとは流動的で主観的なものであり、結婚や家族に関する伝統的な考え方は頑迷な偏見に根差しているとする思想である」(注119)

実際、この活動が教室にまで及んでいる州は、次第に増えている。「アメリカでは五つの州とワシントンDCが、性教育や性の歴史の授業のなかで、性的指向や性自認に関するカリキュラムを義務化する方向へ舵を切った。その一方で一〇の州が、そのような教育をはっきりと禁止する方針を打ち出している。連邦議会が平等法を制定すれば、この問題に対する州の権限は奪われ、親の権利が損なわれることになるだろう」(注120)

ジョーンズとカオはさらにこう指摘する。「主要な活動家団体であるヒューマン・ライツ・キャンペーンは以前から、LGBTの生徒は『わが国のあらゆる地域の学校で、教育機会を平等に利用できる権利を奪われている』と主張し、公民権法が保護している人種や性、国籍といった特徴と対比している」(注121)

誤解のないように言っておくが、私は普段から「人は人、自分は自分」という言葉をモットーにしている。だが大半の活動家は、ずけずけと批判理論を訴え、教室で学ぶ児童やもっと幼い子どもたち、あるいは米軍の兵士など、ほかの社会や文化にも、必要とあれば政府や法の力を使ってまで、自分たちの考え方を押しつける要求をエスカレートさせている。これはもはや、寛容などというものではなく、洗脳であり、服従であり、マイノリティ優遇制度の拡散である。インターセクショナリティがほかの批判理論運動と結びついていること、それらがマルクス主義に根差していることには、異論の余地がない。

もはや明らかなように、ドイツのマルクス主義者（その首領が故ヘルベルト・マルクーゼである）から生まれ発展した批判理論運動は、大統領執務室や連邦議会の議場、大学の教室、公立学校、企業の役員室、メディア、大手ＩＴ企業、娯楽産業で影響力を高めている。その影響力は、アリストテレスやキケロ、ジョン・ロック、モンテスキュー、アダム・スミス、ジョン・アダムズ、トーマス・ジェファーソン、ジェイムズ・マディソンなど、人道的な市民社会の形成に大きく貢献してきた多くの天才たちの影響力さえ上まわる。文化全体にますます勢力を広げつつあるこの運動のせいで、どこよりも寛容で、自由で、慈悲深いアメリカ社会を支えているユダヤ・キリスト教的価値観や啓蒙時代の教訓は損なわれていくばかりだ。抑圧された個人や集団を無限に取り込んで成長するインターセクショナリティ運動は、アメリカの共和制や社会（つまり、支配的な文化や抑圧的とされる制度）の変革や打倒に異常なほど身を捧げ、この国を引き裂こうとしている。もちろん、これらの運動や理念にかかわる人々や集団がみな、そんな反逆や革命に加担していると自覚しているわけではないだろう。その多くは、自分たちをまとめている狂信的な指導者や組織者、活動家の最終的な目標や動機など知らないに違いない。だがそれでも、こうした人々や集団は、批判理論が推進する過激なほど破壊的・革命的な目的や目標に貢献しているのである。

第5章

狂信的な「気候変動」論

“Climate Change” Fanaticism

資本主義については、多くの聡明な研究者や哲学者がさまざまな説明をしてきた。だがここでは、本章の目的にかなう有益かつ簡潔な説明として、経済学者ジョージ・リースマンの見解を取り上げよう。著作家としても有名なペパーダイン大学の名誉教授である。

リースマンはその著書『Capitalism（資本主義）』のなかで、こう説明している。「経済活動や経済制度の発展は、独立して起きるわけではない。人々が抱く基本的な哲学的信念に多大な影響を受ける。具体的に言えば、資本主義制度が発展し、過去二世紀の間にこれほどまで生産レベルが上昇したのは、理性を支持する現世的な哲学が受け入れられていたからだ。実際、資本主義制度やそれがもたらす経済的進歩は、それらが自然に発展するなかで、人間の生存権を実現する。（中略）資本主義は、人間が自由に生存権を行使し、それを行使する選択をする場合にのみ発展する経済制度である。（中略）この制度は事実上、人間の理性の力を自然に発展させ、人間の生活に奉仕する。その結果生まれる豊かな財が、人間がその生活を高め、充実させ、楽しむための物質的手段となる。つまり、資本主義が必要とする哲学は、人間の生存権の認識や実現に必要な哲学と同一なのである」（注1）

また、一九七四年にノーベル経済学賞を受賞した経済学者・社会理論家・哲学者・教授フリードリヒ・A・ハイエクは、その著書『致命的な思いあがり』*のなかでこう解説している。資本主義経済では人間や組織は、自身に直接影響を及ぼす意思決定に理性を適用するが、「われわれの文明を理解するには、広範な秩序が、人間の計画や意図からではなく自然発生的に生ま

＊邦訳は『ハイエク全集第二期第一巻』に所収、西山千明監修、春秋社、二〇〇九年。

れることを理解する必要がある。それは、何らかの伝統的な（主に道徳的な）慣習に無意識に従うところから生まれた。人間はそのような慣習の多くを嫌う傾向があり、普通はその重要性を理解できず、その妥当性を証明することもできないが、それでもその慣習は、進化的淘汰を通じて急速に社会に広まった。（中略）このプロセスは、もっとも理解の進んでいない人間進化の側面なのではないかと思われる。（中略）市場秩序と社会主義との争いにより、現在の人類の大半が壊滅し、残りの大半が貧窮することになるだろう。（中略）中央集権的な経済の支持者たちは、厳密に『理性』に従って進むべきだと主張しているが、そのような経済でこれまで得られ、利用されてきた知識や富よりも多くの知識や富を、私たちは生み出し、蓄えている。こうして見ると、社会主義の目標や計画は事実上、達成や遂行は不可能であり、さらに言えば（中略）論理的にも不可能である」（注2）

さらに、一九七六年にノーベル経済学賞を受賞した経済学者・哲学者・教授ミルトン・フリードマンは、経済的自由と政治的自由との間には密接不可分な関係があると述べている。「政治と経済はほとんど関係のない別個のものである、個人の自由は政治の問題であり物質的な幸福は経済の問題である、あらゆる政治的仕組みはどんな経済的仕組みとも組み合わせられる、と広く信じられている。現代においてこうした考え方をはっきり示しているのが、『民主社会主義』の支持者たちである」。フリードマンはそのような考え方を「妄想」だと非難する。「経済と政治との間には密接な関係があり、政治的仕組みと経済的仕組みはある特定の組み合わせのみ可能であり、何よりも社会主義的な社会は、個人の自由を保障するという点において民主的にはなりえない。経済的仕組みには、自由な社会を促進する二つの役割がある。第一に、経済的仕組みの自由それ自体が、広く理解されている自由の一要素であり、経済的自由はそれ自体が目的になる。第二に、経済的自由は、政治的自由を達成するのに不可欠な手段である」（注3）。「経済的仕組みは、政治的自由という目的を達成する手段として重要な意味を持つ。なぜならそれが、権力の集中や分散に影響を及ぼすからだ。経済的自由を直接提供するような経済構造、すなわち競争的資本主義は、政治的自由をも促進する。その経済構造により、経済の力と政治の力が分離され、一方が他方を相殺《そうさい》することが可能になる」（注4）。「歴史が示すように、資本主義は政治的自由の必要条件である」。ただし、「基本的には資本主義的な経済的仕組みを持ちながら、自由ではない政治的仕組みを持つ」ことも可能ではある（注5）。

資本主義は、アメリカ人が享受している自由（ただしこの自由は、本書で論じている運動などによりますます脅威にさらされている）に加え、過去や現在のいかなる社会にも勝る生活水準を大多数の人々に提供してきた。この卓越した経済制度が人間の生活にもたらした多大な恩恵をよく検討してみる必要がある。実際、現実を見てみれば、それがいかに広く行き渡っているかがわかるだろう。この点についてリースマンはこう記している。「産業化された文明は、史上類例のないほど豊富かつ多種多様な食料を生み出し、それを万人に届けるために必要となる貯蔵システムや運輸システムをつくりあげた。この文明はまた、史上類例のないほど豊富な衣服や靴、住宅を提供した。一部の国には、住む家や食べ物がなくて苦しんでいる人々もいるかもしれないが、（中略）産業化された国にはおそらく、住む家や食べ物がなくて苦しまなければならない人など一人もいない。産業化された文明はそのほか、鉄や鋼管、化学的浄化槽やポンプ装置、ボイラーを生み出し、誰もがいつでも、安全に飲める水（温水や冷水）を即座に利用できるようにした。下水設備や自動車をつくり、都市や町の道路から人間の汚物や動物の排泄物を一掃した。ワクチンや麻酔薬、抗生物質など、現代のあらゆる『特効薬』とともに、日々進化する診断装置や手術機器を提供した。栄養や衣服、住居の改善と相まって、こうして公衆衛生や医療の基盤が確立されたからこそ、伝染病を食い止め、ほとんどの病気の発生率を劇的に低下させることができた」（注６）

さらにリースマンは言う。「文明が産業化された結果、数十億もの人々が生きていけるようになったばかりか、先進国では、過去のいかなる時代の国王や皇帝の生活もはるかにしのぐ水準の生活を送っている。数世代前には、ＳＦの世界でのみ可能だと見なされていたような生活である。キーを回し、ペダルを踏み、ハンドルを握れば、驚異的な機械に乗って幹線道路を時速一〇〇キロメートルで疾走できる。スイッチを入れれば、暗闇に閉ざされた部屋に明かりが灯る。ボタンを押せば、地球の裏側で起きている出来事を見られる。別のボタンをいくつか押せば、街中の人々はおろか、世界中の人々と話ができる。空調が効いた快適な環境のなか、映画を見たりマティーニを味わったりしながら、高度一万メートルの上空を時速一〇〇〇キロメートルで飛行することさえ可能だ。アメリカでは大半の人が、そのほかにも、広々とした家やアパート、床暖房、エアコン、冷蔵庫、冷凍庫、ガスまたは電気コンロ、さらには、何百もの書籍やレコード、CD、テープから成る個人ライブラリーを所有している。週四〇時間の労働でこれらすべてを持ち、長寿と健康を享受することができるのだ」（注7）

その一方で、一九七〇年代のいわゆる環境運動が、アメリカの立憲共和制や（言うまでもなく）資本主義を攻撃するもう一つの手段へと発展している。きれいな空気やきれいな水、地球冷却化や地球温暖化、気候変動などを訴える運動の背後にいる多くの指導的知識人が目標としているのは、環境保護主義を隠れみのにした、マルクス主義（共産主義）的な思想や目的の導入である。たとえばグリーン・ニューディール*は、経済的な後退や急進的な平等主義、独裁的な支配を推進している。だが、いまや環境運動はその段階をはるかに超え、アメリカのマルクス主義が計画しているほとんどの思想的目標を含むまでに広がっており、その目標は多かれ少なかれ民主党に受け入れられている。実際、環境運動には、マルクス主義を中心とするほかのイデオロギーや運動と重なる領域が無数にある。たとえば、環境正義に基づく批判的人種理論というものがある。マイノリティのコミュニティを標的にした環境面での人種差別が存在するとの思想である。こうした運動の指導者のなかには、マルクス主義だけでは、脱成長というユートピア（生産性・成長・物質の獲得は人間精神に有害だとして、永続的な自然状態での生活を理想とする考え方）を実現できないと主張する者もいる。だがいずれにせよ、これらの運動

＊環境分野への集中投資により温暖化防止と経済格差の是正の両立を目指す経済政策。

が行き着く先には、何らかの抑圧や専制がある。

知性を混乱させるほどさまざまな要素が融合した、マルクス主義を中心とする運動やマルクス主義に似た運動の核心にあるのは、「脱成長」である。つまり、人類は過剰な消費や生産を続けており、その責任は資本主義やアメリカにあるとする考え方だ。この運動についてもやはり、それぞれ異なるアプローチを採用しているさまざまな運動があるが、そこには共通する基本的理念がある。それを明らかにするには、代表的な運動家数名の言葉を紹介するのがいちばんいいだろう。

指導的な脱成長論者であるフェデリコ・デマリア、フランソワ・シュナイダー、フィルカ・セクロヴァ、ジョーン・マーティン＝アリアーは、「脱成長とは何か？　活動のスローガンから社会運動まで」と題する論文のなかでこう述べている。「脱成長は、二一世紀の初めに、社会的・生態学的な持続可能性の向上を目的に、生産と消費を自発的に縮小する社会計画として始まった。それはたちまち経済成長に対立するスローガンとなり、社会運動へと発展した。（中略）脱成長は、偽の合意効果*に基づいた概念である持続可能な発展とは違い、国連やOECD［経済協力開発機構］、欧州委員会に共通目標として採用されることを望んではいない。『社会的に持続可能な脱成長』、あるいは単に脱成長とも呼ばれるこの思想は、抜本的な改革を提案するものとして生まれた。新自由主義的な資本主義という現在の状況は、ポスト政治的な状態として、つまり政治的なものを排除し、特定の要求を政治化するのを妨げる政治的構造と

＊ほかの人も自分と同じように考え判断するはずだと思い込む傾向を指す。

して現れる。この状況のなかで脱成長は、待ち望まれている社会生態学的変革に関する議論を再び政治化し、現在の世界のあり方に反対を表明し、別のあり方を探すことを試みる。（中略）脱成長は（中略）『グリーン成長』や『グリーン経済』といった思想、あるいは政治課題における望ましい方向性として経済成長を信奉する思想に、異議を唱える。（中略）脱成長は単なる経済的概念ではない。無数の利害、目標、戦略、行動により構成される枠組みである。その結果、脱成長はいまや、批判的な思想や政治活動の流れが集中する合流点となっている」（注8）

つまりその目標は、あの産業革命から生まれた大規模な経済的進歩を逆転させることにある。産業革命が活気ある膨大な中流階級を生み出し、計り知れないほどの技術的・科学的・医学的進歩をもたらして、人間の生活状態を段違いに向上させたにもかかわらずである。

四人の論文はさらにこう続く。「脱成長は、社会運動を説明するための枠組みとなり、個人が集団行動に従事するための仕組みとして理解されるようになった。たとえば、反自動車・反広告を訴える活動家、自転車乗りや歩行者の権利を擁護する運動家、有機農業の支持者、都市スプロール現象*の批判者、太陽エネルギーや地域通貨の推進者などが、自分たちの世界観を表現するのに適した共通の枠組みとして、脱成長をとらえるようになっている」（注9）

これらのユートピア主義者が構想した社会運動が成功すれば、アメリカは、活気のない退行的な社会へ引きずり込まれ、広範な経済的・社会的混乱に見舞われることになるだろう。要す

＊市街地が無秩序・無計画に広がっていく現象。

るに、産業化される前の状態に戻り、進歩が終わる。それが彼らの目標なのだ。その好例が、反自動車（移動性）、反広告（言論）、反現代農業（豊富な食料）、反化石燃料（豊富なエネルギー）運動である。そうなった場合、科学的進歩や医学的進歩はどうなるのか？　それをどのように発展させ、一般市民に幅広く提供していけばいいのか？　一般的なマルクス主義同様、この運動も理論や抽象的概念に基づいており、現実の世界（とりわけ幅広い成功を収めた先進的な社会）にそれを強引にあてはめてみても、住民に悲惨な結果をもたらすだけだ。それに、これまでの経験が示すように、そのなかでも著名人や富裕層、権力を持つ人々は相変わらず、資本主義が生み出した生活スタイルでぜいたくをし続けることになるだろう。

四人の論文にはさらにこうある。「脱成長は、社会危機や環境危機など別々の社会現象が経済成長と関係している、と解釈・診断する枠組みでもある。脱成長を目指す人々はこうして、経済成長を信奉する主流派が擁護する意味とは異なる、別の対立的な意味を生成する『意味づけの主体』となる。（中略）その予言は一般的に力強いユートピア的特徴を備えており、解決策を求めて新たな社会的模範を仮定する。このプロセスが、実践的な目標を超え、行動のための新たな空間、新たな見通しを切り開く。この予言に関連する戦略はたいてい、さまざまな形をとる。たとえばアプローチとしては、代替策の立案や抵抗のための調査などが考えられ、資本主義に対する態度としては、『反資本主義』『ポスト資本主義』『資本主義に敵意を向ける』などが考えられる」（注10）

これでおわかりだろう。まださほど組織化されてはいないが社会に蔓延しているこの運動の背後にいる「環境」知識人の多くは、無数の副次的運動を生み出し、資本主義体制を打倒することを目標にしている。私自身、二〇一五年に出版した著書『Plunder and Deceit（略奪と欺瞞）』のなかにこう記している。「脱成長論者は、炭素に基づくエネルギーを排除し、自分たちが考える公正な条件に従って富を再分配しようとする。成長により全体（とりわけ貧困層）の生活状態が改善されたとする従来の経済的事実を受け入れようとせず、『競争の緩和、大規模な再分配、過剰な所得や富の共有・削減』を支持する。『消費主義の動力となる羨望を弱めるために最大所得あるいは最大財産』を設定する政策や、『富める国と貧しい国との不平等を維持する手段となってきた国境を開放する（「国境の廃止」）』政策を推進する。さらには、『環境への負債という概念、あるいは、北側の先進国は過去および現在の植民地的搾取に対して南側の発展途上国に代償を支払うべきだとする要請』を支持し、補償を要求する」（注11）。脱成長論者はまた、生きていけるだけの賃金を政府が設定するとともに、週労働時間を二〇時間に削減するよう要求している（注12）。

指導的な脱成長論者の一人に、パリ第一一大学の経済学名誉教授セルジュ・ラトゥーシュがいる。「セルジュ・ラトゥーシュは一九七〇年代、数年間を過ごした南アフリカで伝統的なマルクス主義に関する広範な研究を行ない、『進歩と発展』に基づく独自のイデオロギーを形成した。いまでは脱成長論の先駆者の一人と見なされている」（注13）。ラトゥーシュは、著書

『Petit traité de la décroissance sereine（穏やかな脱成長に関する小論）』のなかでこう述べている。「本書では、資本主義の具体的な批判については取り上げない。明らかなことを述べても無駄だと思われるからだ。その批判のほとんどは、カール・マルクスが提示してくれた。だが、資本主義の批判だけでは足りない。成長社会についても批判する必要がある。これは、マルクスが提示していない領域である。成長社会の批判には必然的に資本主義の批判も含まれるが、その反対も正しいとは必ずしも言えない。資本主義（それが新自由主義的かどうかは問わない）も生産主義的社会主義も、形が違うだけで、生産力の発展に基づく成長社会のためのプロジェクトだという点では同じである。それはいずれも、人類の行進を進歩の方向へ促すことになると思われる」（注14）

要するに、マルクスのイデオロギー的アプローチでは、富の創造を拒否するのではなく、その生産や分配の方法を攻撃しているが、そのマルクスのアプローチでさえ的外れだということだ。資本主義を排除して再分配や平等主義を推進するのも重要だが、強硬に進められる経済的生産や物質主義そのもののほうが、より大きな問題だということらしい。

ラトゥーシュは言う。「マルクス主義的な現代批判は、生態学的制約を組み込めないために、依然としてひどくあいまいなままである。資本主義経済を批判・糾弾しながら、それが解き放つ力の成長は『生産的』と見なしている（生産的であると同時に破壊的でもあると訴えてはいるが）。結局のところ成長は、資本の蓄積という点から見れば、あらゆる不幸の原因になってはいるが、生産／雇用／消費という三つの点から見れば、あらゆる利点があると評価されているのだ。（中略）脱成長は、根本的に反資本主義的である。それは、資本主義の矛盾や生態学的・社会的限界を非難しているからというよりむしろ、資本主義の『精神』に異議を唱えているからだ。（中略）資本主義が広がれば、それが社会などの共同体を破壊しつつあるのと同じように、この地球を破壊せずにはおかない」（注15）

このようにラトゥーシュは、マルクス主義の重大な欠陥を指摘している。マルクスは資本主義を攻撃しながら、資本主義に内在する成長や生産性といった目標を放棄していない、と。だが、ラトゥーシュの急進主義思想にも、明らかな論理的矛盾がある。人間性の後退を伴わずに経済的後退を起こすことは可能であり、大衆は経済や生活レベルを低下させる作業に進んで参加するという主張や推論である。

ラトゥーシュはさらに論を進める。「成長は、抽象的・全世界的幸福のために、人民やその具体的・地域的幸福をかつてないほど犠牲にしている。実体のない想像上の人間に栄誉を与えるために犠牲が払われるが、それは当然、『成長論者』（取引企業、政治家、技術官僚、マフィア）に有利に働く。成長が利益になるのはもはや、自然や未来の世代、消費者の健康、賃金労働者の労働環境、そして何よりも南側の発展途上国がコストを負担する場合だけだ。だからこそ私たちは、成長という思想を放棄しなければならない。（中略）現代の体制はすべて生産主義的である。共和国も、独裁国家も、権威主義体制も、左派政権も右派政権も、自由主義政府も、社会主義政府も、大衆迎合主義政府も、社会自由主義政府も、社会民主主義政府も、中道主義政府も、急進主義政府も、共産主義政府も、その点に変わりはない。いずれも、経済成長こそが異論の余地のない体制の基盤だと思い込んでいる。したがって方向性を変える必要があるのだが、それは、新政権を生み出す選挙や新たな多数派への投票だけでは実現できない。もっと急進的な方策が必要になる。その方策とは、新たな基盤の上に政治を再確立する文化革命以外の何ものでもない。（中略）脱成長プロジェクトとは、希望や夢をもたらすユートピア的なものである。とはいえ、空想への逃避などでは決してなく、実現の客観的可能性を探る試みだと言える」（注16）

ラトゥーシュはこれを「具体的ユートピア主義」と呼ぶ。だが言うまでもなく、そこに具体的なものは一切ない。たとえばラトゥーシュは、どんな統治体制であれ、すべての体制は「生産主義的」だという。その一方で、大勢の国民にどのように食を提供するのか、畑から食卓へとつながるきわめて複雑な営利事業をどのように展開するのか、命を救うワクチンや治療など、医学的な処置や技術を大勢の国民にどのように分配するのか、といった問題にはほとんど触れていない。まれに触れていたとしても、抽象的でこざかしい記述ばかりである。

それに、ラトゥーシュがどう頑張ったところで、この全体主義的環境運動の背後にマルクス主義的発想があることを否定できない活動家は無数にいる。マイアミ大学の政治科学教授ジョージ・A・ゴンサレスは、「都市スプロール現象、気候変動、石油消耗、環境マルクス主義」

と題する論文のなかでこう述べている。「アメリカの都市部は、世界でもっともスプロール化が進んでいる。（中略）このスプロール現象は、カール・マルクスが生み出した政治経済的な枠組みのなかでのみ、完全に理解できる。また、それに関連して、石油の消耗や近年の地球温暖化傾向の主要な要因となっている化石燃料の乱費を理解するには、マルクスの言う価値や超過利潤の概念が欠かせない。この主張は、マルクスやフリードリヒ・エンゲルスの著作には資本主義の生態学的批判までそっくり含まれているという環境マルクス主義者の主張と一致している」（注17）

このように、ゴンサレスによれば、マルクスのイデオロギーを示す著作は、「資本主義の生態学的批判までそっくり」提示しているという。一方、ラトゥーシュによれば、それらの著作は生態学的考察をまったく欠いており、生産や成長に関しては資本主義的目標を採用しているという。だがいずれにせよ、経済的進歩を敵視している点では同じである。

ゴンサレスは言う。「都市のスプロール現象は一九三〇年代にアメリカで、世界恐慌からアメリカ資本主義を復活させる手段として有効活用された。都市のスプロール化により、自動車など耐久消費財の需要が大幅に増加したのだ。スプロール現象を利用して経済的需要を増やすというのは、資本主義体制内の需要は可塑的《かそてき》で、社会的労働を通じて生産される財やサービスの消費を増やす方向へ進むというマルクスの主張と一致する。このように、資本主義の富の基盤は、社会的労働の搾取にある」（注18）

そう言われると、「都市スプロール現象」の「有効活用」の背後にはどんな悪玉がいたのかと思うかもしれない。だが当時、農場から都市へと労働者が大量に移動するとともに、移民が都市に流れ込んできたのは、その人々を「有効活用」して資本主義を守るためではない。この人たちが人口の中心地に集まり、それによりさらに都市の人口が増したのは、経済的必要に迫られてのことだ。つまり、仕事を探したり、ビジネスを始めたり、同じ民族集団のなかで暮らしたりなど、自分本位の理由や無理からぬ理由が無数にあったからである。大衆や資源の「有効活用」とはまったく関係がない。

また、この運動の目的が、資本主義的経済体制、ひいては立憲共和制やそれが強調する個人主義や私有財産権の廃止や打倒にあることは間違いない。たとえば、アメリカの環境急進主義者の間でかなりの影響力を持つギリシャ出身の環境経済学者で、バルセロナ自治大学環境科学技術研究所ＩＣＲＥＡ教授でもあるヨルゴス・カリスは、その著著『In Defense of Degrowth（脱成長を守るために）』のなかでこう述べている。「持続可能な脱成長とは、公正な形で生産と消費の規模を縮小して人間の幸福を高め、生態学的条件を改善することと定義される。それが構想する未来の社会では、生態学的資産の範囲内で暮らし、経済圏を限定し、新たな形態の民主制度を通じて平等に資源を分配する。（中略）この想像上の文化ではもはや、物質の蓄積が中心的な地位を占めることはない。効率重視は、充足重視に置き換えられる。簡素・友好・共有が組織化の原理になる。もはや技術のための新たな技術ではなく、新たな社会的・技術的

取り決めがイノベーションの対象になる。それにより、友好的で質素な生活が可能になる」（注19）

ここでもやはり、こう思う人がいるかもしれない。カリスは、一九六〇年代に全国や海外に広まったヒッピーの生活共同体のようなものを夢想しているのか？　あるいは、このような「極楽」をどのように生み出し、持続させるというのか？　というのは、人類全体や個人の性質から見て、そのためには多くの場合、強制的な洗脳や再教育、再配置が必要になると思われるからだ。要するに、マルクスが説くように、既存の社会やその歴史、家族、学校、宗教を廃止しなければならないのであれば、一定期間専制を行ない、社会から既存の規範を一掃し、それをマルクス主義的な楽園に置き換える必要がある。カリスら急進主義者が描く未来像では、恐るべき悪夢は避けられない。彼らが抱く抽象的な夢は、そんな悪夢を解放する。

カリスはさらにこう続ける。「持続可能な脱成長とは、社会・環境・経済にかかわる一連の政策や制度を通じて、滑らかな『繁栄の下り坂』を意図的にたどるプロセスを意味する。それは、生産や消費を縮小しながら、人間の幸福を向上させ、平等に配分するよう調整される。このような脱成長への移行を実現するために、さまざまな具体的・実践的提案が議論されている。その提案には、現行体制内での政策や制度の変更も含まれる。たとえば、金融制度の徹底的な改革、資源や汚染に関する上限や保護区の設定、インフラの一時使用停止、環境税、ワークシェアリング、労働時間の短縮、万人に保証されるベーシックインカムや社会保障などである。

その提案にはまた、現行体制にはない新たな空間を創出するアイデアも含まれる。たとえば、エコビレッジ*やコハウジング**、協同組合による生産や消費、さまざまな共有制度、コミュニティが発行・管理する通貨、物々交換など金銭を伴わない市場交換などである。『経済からの脱却』を図り、簡素・友好・共有という新たな空間を創出するのが、脱成長の力強いモットーである」（注20）

だが、いかに環境運動に見せかけようと、少なくとも重要な部分においては、これもやはりマルクス主義である。それに、「経済からの脱却」は、「友好・共有」を生み出すどころか、不足や貧困、怠惰、市民社会や生活の質の全体的低下をもたらすだけだろう。経済を意図的に縮小すれば、「友好」が破壊され、危険な社会的反応が生み出されるだろうことは、容易に想像できる。必需品（食料や医薬品、エネルギー、衣服、住居など）でさえ供給が減る一方で、それらの必需品の需要が高まるからだ（住民が少なくなった必需品の在庫を追い求めることになるため）。一部の共産主義体制では、意図的ではなく必然的な結果として経済が縮小した（べネズエラや北朝鮮の例が思い浮かぶ。少し前ではカンボジアの例もある）。そんな場合でさえ、ひとたび抑制が効かなくなると管理不能となり、これらの国に暮らしていた人々に、人間の尊厳や自由、生存可能性といった面できわめて悲惨な結果をもたらした。

だがカリスはこう主張する。「資本主義経済から逃れ、ナウトピア***を形成するというのは、田園詩人的な環境保護運動家が、存在してもいない牧歌的な過去への回帰を求めるのとはわけ

＊持続可能性を目標とした街づくり。
＊＊入居希望者が出資し合って開発する、住民の自主独立を尊重した共同住宅地。
＊＊＊労働が資本の論理から解放され、再創造された世界。

が違う。もちろん、この運動にもロマンチックな側面はあるが、それでもいい。この冷徹で自己破壊的な個人主義的功利主義の時代には、一服のロマンチシズムこそが必要だからだ。ナウトピアは、単なる『生活スタイルの選択』ではない。その参加者にとっては意識的な『人生のプロジェクト』であり、（意識的・明示的であれ無意識的であれ）政治的な行為である。だが『経済からの脱却』は、それだけでは大規模な運動になりにくい。それを発展させるためには、政治制度と関連した変革が必要になる。したがって、経済の拡大を制限し、それに代わる人生のプロジェクトへの可能性を切り開く制度こそが、ナウトピアの前提条件となる」（注21）

カリスは、経済の実相さえ疑問視している。「第一の原則。経済とは考案されたものである」「いったい私たちはいつから、どのような経緯で、『経済』と呼ばれる自律システムがそこにあると考えるようになったのか？」（注22）。カリスによれば経済とは、自由な人間の間で交わされる無数の商業的・金銭的相互作用の自発的な集合体ではなく、政治がつくりあげたものである。「脱成長の文脈における経済とは、政治的なものである。それは、需要と供給の法則に従う独立したシステムではない。自由市場は架空のものであって存在しない。（中略）エコロジー経済学では、経済は政治的なものだと認識する。（中略）だが私たちはしばしば、独自の法則と活動を伴って存在する経済と、その活動の成果を分配したり制限したりする政治プロセスとを、経済学的に区別してしまう」（注23）

こうして、アメリカ建国の礎《いしずえ》となった原則が放棄される。その原則とは、私有財産権、自由な商取引、自発的な交換、個人の神聖視である。アメリカ政府はこれらの原則を中心に、それを支え、それに危害や改変を加える政府自身の権限を制限することを目的に設立されたのではなかったか？

作家のアイン・ランドは、五〇年以上前に出版した『Return of the Primitive: The Anti-Industrial Revolution（原始への回帰　反産業革命）』のなかで、予言的にこの運動の目的を明らかにしている。「その当面の目標は明らかだ。今日の混合経済に見られる資本主義の残滓《ざんし》を破壊し、全世界的な独裁体制を確立することである。そんな目標を掲げていることは、推測するまでもない。このテーマに関する多くの講演や書籍で、環境保護運動は目的を達成するための手段だとはっきり述べているではないか」。ランドはまた、この運動はマルクス主義の失敗を証明していると指摘し、次のような新たなアプローチが見られると記している。「マルクスの経済決定論という疑似科学的・超技術的道具を、鳥や蜂の美しさ、つまり『自然の美しさ』に置き換えている。これほどばかげた運動水準の低下や、これほど明白な知的破綻の告白は、もはやフィクションの域を超えている」（注24）

ランドは言う。「彼らはかつて、集産主義は全世界に豊かさをもたらすと約束し、貧困を生み出したという理由で資本主義を非難していたが、いまでは豊かさを生み出したという理由で資本主義を非難している。以前は万人に安心や安全を約束していたのに、いまでは安心かつ安全な立場にいるという理由で人々を非難している。それでもやはり、彼らが罪悪感や不安を植えつけようとしていることに変わりはない。昔もいまも、そんな心理学的ツールを利用している。ただし、以前は貧者を搾取することに罪悪感を抱くよう仕向けていたが、いまでは土地や空気、水を搾取することに罪悪感を抱くよう仕向けている。かつては、相続するものが何もない大衆による流血の反乱が起こると言って私たちを脅迫していたが、いまでは（中略）未知の宇宙的大激変が起こるという途方もなくあいまいな脅威、確認も検証も証明もしようのない脅威をちらつかせて、私たちを震えあがらせようとしている」（注25）

ランドはさらに、「環境保護運動の奥に潜む意味」を繰り返し強調し、こう述べている。それは「この運動が人類に対する深刻な脅威を明らかにしているという点にある。ただし、運動の指導者たちが主張しているような意味での脅威ではない。この運動は、集産主義者の真意を露呈している。その本質に、偉業に対する憎悪があるのは明白である。つまり、理性への憎悪、人間への憎悪、生命への憎悪である」。ランドは、産業革命を批判するのではなく、こう論じている。産業革命は「人間の精神をくびきから解放する偉大な突破口となった。この産業革命により生まれたアメリカ合衆国は、自由な人間のみが成し遂げられる壮大な偉業を成し遂げ、理性が人間生存の手段であり、基盤であり、前提条件であることを証明した」（注26）

言うまでもなくここで重要なのは、自由と資本主義とが分かちがたく結びついていること、産業革命が自由な人間の可能性をみごとに証明していることをランドが指摘している点である。

ランドはさらにこう述べる。「理性の敵（神秘主義者、人間や生命を憎悪する者、労せずして得られるものや非現実的なものを追い求める者）は、それ以来ずっと、反撃のための勢力を結集してきた。（中略）産業革命の敵（それにより居場所がなくなった人々）は、数世紀もの間、人間の進歩と闘ってきたようなものだ」。現在では「彼らは、（中略）追い詰められた動物のように歯をむき出して本心をさらけ出し、人間には生存権などないとまで主張している」（注27）。実際こうした運動は、「気候変動は人為的なものだ」などと繰り返し訴え、現代人の生活様式を絶えず非難している。

環境保護運動の指導的立場にある人物にはほかにも、バージニア工科大学の政治科学教授で、批判理論の信奉者でもあるティモシー・W・ルークがいる。ルークは「社会批評としての気候学　地球温暖化・地球暗化・地球冷却化の社会的な構造・創造」と題する論文のなかで、地球は人類と資本主義により、自然からアーバネイチャー*へと変わってしまったと述べている。「地球の温暖化・暗化・冷却化は、人間がその生存を促進するために地球の自然環境や人工環境を変えたことにより、その意図せぬ結果として生まれたものである。この変更が進むにつれ、人間や自然の生物は、企業内研究所や主要産業、農業関連の大手企業の活動により改造されつつある自然を生息環境として暮らすようになる。製品やその副産物は、人間活動を通じて地球の生態系に浸み込んでいき、このテクノネイチャー*が、『第二の創造』（アーバネイチャー化された環境）のなかで、新たな大気、変わりゆく大洋、異なる生物多様性、改造された陸塊とともに固定されていく。気候変動研究は、これらの影響をすべてを考慮しなければならない」

＊自然と都市生活とを区別せず、生物と非生物の複雑な絡み合いから生まれた構造全体を指す。
＊＊人間、生物や非生物、テクノロジーによりとめどなく生み出されるもの全体を意味する。

（注28）

ルークのような勝手な造語の乱用は、学界全体に蔓延している。ルークはそれに加え、資本主義のもとでの人間の進歩は、地球を自然から遊離させ、最悪の形で生まれ変わらせるものだと述べている。つまり資本主義体制はどうしようもなく悲惨なものであり、それがマルクス主義を推進する力になる、と。

「社会批評としての気候学は、産業資本主義の意図せぬ結果が、大量生産や大量消費の副産物として外面化され、やがては地球の大気を変えるようになった経緯を研究する。かつて『科学的社会主義』は、世界の労働者に来るべき資本主義の危機を予言し、こう主張した。そこからより合理的で正当かつ公正なマルクス主義的秩序が生まれる。人間に本来備わる傾向により、生産手段を完全に合理化する基盤がつくられ、新たな形態の物質的平等、政治的熟慮、精神的開放を実現する機会が生み出される。やがてこうした結果が到来し、それが永遠に続くことは、余剰価値の不変の法則が保証している。市場の混沌とした力学は結果的に、無秩序な交換をマルクス主義的な秩序へと向かわせる、と」（注29）

ランドはこの点も取り上げ、次のように反論している。「環境保護論者によるあらゆるプロパガンダ、自然をよりどころにして『自然との調和』を求めるあらゆる呼びかけのなかには、人間のニーズや人間の生存に必要なものに関する考察が一切ない。人間がまるで、自然のものではないかのように扱われている。だが人間は、環境保護論者が思い描いているような自然状態（たとえばウニやシロクマの生活レベル）では生きていけない。そういう意味では人間は、もっとも弱い動物である。牙や爪、角、『本能的』な知恵などの武器を持たず、丸裸で生まれる。身体的に見れば、高等動物だけでなく、もっとも下等な細菌の餌食にさえ容易になってしまう。きわめて複雑な構造をしているため、暴力にさらされるときわめてもろく弱い。そんな人間の唯一の武器となり、生存を支える基本的手段となるのが、知性である」（注30）

ランドの記述はさらに続く。「産業革命に先立つ数百年間、数千年間の人間の暮らしがどんなものだったかは、わざわざ指摘するまでもないだろう。環境保護論者がその事実を無視あるいは回避しているのは、人類に対する重大な犯罪なのだが、かえってそのために彼らの立場は守られている。そんなことをするとは誰も思わないからだ。だがこの点については、歴史を振り返るまでもない。現代の発展途上国の生活状態に目を向ければいい。西洋文明が支配する幸運な場所を除けば、この地球上の大半の国がそれにあたる」（注31）

急進的な環境保護運動がマルクスのモデルとは完全に一致しないまでも、両者の間にそれほどの違いがないことは、ルークも認めている。「現代の気候学は、その科学的信憑性という点では明らかに史的唯物論を超えているが、公共政策や大衆科学、経済予測に深くかかわる表現においては奇妙なことに、唯物史観と大して違わない原理に従ったり、それを模倣したり、再構成したりしている場合が多い。完全に同じでないのは明らかだが、まったく違うというわけでもない」（注32）

ちなみにマルクスとエンゲルスは、『共産党宣言』（一八四八年）のなかでこう述べている。「ブルジョワジーは、絶えず生産用具を変革し、それにより生産関係を、それとともに社会関係全体を変革していかなければ、存続できない。（中略）ブルジョワの時代は、生産の絶え間ない変革、あらゆる社会状態の途切れない混乱、永続的な不安定と動揺という特徴により、かつてのあらゆる時代から区別される。固定的な不変の関係はすべて、古代から尊重されてきた一連の偏見や見解とともに一掃される。新たに形成された関係は、固定化する前に時代遅れになる。固定的なものはすべて跡形もなく消え、神聖なものはすべて汚され、人間はついに、現実の生活状態や人間関係に真剣に直面せざるを得なくなる。ブルジョワジーは、製品の市場を絶えず拡大させていく必要に迫られて、地球上の至るところへと追い立てられ、あらゆる場所に身をうずめ、あらゆる場所に腰を落ち着け、あらゆる場所で関係を構築しなければならない」（注33）

マルクスやエンゲルス、およびマルクス主義志向の運動に参加する二人の子孫たちは、経済的・技術的進歩を批判しているが、これは、テクノロジーの制限を要求しているだけではない。ランドはこう述べている。「それはまた、人間知性の制限も要求している。だが、これら二つの目標を達成することはできない。なぜなら、それが人間の本性であり現実だからだ。テクノロジーを破壊すること、知性を麻痺《まひ》させることはできる。だがそのどちらも、制限することはできない。どんな制限を試みるにせよ、それにより衰えるのは知性であって、知性を司る精神状態ではない。テクノロジーは応用科学である。理論科学とテクノロジーの進歩、すなわち人間の知識の進歩は、複雑につながり合った個々の知性の作業の総和により成し遂げられるため、いかなるコンピューターや委員会も、その行方を予測したり定めたりすることはできない。ある知識分野における発見が、別の知識分野における意外な発見をもたらし、ある分野での業績が、ほかのあらゆる分野に無数の道を切り開く。（中略）制限とは、未知のものを規制し、未来のものを限定し、未発見のものを支配する試みである。（中略）進歩は不必要であり、もはや私たちには十分な知識があり、現在のレベルでテクノロジーの開発をやめてそのレベルを維持し、これ以上先へ行くべきではないという考え方については、こう自問してみてほしい。人類の歴史が、さまざまな文明の残骸にあふれているのはなぜなのか？　その文明はどうして維持できなくなり、それまでに獲得した知識とともに消滅していったのか？　前に進むことをやめた人間が、荒涼たる未開の深淵に舞い戻っていくのはなぜなのか？」（注34）

ごらんのように、マルクス主義的な脱成長論者全員が議論を挑んだとしても、アイン・ランド一人の反論があれば十分だろう。だが、それに加えて私もこう述べておきたい。この運動が、まったくの自給自足経済や自然への回帰を目的にしており、反成長、反テクノロジー、反科学、反近代性を旗印にしているのであれば、高等教育や大学院研究、博士号の学位、大学の教授陣（特に自然科学や応用化学、工学、数学を教える教授たち）はもはや重要ではなくなり、なくてもよいことになる。反自由主義やその副産物である全体主義には、人間の知性や精神の向上を強化したり、最低限不可欠な知識への飢えを満たしたりする大規模な教育施設は必要ない。
この運動がマルクス主義を植えつけていることを考えれば、ますます影響力を高める批判的人種理論などの運動と「交差」して結びつくのも当然だろう。実際、初期の環境運動は、相互に関連・重複する革命的理念を備えた複数の運動へと発展した。カリフォルニア大学で環境問題を研究する教授デヴィッド・ナギーブ・ペロウは、『What Is Critical Environmental Justice?（批判的環境正義とは何か）』という著書のなかにこう記している。「環境正義運動は当初から、地域規模・国家規模・世界規模における、環境的・社会的に正当で持続可能な未来とはどんなものか、という斬新なビジョンを表明していた。（中略）一九九一年に歴史的な環境正義サミットが開催された際には、のちに『環境正義の原則』と呼ばれるものが採択された。それは、反人種差別や生態学的な持続可能性を含むだけでなく、反軍国主義や反帝国主義、ジェンダーの正義に関する政治活動も支持している。この原則はまた、人間以外の自然が持つ固有の文化的価値も認めている」（注35）
このように、広く環境正義という名のもとに、人種やジェンダー、平和主義、不正義、階級差別、反米主義が採用された。ペロウは言う。「環境正義運動は主に、有色人種や先住民、労働者階級のコミュニティの出身者で構成されている。彼らは、環境不正義、人種差別、ジェンダーや階級の不平等との闘いに重点を置く。というのもこれらの問題は、彼らに不当な環境被害がもたらされるという形で如実に現れるからだ。環境正義運動から見れば、地球の持続可能性を求める闘いに勝利するには、弱者の環境への暴力に対処しなければならない。つまり社会正義（人間のための正義）は、環境保護と不可分一体である。（中略）環境正義とは可能な未来のビジョンを意味するが、環境に関する不平等（環境不正義）とは一般的に、特定の社会集団が不当に環境被害を受けている状況を指す」（注36）

実際のところ、環境正義運動は主に、これらの批判理論運動の多くと同じように、マルクス主義志向のエリートや研究者、活動家により主導・推進され、疑うことを知らない多くの支持者を引き寄せている。各地の大学やメディア、活動家やシンクタンクが、それを推奨・擁護している。こうして批判的環境正義研究はいまや、批判的人種理論と同様に注目を集め、発展しつつある。ペロウはこう述べている。それは「断続的にのみ交わる無数の分野（環境正義研究、批判的人種理論、批判的人種フェミニズム、民族研究、ジェンダー・性的指向研究、政治生態学、反国家主義・無政府主義理論、エコフェミニズムなど）の研究者の業績を土台にしている」（注37）

つまり、ここに見られるのは「インターセクショナリティ」の深化である。アメリカ社会に対する憎悪が生み出したもう一つの急進的な反資本主義という傘のもとで、さまざまな理念や被害者意識が混じり合っている。

ペロウによれば、環境正義運動は四つの柱に基づいているという。「第一の柱となるのは、（中略）あらゆる社会的な不平等や抑圧は交差し、人間以外の世界の当事者も抑圧の対象となり、しばしば社会変革の主体となるという認識である。批判的人種理論、批判的人種フェミニズム、ジェンダー・性的指向研究、同性愛理論、エコフェミニズム、多様性研究、批判的動物研究といった分野はすべて、社会を区分けするさまざまなカテゴリーには、特定の個人を、排除や疎外、抹消、差別、暴力、破壊、他者化の危険にさらす働きがあると論じている。これらの知見は、人間世界内で不平等や抑圧がどのように機能し、それが人間による非人間への抑圧とどう交差しているのかを理解するうえで、重要な意味を持つ」（注38）

正直なところ、私はいまだ、人類史上もっとも成功した、多様性や寛容に富んだ、慈悲深い自由な国が解き放ったとされる病気（と言われているもの）の数や種類がどれくらいあるのか把握できていない。だがこの運動は、間違いなくそのすべてを引き寄せているように見える。きれいな空気、きれいな水、シロクマのためと言いながら、実際はまったく違うのである。

一つ飛ばして、第三の柱の説明に移ろう。ペロウはこう述べている。第三の柱とは、「人種差別から種差別まで、社会的な不平等は社会に深く組み込まれ（決して異常な状態などではない）、国家権力により強化されており、それにより現行の社会秩序は社会正義や環境正義に対する根本的な障害と化しているという考え方である。この見解を論理的にたどっていけば、社会変革運動は、人間優越主義を超えた思考や行動、国家を超えたところに改革の標的や信頼できるパートナーを求める思考や行動を採用したほうがいいとの結論に至る」（注39）

そのため必然的に、現在の社会を平等主義的な極楽へと根本的に変革する必要があるということになる。だが、国家を完全に廃止するべきなのか？　この変革を、暴力や抑圧、教育や洗脳により成し遂げるのか？　個人を守るために個人と政府との間に置かれた憲法上の制約はどうなるのか？　つまり、この革命はどういう形をとるのか？

ペロウは言う。「人間の歴史の大半は、国家が存在しなかった。ということは、国家が支配する現代の状態は、自然なものでも必然的なものでもない。私見によれば（同じように考える研究者はますます増えている）、国家とは、専制的、高圧的、人種差別的、父権的、排他的、軍国主義的、反環境的な行為や関係へと傾きがちな社会制度である」（注40）

だがこれは、論理的におかしい。もちろん「人間の歴史の大半」は、野蛮な未開社会に支配されていたが、その時代には支配者が、わが国の独立宣言に明記されたような考え方を拒否していた。独立宣言にはこうある。「私たちは以下の真実を自明なものと考える。すべての人間は平等につくられており、創造主により一定の不可侵の権利を付与されており、そのなかには生命、自由、幸福の追求が含まれる。これらの権利を守るために、人間の間に政府が樹立され、統治される人々の合意により正当な権利を手に入れることになった」（注41）。規範、伝統、慣習、法、秩序がないところに生まれるジャングルの掟は、地獄のような生活をもたらす。ペロウの主張は人類にそんな生活を強いることになる。

「第四の柱は（中略）私が『必要不可欠性』と呼ぶ概念を中心とする。（中略）批判的環境正義研究では（中略）白人優越主義や人間中心主義のイデオロギーに逆らい、排除・疎外・他者化された人々・存在・もの（人間も人間以外の存在も含まれる）を、犠牲にしてよいものではなく、私たち全体の未来に『必要不可欠』なものと見なすべきだと訴える。これを私は、（有色人種について言及する際には）『人種的な必要不可欠性』、（人間世界および人間以外の世界に存在するより広いコミュニティに言及する際には）『社会生態学的な必要不可欠性』と呼ぶ。（中略）民族研究に従事する学者や活動家は、この社会では有色人種が、犠牲にしていいものと見なされ、そういうものとして構成されていると主張するが、批判的環境正義研究では、その研究をさらに拡張する。これらの見解に基づき、白人優越主義や人間中心主義のイデオロギーに異議を唱え、排除・疎外・他者化された人々・存在・もの（人間も人間以外の存在も含まれる）を、私たち全体の未来に『必要不可欠』なものと見なすべきだと訴える」（注42）

ペロウは広くこう公言している。白人優越主義者が支配する社会や、人間が（動物や昆虫などほかの種を含む）自然全体を支配する社会そのものが、疎外された人々の必要不可欠性を際立たせている、と。ここで注目してほしいのは、これらの運動全体を通じて、個々の人間がマルクス主義的なモデルに従って扱われている点である。つまり、無数に存在する被害者意識や固定観念に基づいて、さまざまな種類の被抑圧者グループに分割されている。

ペロウの記述はさらに続く。「批判的環境正義研究は、環境正義研究に基づくだけでなく、批判的人種理論や民族研究、批判的人種フェミニズムやジェンダー・性的指向研究、反国家主義・無政府主義理論など、無数の重要な分野からの知見も利用する。これらの研究は、社会的な不平等や抑圧、特権、序列、専制的な制度や慣行が人間の生活をどのように形づくっているのかを概念的・実際的に理解するのに、多大な貢献をしてきた。その研究者たちは、ジェンダーや人種、性的指向、公民権、社会階級、能力が、社会における社会構造の機能に無数の影響を及ぼしていることを明らかにしてきた。（中略）彼らは、日常的な実践や政策立案、対話を通じて特権なき人々の支配を実現する道筋を示している。したがってこれらの分野は、［環境正義研究の］強化に欠かせない。それは根本的に、不平等や支配、解放にかかわる研究分野なのである」（注43）

しかし、ペロウの論では説明できないことがある。開かれた社会では、住民は移動を制限されていないため、ペロウが述べているような人種に対する制度的な憎悪や数々の迫害から自由に逃れられる。それでも住民は、アメリカを離れようとはしない。これはなぜなのか？　世界には、低成長の国やゼロ成長の国がいくらでもある。そのような国では、自然が人間を支配しており、人口の大半は非白人である。だが言うまでもなく、その理由は、これらの国に暮らす人々の多く（おそらくはその大半）が、きわめて困難な生活（あるいは地獄のような生活）を送っているからだ。実際、人口の大半が非白人で、資本主義以外の経済体制を採用している国から、何百万もの人々が、命や健康を危険にさらしてまで、生まれ育った社会を逃れ、アメリカに移住しようとしている。ペロウの論では、その理由を説明できない。それにもかかわらず、そんな空想的・狂信的イデオロギーを信奉しているのはペロウだけではない。そのイデオロギーは、アメリカの制度全体に急速に広がり、覆い尽くそうとしている。

二〇一四年七月一八日、世界中の急進派グループの代表者が大勢集まり、「気候変動に関するマルガリータ宣言」という共同声明を発表した。それを見ると冒頭に、マルクス主義を信奉していたベネズエラの独裁者、故ウゴ・チャベスの次のような言葉が引用されている。「未来へ進もう。ここに未来を連れてきて、その種をまこう」。言うまでもなく、このチャベスやその後継者であるニコラス・マドゥロのせいで、ベネズエラの経済や社会は破壊され、住民は飢えに苦しむあまりアメリカなどへ逃げ、医療などの基本的な公共サービスは完全に崩壊し、政府はいかなる異論も抑圧する暴力的な警察国家と化している。実際、この宣言は、環境に関する文言や決まり文句に彩られた、マルクスの『共産党宣言』の現代版と言っていい。ばかばかしく陳腐なところがいくつもあるが、危険なほど魅力的でもあり、国内および国際政治の問題としてますます受け入れられつつある。その内容は、次のようなものである。

自然と調和して生きるという原則に基づき、生態学的な持続可能性の絶対的限界および母なる地球の能力に従った、別の開発モデルを手に入れる必要がある。化石燃料などの有害エネルギーに基づくエネルギーモデルから脱却し、母なる地球への敬意、女性や子ども、青少年、ジェンダー多様性、貧困層、少数の弱者、先住民の権利を認めて保障する、公平で平等主義的なモデル、すなわち、私たち人類の平和的共存を育む公平で平等主義的なモデルである。私たちはまた、新自由主義的な政策やグローバル化する経済、父権主義よりも、母なる地球の権利が優先される社会を希求する。なぜなら、母なる地球がなければ、生命は存在しえないからである（注44）。

独善的なマルクス主義者たちが一堂に会し、運動の目的に関する声明を協力して作成し、あらゆる集団や運動をその仲間に巻き込み、「母なる地球」をまるで味方のいない犠牲者であるかのように扱う。これほど自己中心的な大言壮語を振りかざしているものはほかにない。その結果できあがったのが、一貫性も意味もないこの綱領である。それにもかかわらず、この運動は実在し、私たちの生活様式を脅かしている。ハイエクは『致命的な思いあがり』のなかでこう述べている。これは「とうてい不可能なことを可能だと偽る道徳律、そのルールや規範のもとでは知識の生成や組織化の機能を果たすことなど不可能なのに、それを可能だと偽る道徳律であり、その不可能性そのものが、この道徳体系への決定的な合理的批判となる。したがって、これらの結果を突きつけることが重要になる。というのもこれまでは、結局のところこの討論はすべて価値判断の問題であって事実の問題ではないという考え方のせいで、市場秩序の専門家たちが、社会主義はとうてい約束を実現できないとの主張を十分に展開できないでいたからだ」（注45）

マルガリータ宣言はさらにこう続く。

気候変動の主原因は、自然や生命を営利化・具象化し、その精神性を減退させ、不平等な体制や資源の搾取を生み出す消費主義や開発主義を押しつけてきた政治経済制度にある。この地球規模の危機は、発展途上国のエリートや先進諸国が行なう持続不可能な搾取や消費により、さらに悪化している。私たちは北側の先進諸国の指導者に、この惑星を破壊するよこしまな行為をやめるよう要求するとともに、南側の発展途上国の指導者に、この近代化による危機を引き起こす北側の開発モデルに従わないよう要求する。私たちは各国指導者に、公平かつ平等主義的で持続可能な社会や、公平な経済を実現する別の道を切り開くよう提案する。その目的を実現するには、先進諸国が道徳的・法的義務を果たす必要がある。とりわけ疎外された脆弱な国や地域に対して、地球上の生命の保全や人類の救済を実現する妨げになっている知的財産権などの障壁を排除するべきである。また、知的財産権などの障壁に左右されない、地域に適した安全なテクノロジーの移転や財政拠出を進め、各国の能力を強化し、気候変動条約やリオ地球サミットで定められた原則（共通だが差異ある責任と各国の能力、予防とジェンダー平等の原則など）を受け入れるよう提案する（注46）。

これを読むと、トーマス・ソウェルの言葉を思い出す。ソウェルは『The Quest for Cosmic Justice（普遍的正義の探求）』という著書のなかで、幅広く誇張され一般化されているが立証されてはいないこうした「未来像」について、次のように記している。「未来像やそれらしきものに基づいて行動した人物の好例が、Ｖ・Ｉ・レーニンである。このような場合には未来像が、自分たちが暮らす生身の人間の世界や現実に取って代わる。そして、未来像にあてはまらない種類の世界は、その未来像を実現するための手段として戦術的・戦略的にのみ重視されるようになる。（中略）レーニンが未来像に夢中になっていたことは、レーニンが労働者階級（その名のもとに未来像を訴えていた階級）の世界に入らなかった事実、およびソビエト中央アジアに足を踏み入れなかった事実を見ればわかる。この西ヨーロッパを上まわる広大な地域には、レーニンやその後継者による理論一辺倒の破壊的な計画が、およそ七五年にわたり強引に押しつけられることになった」（注47）。ソウェルはさらにこうも述べている。「未来像を回避することはできない。私たちの直接的な知識にはどうしても限界があるからだ。したがって、未来像が理論を検証する基盤となるか、独断を表明して強制を実施する基盤となるかが重要になる。二〇世紀の歴史の大半は、独断的な未来像が生み出した圧制の歴史だった。それまでは君主や軍事征服者による専制ばかりだったが、二〇世紀になると、未来像の宣伝に成功して権力を手に入れた支配者や支配政党が勃興した。だがこれは当然、未来像を『約束』するという宣伝にほかならなかった。なぜなら、その未来像を実現する権力を獲得するまでは、支配者や支配政党の業績を判断することはできないからだ。（中略）未来像が力を持って蔓延するのは、その論理により何かを証明できるからではなく、証明や論理を提供する必要がまったくないからである。未来像に合致してさえいれば、何でも好きに主張することができ、それが事実に合致しているかどうかの検証を受ける必要はない」（注48）

この会議に集まった急進派たちは、国際的な共産革命を主導するかのように、さらにこう述べている。「国家や企業による排出の歴史的責任、およびその累積的性質を考慮し、炭素の大気スペースが有限であり、それを国家や国民の間で平等に分配する必要があることを認識して、生産や消費のパターンを変革する必要がある。主要な企業や経済体制が歴史的に不平等な全世界的排出を過剰に行なった結果、各国の間に能力の不平等が生まれた。そのような格差を示す重要な指標となるのが、一八五〇年以降の温室効果ガスの国民平均排出量、富や国民所得の分配や規模、一国が所有するテクノロジー資源などである。これらの指標を使えば、各国の実情に応じて公平に取り組みを配分できる。（中略）持続可能な開発の必要性、気候変動による損失や損害、技術移転や財政支援の必要性を判断するのである」。だが、専断的な不公平のない革命など存在しない。「私たちは、気候変動に関する正義・倫理・道徳裁判所の設置を要求する。この裁判所には、誰もがこの問題に関する犯罪を提訴できる」（注49）

気候変動に関するマルガリータ宣言はそのあと、「大規模な世界的社会運動」を訴える。反資本主義的な経済改革、思考の変革、再教育、洗脳、化石燃料の「根絶」などを求める「人民の運動」である。

私たちは、大規模な世界的社会運動を通じて、地球上の生命を保証する活動に従事しなければならない。その際には権力のあり方を、人民の結束を維持する方向へと変えることが必要になる。私たちは組織化されてこそ、体制の変革を推進できる。

気候変動の構造的原因は、資本主義が主導権を握る現行の体制と関係している。気候変動との闘いには、この体制の変革も含まれる。体制を変革するには、地域・地方・国・地球レベルで経済・政治・社会・文化の体制を変革する必要がある。教育は人民の権利であり、公平で自由、分野横断的で包括的な育成の持続的なプロセスである。それはまた、多様性に満ちた新たな男女、豊かな暮らし、生命や母なる地球への敬意の構築や変革に欠かせない原動力となる。教育は、価値観の反映、創造、認識の向上、共存、参加、行動を志向しなければならない。このように、気候変動に立ち向かうための教育について語るというのは、そのような変革や、過去や現在の責任の根幹について語ることであり、人民（とりわけ先住民など、歴史的に不当に扱われ排除されてきた集団）の貧困や不平等、脆弱性について語ることなのである。

この運動がとてつもなく支離滅裂で愚かしいことは、いくら強調してもし過ぎることはない。

それにもかかわらずこの運動は、力強い魅力とともに、執拗に前進を続けている。

宣言はさらにこう続く。

私たちは、体制を変革するために以下の行動を提案する。

・権力関係や意思決定システムを変革し、反父権主義的な人民の権力を構築する。

・食料生産システムを農業生態学的システムに変革し、食料の主権や安全を確保するとともに、知識やイノベーション、先祖伝来の伝統的慣習を重視する。

・エネルギー生産システムを変革して有害なエネルギーを根絶する。その際には、貧困と闘う人民の権利を尊重し、公平な移行を指針とする。

・教育、大規模エネルギー消費者への規制、地域の支配下にある地域規模の再生エネルギー生産システムに対する人民への権限付与を通じて、エネルギー消費パターンを変革する。

・領土・都市計画システムについて市民参加型の運営を行ない、土地や都市サービスなど、気候変動の影響に立ち向かうために必要な手段を、公平かつ持続的に入手できるようにする。

・持続不可能な自然の搾取の根絶を目指し、エネルギーや物質を浪費するシステムから、廃棄物の削減・再生利用・循環利用を推進する循環型システムへと変更する。

・そのような変革のため、および気候変動の影響に対する補償や復旧のため、先進国から発展途上国への融資を確保する。その融資には条件があってはならず、供給される資金の管理は人民の手に委ねるべきである。
・居場所を失った人々や環境権の擁護者の保護に利用できる仕組みを創設する（注50）。

資本主義や生産性、経済成長に対する従来の攻撃は、天然資源の枯渇や二酸化炭素の排出という二点を中心に展開されてきた。そのどちらもが、気候変動につながると言われている。だが、第一の論点である天然資源の枯渇については、ジョージ・リースマンが、人類は地球の資源をほんの少しかじる程度のことさえしていないと述べている。「地球について言えることは、宇宙のあらゆる惑星体にも言える。宇宙が物質で構成されているかぎり、宇宙は化学元素だけで構成されており、したがって天然資源だけで構成されていることになる」（注51）。「地球は文字どおり、化学元素でできた巨大な固体球であり、過去二世紀にわたり人間の知性や独創性が比較的自由に活動し、その活動を促すインセンティブもあったことを考えると、当然ながら、現在入手・利用可能な鉱物の供給量は、人間が経済的に利用可能な供給量をはるかに超えている」（注52）。「自然のなかで富として利用されている部分は、ほんのわずかだと理解するべきだ。それは事実上ゼロから始まったが、それ以降数百倍にふくらんでいたとしても、いまだに事実上ゼロのままである。というのは、宇宙どころか地球全体だけを見ても、現在人間の管理の対象となっているのは全体のなかのごく一部であり、すでに人間の管理の対象になってきたものについても、そのあらゆる側面や利用可能性を人間はまだ十分には理解していないからである」（注53）

つまり、多くの社会活動家や自称革命家は、自分が熱心に（ときには暴力に訴えてまで）取り組んでいる問題についてまったくの無知であるという共通の特徴を備え、重大な欠陥を抱えているということだ。リースマンは言う。「自然保護論者は、現在経済的に利用可能な天然資源を自然が与えてくれたものと見なし、人間の知性や、その必然の結果である資本蓄積が生み出したものとは考えない。自然は事実上、無限に物質やエネルギーを供給しており、人間の知性は徐々にそれを使いこなせるようになり、その過程で経済的に利用可能な天然資源の供給が着実に増えていく、とは考えない。（中略）人間の知性が、経済的に利用可能な天然資源の創出に一役買っているとは見なさず、現在供給されている資源が自然に存在するすべての資源なのだと誤解し、素朴にも、天然資源を消費するあらゆる生産行為は、かけがえのない貴重な自然の宝を使い尽くして衰退を招く行為だと思い込んでいる。こうした思考に基づいて、自然保護論者はこう結論する。経済的自由のもとで個人が私利を追求すれば、人類は未来の世代のニーズなど顧みることなく、かけがえのない自然遺産を好き勝手に消費することになる、と」（注54）

だがこうした無知は、信念を改める理由にはならないようだ。リースマンはこう記している。

「自然保護論者たちは、まったくの空想から生まれたこの問題、生産プロセスに関する純然たる無知から生まれたこの問題にたどり着くと、さらにこんな結論を導き出す。この問題を解決するのに必要なのは、天然資源の『保護』を目的とする政府の介入を通じて、人類による天然資源の利用をさまざまな方法で制限あるいは禁止することだ、と」（注55）

　第二の論点である二酸化炭素の排出や気候変動全般については、何よりもまずはっきりとこう述べておきたい。二酸化炭素はこれまでもいまも汚染物質などではなく、汚染物質にはなりえない。過去半世紀の間に「科学者」や「専門家」は確信をもって、当初は地球は冷却化していると述べ、次いで地球は温暖化していると述べ、いまではもっと幅を広げ、単に気候変動に直面していると主張し、それをもとに、将来解明や訂正の必要がないあらゆる可能性を訴えてきた。彼らによれば、その主たる原因は、化石燃料を利用することで生まれる二酸化炭素なのだという。だが、小学校の理科の教師が生徒に教えているように、二酸化炭素は植物にとっての酸素であり、植物は私たちに必要な酸素を供給してくれる。

　二酸化炭素の排出や、大気や地球、気候に対するその影響については、温暖化懐疑論者を恫喝し、沈黙させ、「否定論者」として片づけてしまおうとするさまざまな取り組みがなされているが、実際のところは、科学者や専門家の間でさえ激しい論争が続いている。したがってここでは、この点については意見の一致がまったくないとだけ言えば十分だろう。たとえば、二〇一九年九月二三日には、「知識も経験も豊かな世界中の気候関連分野の科学者や専門家五〇〇人以上」が、国連の事務総長に宛てた次のような内容の書簡に署名している。「気候科学は政治的であってはならず、科学的でなければならない。科学者は、地球温暖化予測にまつわる疑念や誇張についても率直に発言すべきであり、政治家は、地球温暖化への適応がもたらす本当の利益や想像上の損失、地球温暖化の緩和がもたらす本当の損失や想像上の利益について、冷静に判断すべきである」（注56）

書簡はさらにこう続く。「現在国際政策の根拠とされている気候の大循環モデルは、その目的にふさわしいものではない。この未熟なモデルから生み出された結果に基づいて数兆ドルもの浪費を提言するのは、非道であり無分別である。無意味かつ嘆かわしいことに、現在の気候政策は経済制度を損ない、電気エネルギーを確実かつ安価に利用できない国の人々の生活を危険にさらしている。そのため私たちは、健全な科学や現実的な経済学、および犠牲が大きいばかりで不必要な温暖化緩和政策に苦しんでいる人々に対する心からの懸念に基づいた気候政策を遂行するよう提案する」（注57）。この書簡に署名した科学者たちは、こう解説する。「温暖化には自然的要因と人為的要因がある。温暖化のペースは予想よりもはるかに遅い。気候政策は不適切なモデルに基づいている。二酸化炭素は植物にとっての食料であり、地球上のあらゆる生命の基盤である。地球温暖化により自然災害は増えていない。気候政策は科学的・経済的現実を尊重したものでなければならない」（注58）

実際、気候変動運動を疑問視したり否定したりしている科学者や専門家は、ここにすべてリストアップできないほど大勢いるが、ここでは数名の事例を挙げれば十分だろう。

たとえば、メルボルン大学の地球科学名誉教授、およびアデレード大学の鉱山地質学教授であるイアン・プライマーはこう述べている。「人間が地球温暖化を引き起こしているという理論は、科学ではない。なぜならそれは、事前に定められた条件に基づいており、膨大な証拠を無視しており、特定の解析方法を証拠として扱っているからだ。そのうえ、気候『科学』は政府の研究助成を受けている。そのような資金を、政府のイデオロギーと合致しない理論の調査に利用することはできない」（注59）。風力や太陽光などの代替エネルギー源についても、こう記している。「風力や太陽光などの『代替』エネルギーシステムは、環境に多大な損害をもたらす。生態系の喪失、野生生物の壊滅、土地の不毛化、そのシステムを寿命まで使っても回収できない法外なコストをもたらすと同時に、建設時に膨大な量の二酸化炭素を排出する。さらに、風力発電も太陽光発電も効率が悪い。どちらも、絶えず安定的に電力を供給するベースロード電源にはなりえず、二酸化炭素を排出する石炭火力発電所によるバックアップが必要になる」（注60）

こうしてプライマーは、気候変動運動全体を非難する。「気候変動が天変地異をもたらすという説は、史上最大級の科学詐欺である。大半の気候『科学』は、科学を装った政治イデオロギーに過ぎない。歴史上には、大衆の総意が明らかに間違っていたという時代が何度もあるが、現在もそのような時代である。雇用、現代の生活、第三世界の貧困からの脱却には、安価なエネルギーが欠かせない。（中略）いまでは、活動家が教育制度を支配し、環境・政治・経済イデオロギーを若者に植えつけている。こうした教育では、同じ若者に、事実として提示されるイデオロギーを批判的・分析的に評価する基本的な方法を教えることはない」（注61）

ケイトー研究所の科学研究センター長、全米州気候学者協会の元会長、全米気象学会応用気候学委員会のプログラム委員長を務めながら、三〇年にわたりバージニア大学で環境科学を研究してきた教授パトリック・J・マイケルズも、気候モデルは破綻していると主張する。「もっとも基本的な形式の科学は、観察に対する批判的検証に支えられた仮説で構成される。［哲学者の］カール・ポッパーも述べているように、そのような検証や検証可能な仮説がなければ、いくら『科学』と呼ばれようと、それは実際のところ『疑似科学』に過ぎない。となると必然的に、特定のテーマ領域のすべてを説明できると称する説は、実際には検証が不可能であるがゆえに、疑似科学ということになる。気候に関しても、未検証の（あるいは検証不可能な）気候モデル予測については、『気候科学』というより『気候研究』と呼ぶほうが適切なのではないかと思われる」（注62）

一九八三年から二〇一三年までマサチューセッツ工科大学で気象学の教授を務めた大気物理学者リチャード・S・リンゼンも、次のように述べている。「地球温暖化は、科学よりも政治や権力に関係している。科学は、何かを解明しようとする。だが地球温暖化の問題においては、大衆を混乱させ間違った方向へ導くために言葉が乱用されている。この乱用は気候モデルにまで及んでいる。地球温暖化に対処するとされる政策の支持者たちは、予測するためではなく、天変地異が起こりうるという主張を正当化するために、気候モデルを利用する。それが起こりえないことを証明するのはほぼ不可能であることを、彼らは承知しているのである」（注63）

公共問題研究所の名誉研究員および科学政策顧問、科学・公共政策研究所の科学顧問、国際気候科学連合の首席科学顧問、ジェイムズ・クック大学地球科学大学院の元教授・院長であるロバート・M・カーターも、こう記している。「人為的な温暖化から仮定される危険は、あらゆる科学者が認める幅広い気候上の危険のなかのごく一部に過ぎない。幅広い気候上の危険とは、自然が断続的に起こし、これからも絶えず起こすであろう危険な気象・気候事象である。世界中で絶えず起きている気候関連のさまざまな災害を見れば明らかなように、裕福な先進国の政府でさえ、そのような災害に十分備えていない場合が多い。私たちはむしろ、それを改善する必要がある。危険な温暖化が間もなく始まるという不当な仮説に従い、疑わしい点を保留にして資金を浪費するのは、『適切なものを選択する』アプローチとして間違っている」（注64）

カーターはさらに、真面目な人間であれば以下の主張に異議を唱えるはずがないと主張する。「現実的に言えば、二〇三〇年の気候が現在より寒冷化しているか温暖化しているかを、信頼できる確率で断言できる科学者など、この地球上に一人もいない。そのような状況において導き出せる唯一の合理的結論は、自然がどのような選択をするにせよ、今後数十年間の温暖化や寒冷化、あるいは深刻な気象事象に対応できるよう準備しておく必要がある、ということだ。政府は何よりもまず、気候関連の自然事象の猛威から市民や環境を守ることに留意しなければならない。その際に必要なのは、二酸化炭素排出に対する不必要な刑罰措置などではなく、気候関連のあらゆる事象や危険に備え、適切に対応する賢明かつコスト効率のよい政策である」（注65）

こうした主張をする専門家は無数にいるが、彼らの主張は、政治家や官僚、メディア、運動家、活動家の考え方を変えるどころか、おとしめられ退けられている。なぜなら彼らが、アメリカの経済制度をかつてないほど激しく攻撃するイデオロギー主導の運動に、果敢に異議を唱えているからだ。実際、下院議員のアレクサンドリア・オカシオ＝コルテスなど民主党の議員数十名は、「グリーン・ニューディール政策」に関する議決の際に、まるで「気候変動に関するマルガリータ宣言」の文言を直接拝借したかのような、ばかばかしいほどマルクス主義的な決議案を作成している。以下に、そのほぼ全文を掲載する。というのも、この決議案を要約してしまうと、その危険性を真に理解することが難しくなるからだ。その内容とは、次のようなものである。

気候変動や汚染、環境破壊は、人種・地域・社会・環境・経済に関する制度的不正義（この前文ではこれを「制度的不正義」と総称する）を悪化させ、先住民のコミュニティ、有色人種のコミュニティ、移民のコミュニティ、産業力を失ったコミュニティ、田舎の過疎コミュニティ、貧困層、低所得労働者、女性、高齢者、住居のない人々、障害者、若者（この前文ではこれらを「第一線の弱者コミュニティ」と総称する）に分不相応な悪影響を及ぼしている。

（中略）ここに、下院の総意は以下であることを決議する。

（一）連邦政府は、以下のグリーン・ニューディール政策を創出することを義務とする。

（A）あらゆるコミュニティや労働者にとって公平かつ公正な移行を通じて、温室効果ガスの実質排出ゼロを達成する。

（B）良質な高賃金の雇用を創出し、アメリカの全国民に繁栄と経済的安定を確保する。

（C）アメリカのインフラや産業に投資し、持続可能な形で二一世紀の課題に対処する。

（D）今後数世代にわたり、アメリカの全国民に以下を確保する。

（i）清浄な空気と水

（ii）気候に対するコミュニティの回復力

（iii）健全な食料

（iv）自然へのアクセス
（v）持続可能な環境
（E）未来を妨げる流れを食い止め、先住民のコミュニティ、有色人種のコミュニティ、移民のコミュニティ、産業力を失ったコミュニティ、田舎の過疎コミュニティ、貧困層、低所得労働者、女性、高齢者、住居のない人々、障害者、若者（この決議文ではこれらを「第一線の弱者コミュニティ」と総称する）への歴史的抑圧を正すことにより、正義と公正を推進する。

（二）前述（一）の各項に記載された目標（この決議文ではこれを「グリーン・ニューディール政策目標」と総称する）を、一〇年に及ぶ国民総動員（この決議文ではこれを「グリーン・ニューディール政策動員」と称する）を通じて達成する。これには、以下の目標や計画が必要になる。
（A）コミュニティごとに策定された計画や戦略への財政支援や投資などにより、異常気象をはじめとする気候変動関連の災害に対する回復力を構築する。
（B）以下の方法により、アメリカのインフラを修繕・更新する。
（i）技術的に可能なかぎり、汚染物質や温室効果ガスの排出を削減する。
（ii）清浄な水を誰もが利用できるようにする。

(iii) 洪水など、気候変動の影響がもたらすリスクを低減させる。
(iv) 連邦議会が検討するいかなるインフラ法案にも、気候変動への対処を盛り込むようにする。
(C) 有害排出物ゼロのクリーンで再生可能なエネルギー源により、アメリカの電力需要を一〇〇パーセントまかなう。これは、以下の方法による。
(i) 既存の再生可能な電力源を劇的に拡張・更新する。
(ii) 新たなエネルギー生産能力を展開する。
(D) エネルギー効率のよい分散型の「スマート」電力供給網を構築、あるいはそのような電力供給網へと更新し、電気を安価に利用できるようにする。
(E) 電化などを通じて、エネルギーの効率性、水の効率性、安全性、利用可能性、快適性、持続性を最大化できるように、アメリカにある既存の建築物すべてを更新するとともに新たな建築物を建設する。
(F) 再生可能エネルギー製造の拡大や、既存の製造業・工業への投資などにより、アメリカにおけるクリーンエネルギー製造の大々的な発展を推進し、技術的に可能なかぎり、製造業・工業からの汚染物質や温室効果ガスの排出を削減する。
(G) アメリカの農家や農場経営者と協力し、技術的に可能なかぎり、農業部門からの汚染物質や温室効果ガスの排出を削減する。これは、以下の方法による。

（ⅰ）家族経営の農業を支援する。
（ⅱ）持続可能な農業や、土壌の健全性を増進する土地利用慣行に投資する。
（ⅲ）誰もが健全な食料を入手できる持続可能性の高い食料システムを構築する。
（H）アメリカの運輸システムを見直し、技術的に可能なかぎり、運輸部門からの汚染物質や温室効果ガスの排出を削減する。これは、以下への投資を通じて実現する。
（ⅰ）有害排出物ゼロの自動車インフラや自動車製造
（ⅱ）クリーンで安価に利用できる公共交通機関
（ⅲ）高速鉄道
（I）コミュニティごとに策定された計画や戦略への財政支援などにより、汚染物質や気候変動が健康や経済などに及ぼす長期的な悪影響を管理・軽減する。
（J）自然保護や植林など、土壌の炭素貯蔵量を増やすことが証明されているローテクな解決策を通じて自然の生態系を回復するなどの方法により、大気中の温室効果ガスや汚染物質を削減する。
（K）生物多様性や気候に対する回復力を高める、地域にふさわしい、科学に基づいた計画を通じて、脅威にさらされ危機に瀕している脆弱な生態系を回復・保護する。

（L）既存の有害廃棄物や放棄された用地を一掃し、経済的な開発や持続可能性の向上を推進する。

（M）ほかの排出源や汚染源を特定し、それらを排除する解決策を創出する。

（N）アメリカが気候変動に関する活動の国際的リーダーとして、他国のグリーン・ニューディール政策の実現を支援することを目的に、技術、専門知識、製品、財政支援、サービスに関する国際交流を推進する。

（三）第一線の弱者コミュニティ、労働組合、労働者協同組合、市民社会グループ、学界、実業界との透明かつ包括的な協議・協力・連携を通じて、グリーン・ニューディール政策を策定する。

（四）グリーン・ニューディール政策目標やグリーン・ニューディール政策動員を実現するには、以下の目標や計画が必要になる。

（A）国民が妥当な所有権や投資利益を取得できるような形で、グリーン・ニューディール政策動員に取り組むコミュニティや組織、連邦・州・地方政府機関、企業に対して、十分な資本（コミュニティ助成金や公共銀行などを通じた公的融資も含まれる）、専門技術、支援政策などの援助を提供する。

（B）以下の方法を通じて、有害物排出が環境や社会にもたらす損失や影響を連邦政府がすべて考慮できるようにする。

（ⅰ）既存の法律

（ⅱ）新たな政策や計画

（ⅲ）第一線の弱者コミュニティが悪影響を受けないような方策

（C）第一線の弱者コミュニティを中心に、アメリカの全国民に資料や研修、質の高い教育（高等教育など）を提供し、これらのコミュニティがグリーン・ニューディール政策動員に完全かつ平等に参加できるようにする。

（D）クリーンかつ再生可能な新エネルギーにまつわる技術や産業の研究開発に公的投資を行なう。

（E）温室効果ガスを集中的に排出する産業からの移行に苦労している第一線の弱者コミュニティに質の高い雇用を創出し、その経済・社会・環境に利益をもたらすことを優先しながら、経済開発を推進し、地域・地方経済圏の産業を強化・多様化し、富やコミュニティに対する当事者意識を構築する投資を進める。

（F）第一線の弱者コミュニティや労働者を含み、それらの人々に主導される民主的な参加型プロセスを利用して、地域レベルのグリーン・ニューディール政策動員を計画・実施・管理する。

(G) グリーン・ニューディール政策動員により、一般的な賃金を支払い、地元の労働者を雇用し、研修や昇進の機会を提供し、移行により影響を受ける労働者に同等の賃金や手当を保障する、質の高いユニオンジョブ*を創出する。
(H) 家族を支えられる賃金、十分な家族休暇や医療休暇、有給休暇、退職後の保障を伴う雇用を、アメリカの全国民に保障する。
(I) あらゆる労働者が有する、強制や脅迫、嫌がらせを受けることなく労働組合を組織する権利、労働組合に加入する権利、団体交渉する権利を強化・保護する。
(J) あらゆる雇用主、産業、部門にわたり、労働、職場の衛生や安全、差別禁止、賃金、労働時間に関する基準を強化・実施する。
(K) 以下の目的のために、労働や環境の強力な保護を伴う交易のルール、調達の基準、国境での査定を法制化・実施する。
(ⅰ) 雇用や汚染の海外への移転を食い止める。
(ⅱ) アメリカ国内の製造業を発展させる。
(L) 公共の土地・水域・海洋を保護し、土地収用を乱用しない。
(M) 先住民やその固有の領地に影響が及ぶあらゆる判断において、先住民の自由意思による、情報に基づく事前の同意を得るとともに、先住民とのあらゆる協定や合意を尊重し、先住民の主権や土地に対する権利を保護・行使する。

＊労働組合により雇用形態が保障された仕事。

（N）あらゆるビジネス関係者に、国内的・国際的独占による不公平な競争や優位のない商業環境を確保する。
（O）アメリカの全国民に以下を提供する。
（i）質の高い医療
（ii）安価、安全、適正な住宅
（iii）経済の安定
（iv）清浄な水、清浄な空気、健全かつ安価な食料、自然にアクセスする権利（注66）

この提案の実施にかかる費用の見積もりについては、ミルトン・エズラティが《フォーブス》誌にまとめている。これらの目標のごく一部を実現するために必要な費用は、以下のとおりである。「この政策は、国家の電力を一〇〇パーセント供給できるまで再生可能エネルギーを拡大するよう提案しているが、称賛すべき物理学者であるクリストファー・クラークによれば、それには一〇年でおよそ二兆ドル、年間二〇〇〇億ドルの費用がかかる。また、全国に『スマート電力供給網』を構築することを要請しているが、電力研究所によれば、それには一〇年でおよそ四〇〇〇億ドル、年間四〇〇億ドルの費用がかかる。さらに、『温室効果ガスの削減』を熱望しているが、複数の情報源によれば、それには一〇年で一兆一〇〇〇億ドル以上、年間およそ一一〇〇億ドルの費用がかかる」（注67）。さらに見積もりは続く。「この政策は、全国のあらゆる住宅や産業施設を最新の安全性とエネルギー効率性を備えたものへ更新することを目指しているが、それには一〇年でおよそ二兆五〇〇〇億ドル、年間二五〇〇億ドルの費用がかかる。だが、この数字は少々少なすぎるかもしれない。何しろアメリカ全土には一億三六〇〇万もの住居がある。その一つひとつを更新すれば、控えめに見ても、一戸あたり平均一万ドルの費用がかかり、それだけで一兆四〇〇〇億ドル近くになる。しかもこの数字には、工業・商業施設が含まれていない。それどころか、維持費さえ含まれていない」（注68）。見積もりにはまだ先がある。「グリーン・ニューディール政策はさらに、『生活に最低限必要な賃金』が保証された雇用の提供を望んでいるが、コリー・ブッカー上院議員（ニュージャージー州選出の民主党議員）が行なった同様の提案に対する政府の試算によると、その計画には初年度だけでおよそ五四三〇億ドルの費用がかかる。それ以降の費用は下がっていくが、一〇年間の累積費用はおよそ二兆五〇〇〇億ドルになる。また、単一支払者による国民皆保険制度の構築を目指しているが、バーニー・サンダース上院議員が提出した同様の計画に対するマサチューセッツ工科大学アマースト校の調査によると、年間およそ一兆四〇〇〇億ドルもの費用が必要になる」（注69）

エズラティは言う。「オカシオ＝コルテス議員の長い要望リストのなかのこれら六項目だけでも、概算で年間二兆五〇〇〇億ドルもの費用がかかる。連邦政府の二〇一八年度予算では支出が四兆五〇〇〇億ドルなので、この政策を実行すると、事実上さらに五割少々連邦支出が増える。これはとてつもない金額である。オカシオ＝コルテス議員は最高税率を七〇パーセントまで引き上げるよう提案しているが、それにより得られる税収は年間推計七〇〇〇億ドルほどであり、この数字にはとても足りない」（注70）

ヘリテージ財団のケヴィン・ダヤラトナとニコラス・ロリスはこう指摘する。「ヘリテージ財団エネルギーモデルによれば、課税や炭素規制により、二〇四〇年までに以下の事態が予想される。ピーク時に一四〇万以上もの雇用が不足し、四人家族の総所得が四万ドル以上低下し、国内総生産が総額三兆九〇〇〇億ドル以上減少し、家庭の電気代が平均およそ一二〜一四パーセント増加する。だが、ヘリテージ財団エネルギーモデルによるこれらの予測は間違いなく、グリーン・ニューディール政策によるエネルギー関連のコストを著しく低く見積もっている。オカシオ＝コルテスのサイトの『よくある質問』欄を見ればわかるように、炭素税は、グリーン・ニューディール政策支持者が実現を望んでいる多くの政策ツールの一つに過ぎない」（注71）

また、元連邦議会予算事務局長ダグラス・ホルツ＝イーキンが代表を務めるアメリカン・アクション・フォーラムは、グリーン・ニューディール政策には一〇年間で最大九三兆ドルもの費用がかかると試算している。電力部門および運輸部門からの炭素排出を（少なくとも名目上）根絶するのに八兆三〇〇〇億ドルから一二兆三〇〇〇億ドル、それに伴う大規模な社会的・経済的事業のために四二兆八〇〇〇億ドルから八〇兆六〇〇〇〇億ドルが必要になるとの予測である（注72）。

これら非常識で危険な事業にかかる壊滅的な財政費用や、それに伴う恐るべき経済の混乱に加え、私としてはやはり、以下の事実を指摘しておきたい。この政策は、立憲政治、私有財産権、資本主義的な経済制度といった根本原則を放棄し、調整管理や規制を行なう強大な権力を持った、これまでよりもはるかに巨大な官僚制度を構築するよう要請している。これが実現されれば、意思決定権はさらに連邦政府に集中し、政治家は個人や市民全般に対して並外れた権限を行使することになる。そのうえ、節電や計画停電、燃料不足、必需品の欠乏なども予想される。言うまでもなく、人間の基本的自由、自由意志、移動の自由などは、マルクス主義者が熱心に求めていたように次第に制限され、最終的には失われる。

それでもジョー・バイデンや民主党は、これに加担している。バイデンは大統領に就任すると早々に、アメリカを二〇一五年のパリ協定に復帰させる大統領行政命令に署名した。この種の国際協定がアメリカ社会に及ぼす広範な影響を考えると、こうした協定は当然、条約として扱われるべきである。条約の場合には、上院議員の三分の二（六七人）の賛成が必要になる。だがバイデンは、前任者のオバマ大統領同様、上院で否決される危険を避け、行政命令のみでこれに対応した。

何よりもこの協定は、「気候変動が人類共通の懸念であることを認める」よう締約国に確約させている。したがって「締約国は、気候変動に対処する行動を起こす際に、人権、健康に対する権利、先住民や地域コミュニティ、移民、子ども、障害者、弱い立場にいる人々の権利、発展の権利に加え、ジェンダーの平等、女性の地位向上、世代間の公正に対する義務を尊重・推進・考慮しなければならない」（注73）。ところが、この協定の締約国のなかには、共産主義国である中国もいる。中国では、現在も強制収容所が運営されている。そこでは一〇〇万人以上に及ぶウイグル人などの少数民族を奴隷化し、拷問・強姦しているばかりか、ウイグル人女性に避妊手術を強制し、囚人をまとめて処刑している（注74）。

実際、トランプ政権は二〇二一年一月一九日、新疆《しんきょう》ウイグル自治区に住むウイグル人イスラム教徒を虐げ、「大量虐殺や人道に対する罪」を犯しているとして、公式に中国を非難している（注75）。ところがバイデンは二〇二一年二月一六日、CNNが主催する市民討論会で中国の行為について尋ねられ、こう答えている。「中国の歴史を見ればわかるように、中国が外世界の犠牲になるのはいつも、国内が統一されていないときでした。そのため「中国の国家主席」習近平は、中国を統一して厳重に管理しなければならない、という点を中心的な（はなはだしく誇張した表現ではありますが）原則としています。いわばそれを、自身の行動の理由にしています」。そして驚くべきことに、こうつけ加えている。「国やその指導者が従うべき規範は、文化によって違いますから」（注76）

このように民主党政権は、中国のような暴虐な体制に直面すると、パリ協定やグリーン・ニユーディール政策、批判的人種理論、インターセクショナリティなどに見られる平等、人権、先住民、女性の地位向上、医療や雇用などの権利に関する主張や宣言を、たいてい無視する。その一方でバイデンは、連邦議会の議員から正規の場で意見を聞くこともないまま、気候変動の名のもとに国際政府機関やその官僚が定めた全世界的な経済的・財政的条件をアメリカに押しつけている。それはおそらく、わが国の生活の質に悪影響を及ぼすだろうが、中国のような国には、それに従う意思はもうとうない。

バイデンは同様に、大統領就任宣誓からわずか数時間後に、キーストーンXLパイプライン*のさらなる建設を停止する大統領行政命令にも署名している。この命令では何よりも、急進的な気候変動扇動者がプロパガンダとして訴えている、このうえなく誇張された告発を繰り返し採用している。「アメリカ経済に対する気候変動の影響が高まりつつあり、気候関連の費用は過去四年にわたり増加している。異常気象など気候関連の影響は、アメリカ国民の健康、安心、安全を脅かしており、早急に気候変動に対処し、クリーンエネルギー経済への移行を加速する必要性が高まっている。有害な気候の影響からアメリカ国民や国内経済を保護し、その解決策の一環として高賃金のユニオンジョブを創出するためには、世界を持続可能な気候の軌道へ導くほかない。（中略）この危機に対しては、天変地異を起こしかねない危険な気候の軌道から逃れるために必要とされる規模とスピードで対処しなければならない」（注77）。だが実際には、石油の利用により二酸化炭素の排出量は減少してきた。石油は石炭より安価でクリーンである。

＊カナダからアメリカへと至る石油パイプラインシステム。カナダの先住民が聖地への被害や水質汚染を理由に建設に反対していた。

しかもパイプラインを使えば、トラックや鉄道車両で燃料を運ぶよりもはるかに効率がいい。それなのにバイデンは、このパイプラインも、それに伴う数千ものユニオンジョブも台なしにしてしまった。

バイデンの仕事はこれで終わったわけではない。二〇二一年一月二七日には、また別の大統領行政命令を発表した。ホワイトハウスの説明によれば、次のような内容である。

本命令を実行し、パリ協定の目的に基づいて行動するにあたり、アメリカは全世界的な意欲を最大限に高めるために指導力を発揮する。天変地異を起こしかねない危険な気候の軌道から逃れるためには、世界規模での短期的な排出大幅削減を実現し、今世紀半ば（あるいはそれより早い時期）までの排出実質ゼロを実現する必要があることは論をまたない。アメリカの外交政策および国内安全保障政策において気候問題の優先を目的とする措置はさまざまあるが、そのなかでも本命令は、国家情報長官には、気候変動が安全保障に及ぼす影響に関する国家情報評価の作成を、国務省には、モントリオール議定書のキガリ改正の実施に向けて上院に送付する計画の立案を、各省庁には、気候に対する検討をそれぞれの国際事業に組み込む戦略の策定を命じる。（中略）

本命令はまた、公共の土地や水域の保全・回復、植林の促進、農業部門における炭素隔離の推進、生物多様性の保護、環境の再生に参加する機会の増加、気候変動への対処に新世代のアメリカ国民を従事させるため、市民気候部隊イニシアチブの設立を求める。
本命令は、健康・環境・経済・気候に関連する不当な影響を受ける恵まれないコミュニティに対処する計画や政策、活動を策定するよう連邦政府機関に命じることにより、環境正義を各機関の使命とするというバイデン大統領の公約を実現する。
本命令は、環境正義を最優先し、環境保護庁、司法省、保健社会福祉省における担当局の新設・強化を通じて環境正義に関する監視や執行を強化するなど、現在および過去の環境不正義に政府が一丸となって対処するため、ホワイトハウス環境正義庁間委員会およびホワイトハウス環境正義諮問委員会を設置する。（中略）
本命令は内務長官に対して、公有地や沿岸水域における石油や天然ガスの新たなリース契約を可能なかぎり中断し、既存のあらゆるリース契約や、公有地や水域の化石燃料開発に関する許認可慣行を厳密に再検討し、二〇三〇年までに洋上風力発電による再生可能エネルギー生産を二倍にするために可能な措置を検討するよう命じる（注78）。

バイデンのこの大統領行政命令は、勅令という形で連邦議会での討議を回避し、急進的な目標を掲げるグリーン・ニューディール政策運動の基盤を築いた。
こうして資本主義というアメリカ経済の原動力に連打を浴びせたばかりか、バイデンは続いて、想像を絶する額の支出を行なって国家を膨大な借金へと追い込み、民間部門の資金数兆ドルを自身の政治的優先事項に流用し、アメリカの産業にかつてない規制管理を押しつけることで、民間経済に対する前例のないほどの権限を連邦政府に与えようとした。その目的は、脱成長論者やグリーン・ニューディール政策支持者の要求を満たす最初の一歩を踏み出すとともに、アメリカの社会や日常生活の重要な側面を再編成することにある〈注79〉。

実際、バイデンは二〇二一年三月三一日、二兆五〇〇〇億ドル規模の計画を公表した（いわゆる新型コロナウイルス救済法のもとですでに支出された一兆九〇〇〇億ドルに加えてこの額である。しかもこの一兆九〇〇〇億ドルのうち、実際に新型コロナウイルスに関連していたのはわずか九パーセントに過ぎない〈注80〉）。この計画には以下の内容が含まれている。「『市民気候部隊』の創設に一〇〇億ドル、『人種的公正および環境正義の推進』に二〇〇億ドル、電気自動車の助成に一七五〇億ドル、二〇〇万戸の住宅・建築物の建設・改修に二一三〇億ドル、公立学校の新設および『環境に優しい』学校給食推進に一〇〇〇億ドル、コミュニティカレッジに一二〇億ドル、ＳＴＥＭ教育における『人種・ジェンダーの不平等』の排除に数十億ドル、ブロードバンド・インターネット（およびそれに対する政府の管理）の拡大に一〇〇〇億ドル、政府育児計画に二五〇億ドル」。一方、この数兆ドル規模の計画のうち、実際に「運輸関連のインフラや回復力」に充てられるのは、わずか六二一〇億ドルでしかない〈注81〉。しかもバイデンによれば、これでおしまいではないという。革命に終わりはない。急進派ウェブサイト《マザー・ジョーンズ》はこう報じている。「民主党左派は、［二兆五〇〇〇億ドル規模の］この計画では、国が直面する危機への対処にはとうてい十分とは言えないと主張している。連邦議会革新議員団の議長を務めるプラミラ・ジャヤパル下院議員（ワシントン州選出の民主党議員）は、バイデンが大統領選の際に気候問題だけでも二兆ドルの支出を公約していた点を指摘し、この計画を『さらに大幅に拡大すべきだ』と言う」（注82）。実際に民主党は、THRIVE法なるものを準備している。THRIVEとは、「Transform, Heal, and Renew by Investing in a Vibrant Economy（活気ある経済への投資による変革・回復・再生）」の略称であり（注83）、その費用はなんと一〇兆ドルである（注84）。

これらすべてが実現すれば、大衆はエネルギー面で苦労を強いられることになるだろう。その実例が、アメリカの州で最大の人口を誇るカリフォルニア州である。同州はいまや極左派の環境実験の場と化している。二〇二〇年の夏には、同州の気候政策のせいで広範囲にわたり停電が起きた。熱波のさなか、何百万もの市民が電力を遮断されてしまったのだ。*《フォーブス》誌の記事のなかで、マイケル・シェレンバーガーがこう解説している。「カリフォルニア州が（中略）一年にも満たないうちに二度目の停電を経験した根本的な原因は、同州の気候政策にある」「カリフォルニア州では二〇一一年から二〇一九年までの間に、再生可能エネルギーの急拡大により、国内のほかの地域の六倍も電気価格が高騰していた」（注85）

シェレンバーガーは言う。「二〇一一年から二〇一九年までの間にソーラーパネルのコストは劇的に減少したが、太陽光発電には、安定性が低く天候に左右されやすいという性質がある。

＊直接の原因は、一基の従来型発電設備の故障、およびもう一基の従来型発電設備が運転休止中により利用できなかったことによる。

そのため、電力を確実に維持するための貯蔵や伝送といった面で、新たに多大な犠牲を強いられることになった。今回の停電が始まったのは夜間に入ろうとしていたころで、カリフォルニア州のソーラーパネルや太陽光発電所はすべて停止しつつあり、すでに日没を迎えていた東側の州から支援してもらうこともできなかった。（中略）一年未満の間に二度も停電があったという事実は、カリフォルニア州が数百億ドルを費やしてきた再生可能エネルギーが、生活・経済・環境に多大な損失をもたらすことを力強く証明している」（注86）

また、テキサス州の事例もある。二〇二一年二月、テキサス州は厳しい冬の嵐のさなかに悲惨なエネルギー危機を経験した。エネルギー問題は、やはり再生可能エネルギーに関する法令を持つカリフォルニア州が昨年夏に起こした問題を想起させる。（中略）これらの経験が証明しているように、異常気象時には、ソーラーパネルや風力タービンは電力供給網に対してほとんど役に立たない。助成や法令により、電力供給網の確実性や回復力を犠牲にしてそれらに投資が行なわれている場合はなおさらである」（注87）

ＩＥＲの報告によれば、再生可能エネルギーへの依存度を高めているテキサス州は悲惨な状態にあるという。「風力タービンは、場合によっては（中略）テキサス州でつくられる電力の半分以上を生み出す。風力による発電量が落ちたり需要が急増したりしたときには、化石燃料による発電を増加させて不足分を補う。エネルギー情報局によれば、二月七日の午前から二月一一日にかけて、同州の発電に占める風力発電の割合が、四二パーセントから八パーセントにまで低下した。そのため七日の夜には、天然ガス発電所が四万三八〇〇メガワットの電力を生産し、石炭発電所がさらに一万八〇〇〇メガワットの電力を提供した。両発電所が冬の一日のピーク時に生産する一般的な量の二〜三倍である。二月八日午前一二時から二月一六日までの間、風力による発電量が九三パーセント減少する一方で、石炭による発電量は四七パーセント、天然ガスによる発電量は四五〇パーセント増加した。原子力発電所は、安全機能を担う（システムの安定を示す）センサーが、作動せず、原子炉が停止したため、発電量が二六パーセント減少した。（中略）同州の電力供給網は、助成金に支えられ、断続的に発電する風力エネルギーや太陽光エネルギーにますます依存するようになっているが、この電力供給網で需要の急増に対処するにはバックアップ電源が必要だ。天然ガスも役に立つが、確実性の高い石炭や原子力による発電も必要になる」（注88）

ＩＥＲは次のように警告している。「バイデンをはじめとする政治家たちが未来のために望んでいることは、（中略）エネルギーの安全保障や回復力の増加に逆行している。彼らは『グリーン・ニューディール』やそれに類する政策を支持し、炭化水素の消費をやめ、無炭素エネルギーのみを利用すべきだと表明している。ほぼ再生可能エネルギーだけで電力を生み出し、その電力だけで経済のあらゆる部門の需要を満たすことを望んでいる。だが、自家用車やトラックなどの車両をすべて電化し、増加する電力需要を主に再生可能エネルギーでまかなうとなると、これまで利用してきた炭化水素エネルギーをそれに置き換える必要が生じる。しかし炭化水素は、わが国の電力の六二パーセントを供給しており、強制的に早々と使用を中止されることがなければ、今後数十年はもっと思われるエネルギーである」（注89）

バイデンは二〇二一年一月、「サーティ・バイ・サーティ」自然保護計画の作成を内務省に要請する大統領行政命令を発表した。内務省が農務省や商務省と協力し、これまで以上に積極的な自然保護政策の第一段階として、「二〇三〇年までにわが国の土地や水域の三〇パーセント以上」を保護する計画である。左派系のウェブサイト《ヴォックス》は、この取り組みを「自然保護に対する革新的アプローチ」と評している。詳細はまだ不明だが、この計画により、私有財産の所有者や、公的に利用可能な土地、公的に利用されている土地に対して、どのような権限が行使される可能性があるのかは想像がつく。実際《ヴォックス》は、この計画を「記念碑的」と称賛し、こう述べている。この計画により「『自然保護』の意味が再定義され」「先住民の権利や主権が最重要視され」「農場や牧場など現在利用されている土地がこの三〇パーセントに貢献し」「低所得コミュニティが自然に触れやすくなり」「数多くの雇用が生まれることになる」（注90）

だが言うまでもなく、この運動がマルクス主義志向の願望を抱き、連邦政府の官僚が私有財産に反対する傾向を持ち、歴代の政府が行き過ぎた措置を無限に続け、連邦政府が土地や水域の利用判断を管理しようとしていることを考えれば、これはすべて、経済や財産権が崩壊する兆候でしかない。

残念ながら、反資本主義的な脱成長論の信者にとって、真の科学や経験、知識など何の意味もない。私は以前、『略奪と欺瞞』にこう記している。マルクス主義志向の思想は「疑似宗教や公共政策妄想へと発展してきた。実際、脱成長論者の主張によれば、自分たちのイデオロギーは、環境問題どころか資本主義への憎悪さえはるかに超え、すべてを包括する生活様式、支配的な哲学になるという」(注91)。彼らの影響力はいまや大統領執務室や連邦議会の議場にまで及び、アメリカの経済的偉業が、私たちの目の前で瞬く間に解体されようとしている。

第6章

プロパガンダ、検閲、破壊活動

Propaganda, Censorship, and Subversion

本章の目的は、拙著『失われた報道の自由』で詳細に述べたことを要約して再掲することではない。それでも、現在のメディアが、批判的人種理論や一六一九年プロジェクト、脱成長運動や反資本主義闘争など、反米主義的でマルクス主義（共産主義）的な思想の扇動者と呼ぶにふさわしいことを説明するには、まず最初にこの著書と部分的に重なる内容を取り上げる必要がある。

社会主義系雑誌を自称する《ジャコビン》誌に、スティーヴン・シャーマンが次のような記事を掲載している。「社会人になってからのマルクスは、いわばジャーナリストのような存在だった。一八四二年には《ライン新聞》への執筆を始め、一八四八年には自身の新聞を発刊している。そのほか、［ニューヨーク・］トリビューン紙の通信員を務めていたこともある。これは、一八四八年にケルンで同紙の編集者チャールズ・ダナ（のちに《ニューヨーク・サン》紙の編集を務めることになる）に会い、その数年後に、ドイツの状況に関する記事を同紙に寄稿するよう頼まれたからである。マルクスとエンゲルスは同紙を、自分の見解を広め、大勢の読者との討論に影響を及ぼすための手段と見なしていたらしい」（注1）

二〇〇八年には、《ニューヨーク・トリビューン》紙に掲載されたマルクスの記事をまとめた書籍『Dispatches for the New York Tribune（《ニューヨーク・トリビューン》紙への特電集）』が出版された。その編集を担当したジェイムズ・レッドベターが、あるインタビューでこんな指摘をしている。「《ニューヨーク・トリビューン》紙の記事を執筆するときのマルクスの基本的なアプローチは、以下のようなものでした。選挙や暴動、アロー戦争、アメリカ南北戦争の勃発など、話題になっている出来事を取り上げ、それをふるいにかけ、政治または経済に関する根本的な問題にまで煮詰める。そしてその問題について、自分なりの判断を下すのです。こうして見るとマルクスのジャーナリズムは、現在政論新聞や意見新聞に掲載されている記事に似ています。ジャーナリストとしてのマルクスの記事と、二〇世紀の（特にヨーロッパの）主な政治ジャーナリズムの特徴だった公共問題に関する偏向的な記事との間に、直接的なつながりがあるのは明らかです」（注２）

このようにマルクスは、現代のジャーナリストと同じようにジャーナリズムにアプローチしていた。つまり、事実に基づいたニュース報道という責任に縛られることなく、自身の見解やイデオロギーを中心にニュースを方向づけていったのである。

レッドベターはこう語っている。「一八四八年以降、マルクスは反革命の力を実感し、情報に基づいて組織化されたプロレタリアートを動員できなければ、既存の政治制度や経済制度を打倒できないと考えるようになりました。しかし、その後年々明らかになったように、多くの国ではそのような組織化は、たとえ実現したとしても数十年も先のことでした」（注３）

要するにマルクスは、マス・コミュニケーションの力を理解するとともに、事件や見解をある枠にはめて発信するにはマス・コミュニケーションを形成・管理する必要があることも理解していた。その目的とするところはプロパガンダであって、情報を伝えることではない。

「マルクスが《ニューヨーク・トリビューン》紙に寄稿した記事に目を通してみると、ヨーロッパやインドの暴動や危機の描写に、あせりと言っていいほどの切迫性や興奮を感じないではいられません。トウモロコシの価格の急騰やギリシャ当局とのささやかな騒動が、革命を引き起こす火花になるかのような書き方をしているときもあります。しかし、そのように感じたマルクスを非難することはできません。何しろこの時期には、ヨーロッパの国王が次々と失脚させられ、自由主義にとどまらない革命が、さまざまな舞台で間違いなく起こりそうに思えたからです。しかしなかには、マルクスの思考が制御を失っているように見えるときもあります。また、革命は大衆の準備ができたときにのみ起こるが、革命が起こるまでは、大衆の準備ができているかどうか確かなことはわからない、という同語反復に陥る傾向も見られます」（注4）

レッドベターによれば、マルクスは唯物史観というイデオロギーを唱道する革命家だったことは確かだが、その前に、何よりもまずジャーナリストだったという。「現在ではマルクスは、経済理論家とか政治思想家と見なされており、歴史家とか哲学者と言われることもあります。これらの肩書はそれぞれ妥当ですが、不完全でもあります。歴史的な記録を見れば、マルクスはむしろ記者やジャーナリストと考えるべきです。私が編集したペンギン・クラシックスの一冊は、その仕事のほんの一部に過ぎません。マルクスはエンゲルスの手を借りて、全部で五〇〇本近い記事を《ニューヨーク・トリビューン》紙に発表しました。その量は、五〇巻に及ぶ二人の全集の七巻近くを占めています。マルクスをジャーナリストと見なせば、マルクスの著

作における文章法の重要性を理解するのに役立つのでないかと思います」(注5)
実際、《ニューヨーク・タイムズ》紙や《ワシントン・ポスト》紙、CNNやMSNBCなどの報道機関に在籍する現代のジャーナリストには、ジャーナリストとしてのマルクスと共通するところがたくさんある。それを以下で証明していこう。彼らは、記者としての従来の役割を放棄して社会活動家としての役割を採用し、アメリカのさまざまなマルクス主義運動が重視する課題や目標を推進している。こうした役割の移行は一夜にして起きたわけではなく、この一世紀を通じて徐々に進められていった。
その証拠に、本書でもすでに紹介したシカゴ大学の英語教授、故リチャード・M・ウィーヴァーが半世紀以上前に、アメリカで真正なジャーナリズムの終わりが始まったと述べている。その著書『思想には結果が伴う』には、現代の報道機関は社会にきわめて否定的な影響を及ぼしているとある。ウィーヴァーはもちろん、報道の自由に反対しているのではなく、その自由のあり方に不快感を抱いていたのだ。「プラトンは、真実は生きものであり、活発な議論を通じてさえ完全には把握できないものであり、それをこのうえなく純粋な形で書き留めることなどできないと考えていた。だが現代では、それとはまったく逆の考え方が台頭しつつあるようだ。主張がみごとに定型化されればされるほど、称賛される可能性が高くなるのである。現代の印刷機のような力強い高価な機械は当然、知識ある人々の手に委ねられるものと誰もが思い込んでいる。印刷された言葉が信頼され、ジャーナリズムが神託の域にまで達している。だが、

『パイドロス』[*]の次の言葉ほど、現代のジャーナリズムを適切に表現しているものはない。『彼らは博識なように見えるが、たいていは何も知らない。知識があるという現実味のない評判を持つだけの忌々しいやからに過ぎないのではないか?』」（注6）

ウィーヴァーは言う。「真実が合意の産物として認識されるものであるなら、『いつもと同じ単一の回答』を与える物語の印刷や配布によってのみ真実が伝達されている場合には、それを伝達する仕組みの物理的能力を疑ったほうがいい。こうした状況は即座に、報道機関の支配者に何らかの意図があるのではないかとの疑念を引き起こす。現代の出版物が議論を最小限に抑えようとしていることを示す証拠は無数にある。巧みにそんなことはないふりをしてはいるが、現代の出版物は、意見の交換を望んでいない（学術的な問題ではそんなことはないかもしれないが）。むしろ、大衆がその記事を読んで、内容をそのまま受け入れることを願っている」（注7）

ここでウィーヴァーは、組織化されたプロパガンダこそがメディアの本質だと非難している。発信する事柄について特に知識があるわけでもなく、特定の見解を宣伝するだけの人々によるプロパガンダである。

ウィーヴァーの主張は続く。「ジャーナリズムが公共の福利に貢献しているという主張に対して、重大な疑念を抱かせる状況がもう一つある。新聞は常に、関心を引くために事実を歪める必要に迫られている。（中略）新聞が衝突や争いを糧《かて》にしていることは、否定しようのない

＊プラトンの中期対話篇の一つで、そこに登場する人物の名。

事実である。大衆向けの雑誌や新聞の見出し（象徴的に赤字で記載されている場合が多い）を調べてみれば、ニュースと考えられているのがどんな種類のものかがわかるだろう。重大なニュースの背後には、ほぼ必ず何らかの争いがある。争いこそがドラマの本質だからだ。新聞が意図的に言い争いを始め、長引かせているのは自明の理である。申し立てや巧妙な引用、ささいな相違の強調などの手法を使い、これまで何も存在していなかったはずのところに対立を生み出す。それが実質的な利益になる。争いを際立たせればニュースになるからだ。概してジャーナリズムは、争いが始まると喜び、争いが終わると残念に思う。より扇情的な出版物になると、鮮烈な動詞や強調的な形容詞など、無謀な言葉づかいで表現された情熱的で暴力的な雰囲気が記事のなかに忍び込む。こうして犯罪者や政治家の悪事に注目させ、犯罪者を英雄に仕立て上げ、政治家を実際以上に偉大に見せる」（注8）

私としては、もう一歩踏み込んでこう述べたい。報道機関は言い争いを始め、長引かせるだけでなく、現在ではさらに、さまざまなマルクス主義運動の目的にかなう課題や目標を利用して勢力を広げ、イデオロギー的な方向へ全国民をあおり、その分断を図っている。

ウィーヴァーは言う。「新聞には堕落へと向かう根強い傾向がある。それを再確認するため、［作家の］ジェイムズ・フェニモア・クーパーの文章を引用したい。クーパーは扇情的ジャーナリズムが到来する以前の時代の人物だが、『The American Democrat（アメリカの民主主義者）』のなかで、このうえないほどの真実味と雄弁さとで、現代の状況の本質を明示しているように見える。『この国の報道機関は現在、害悪をもたらす巨大な主体により特別に考案され、この国のあらゆる善を弱め、破壊し、この国のあらゆる悪を強め、発展させているように見える。そこで主張されるささやかな真実は、一般的には粗暴な形で主張され、中傷により弱められ、有害なものにされている。虚言や誤謬、憎悪、不公平、陰謀の計画を人生の指針とする人々は、報道機関を、悪魔が自分の計画を実現するために発明した道具だと見なしている』」(注9)

ウィーヴァーもクーパーも、強調している点は同じだ。ジャーナリストが傾倒し、公然と支持している出来事や運動の筋道に反する人間や対象を攻撃するため、メディアが利用されるということだ。こうした事態は、毎日のように見られる。たとえば、個人や集団を気候変動否定論者や嘆かわしいトランプ支持者、白人優越主義者などと見なして執拗に反論する、といった事例である。

ウィーヴァーはこうも述べている。「絶え間なく続くこうした扇情的報道は、大衆が聞きたがっていることを積極的に伝えていると称賛される一方で、過去のさまざまな出来事を一つにまとめあげてきちんと熟考する営みを減退させる。こうして熟考されることがなくなると、個人は以前の自分を知る機会を奪われる。そのような記憶を保持していない人が形而上学的なコミュニティの一員になれるとはとうてい思えない。あらゆる行為や直接的な知識は、現在における過去の存在に左右される。現代の政治倫理が低下している主な要因が、このような心の状

態にあるのはほぼ間違いない」（注10）

言うまでもなくマルクス主義思想とは、未来の生活を浄化するために歴史を一掃するという内容である。つまり、過去のものはすべて否定し、必要があれば暴力的な革命を通じて破壊し、マルクス主義的な社会に道を譲らなければならない。

後述するようにいまでは、プロパガンダや疑似イベント*、社会運動、狙いを定めた個人攻撃を組み合わせたものが、従来のジャーナリズムに取って代わり、アメリカのマルクス主義者が支持するさまざまな理念や運動を積極的に推進している。

現代のプロパガンダの父と称されるエドワード・バーネイズは、一九二八年に発表した著書『プロパガンダ』**にこう記している。「プロパガンダとは、ある事業や思想、集団と大衆との関係に影響を及ぼす出来事を創出・形成する、一貫した長期的な取り組みを指す。（中略）これにより組織化できる人間は膨大な数に及び、いったん組織化された人間はきわめて強情になるため、この集団はときに、議員や編集者、教師にもなす術がないほど圧倒的な力を持つに至る」（注11）

さらにバーネイズは言う。「［エリートや活動家も含めた］少数派は、多数派に影響を及ぼす力強い手段を発見した。その手段には大衆の心を形成する力があることを知った彼らは、この新たに獲得した力を望みの方向へ投じることになるだろう。現在の社会構造では、そうなることは避けがたい。現在なされている社会的に重要なことは、政治・財政・製造・農業・慈善・

＊メディアが報道することを期待して人為的に仕組まれた、現実に対する関係があいまいで自己実現的な出来事。

＊＊邦訳は中田安彦、成甲書房、二〇一〇年。

教育など、どの分野であれ、プロパガンダの力を借りて行なわれる。プロパガンダは、目に見えない政府の行政執行機関なのだ」（注12）

これに対してリチャード・ガンダーマンは、ウェブサイト《phys.org》に掲載された記事のなかでこう指摘している。「バーネイズの著書が提供しているのは、プロパガンダの妥当性を評価するための原則や規範ではなく、世論を形成するための手段である。それは人間のためになるかどうかを問わず、いかなる目的にも利用できる。第二次世界大戦時には、最高裁判事フェリックス・フランクファーターがこの見解をもとに、バーネイズに指導的役割を与えないようフランクリン・ルーズヴェルト大統領に警告した。実際、判事はバーネイズやその仲間を、『人間の愚かさや狂信、私欲を利用して世論に害を及ぼす専門家』と表現している」（注13）

またハロルド・ドワイト・ラスウェルは、一九二七年に発表した著書『宣伝技術と欧洲大戦』[*]のなかで、プロパガンダは学識や知恵を装って報道機関などで利用されるツールだと述べている。「プロパガンダとは現代世界の合理性を受け入れることである。学識の高い世界、読み書きのできる世界、教育された世界は、議論やニュースを糧に発展することを好む。その世界が印刷物を利用するレベルにまで洗練されると、印刷物に頼る者は報道機関を人生の指針とするようになる。だが知識を伝達する機関はすべて、さまざまな種類の疑似合理的な要求やそのシンボルを世に広める。プロパガンダのオオカミは、ヒツジの皮をかぶって変装することをためらわない。作家や記者、編集者、説教師、講師、教師、政治家など、現代の弁舌巧みな

＊邦訳は小松孝彰訳、高山書院、一九四〇年。

人々はみな、自分の声を増幅するプロパガンダへと吸い込まれていく。合理的な時代であるがゆえに、すべてが知性で装飾され、礼儀正しく行なわれる。生肉ではなく、手際のよい巧みなシェフにより調理され、盛りつけられた肉が求められるのである。

さらに、政治理論家の故ハンナ・アーレントは、著書『全体主義の起原』にこう記している。「間違いなく大衆は、現実から逃避したいという欲求にとりつかれている。というのは、大衆は本質的によるべない存在であり、現実が持つ不可解な偶然的性質に耐えられないからだ。だがその一方で、このフィクションへのあこがれが、単なる存在よりも優れた構造的一貫性を備えた人間精神の能力と何らかの関係があることもまた、間違いのないことである。大衆の現実逃避は、大衆が生きることを強いられている世界、大衆が生きていけない世界に対する一つの判断である。なぜならその世界では、偶然が至高の主人となり、人間は絶えず、偶然ばかりの混沌とした状態を、比較的一貫性のある人工的なパターンに変えていかなければならないからだ。『現実性』や常識、『世界の妥当性』に対する大衆の反乱は、（中略）大衆が細分化され、社会的地位を失い、それとともに、常識が意味を持っていた共同体でのあらゆる関係を失った結果なのである。大衆が精神的にも社会的にもよるべない状態に陥ったいま、無作為と作為、偶然と必然との相互依存関係について熟慮された知見はもはや、力を持たない。このように、常識がその妥当性を失ったところでのみ、全体主義的なプロパガンダは常識にひどい侮辱を加えることができる。大衆は、無秩序な成長や気まぐれな衰退に直面するか、途方もなく空想的だが堅固な一貫性を備えたイデオロギーを崇拝するかの選択を迫られると、ほぼ必ず後者を選び、そのために個人を犠牲にする覚悟を決める。これは、大衆が愚かだからでも邪悪だからでもなく、この全面的な災厄のなかでも、この逃避により最低限の自尊心を手に入れられるからである」（注15）

要するに、一体化した市民社会が終わり、公正な社会秩序が解体され、衰退の道をたどっている文化や社会に暮らす人々は、危険なフィクションを信じ込み、それに従う可能性がきわめて高くなる。たとえそれが、自身の破滅につながっていたとしてもである。

さらにアーレントは言う。「全体主義運動は、権力を掌握してその理念に従った世界を設立する前に、一貫性に満ちた虚偽の世界を提示する。その世界は、現実そのものよりも人間精神のニーズに適しており、そこでならよるべない大衆も、心からの安堵を覚え、現実の生活や経験が人間に絶えず投げかけてくる、人間の期待を裏切る衝撃を回避できるような気になる。このように、全体主義のプロパガンダが持つ力とは、大衆を現実世界から遮断する能力にある（全体主義運動はその後、この想像の世界がもたらす気味の悪い平安をわずかばかりの現実により乱されるのを防ぐため、鉄のカーテンを降ろす力を持つに至る）。それでも現実世界は、大衆が分裂・崩壊していること、悪運に見舞われるたびにだまされやすくなっていることを理解するわずかばかりのヒントを提供してくれる。そのヒントとは、現実世界における空白、つまり、現実世界が公的な場で議論したがらない問題、現実世界があえて反論しようとしない噂

である」（注16）

私自身も、『アメリカのユートピア』のなかでこう訴えたことがある。「［全体主義を含め］ユートピア主義は、（中略）社会に幻滅している者、不平や不満を抱いている者、社会に適応できない者のなかに、その主義を受け入れてくれる聴衆を見つける。こうした人々は、その社会の現状あるいは自分がそう思い込んでいるだけの現状に対して自ら責任を負う意思も能力もなく、それを環境や『制度』などのせいにする。そのため、ユートピアへの変革という偽りの希望や約束、あるいは、一時的にさえつながりを持てない既存の社会への批判に魅了される。こうして、不満を抱く人々の運命の改善が、ユートピア的な運動と結びつけられる。そして、成功した者や社会に適応している者をおとしめ、糾弾することが必須の戦術になる。（中略）人間の弱さ、不満、嫉妬、不平等を利用して、不満を抱く人々のあてどない不幸な生活のなかに、意義や自尊心が生み出される。単純化して言えば、公正、公平、高潔な取り組みとして、平等な不幸（つまり、結果の平等あるいは服従）が推進される。したがって自由は、平等に役立つ場合を除き、本質的に不道徳なものと見なされる」（注17）

また、シカゴ大学の歴史学教授で、アメリカ議会図書館の司書も務めた故ダニエル・J・ブーアスティンによれば、プロパガンダのほかに「疑似イベント」もあるという。これはいわば、演出された報道である（これも一種のプロパガンダと言えるかもしれない）。「全体主義社会には意図的な嘘があふれており、事実が正しく伝えられることはもちろんないが、あいまいに表現されることもない。プロパガンダの嘘は、それが正しいものであるかのように主張される。その目的は、真実は実際よりも単純でわかりやすいものだと大衆に思い込ませることにある。（中略）プロパガンダは経験を過剰に単純化するが、疑似イベントは経験を過剰に複雑化する」（注18）

ブーアスティンは、メディアが巧妙に疑似イベントを利用して理念や思想の普及を推進しているという。「疑似イベントの増加が、ニュース記事から私見や個人的な判断を排除するよう報道記者に義務づける職業倫理の高まりと一致していると言うと、最初は奇妙に思えるかもしれない。だが現代の報道記者は、疑似イベントを生み出すことで、個性や創造的想像を入れ込む余地を確保している」（注19）

私たちのまわりには、実際のニュースよりも疑似イベントがあふれ返っている。つまり、ジャーナリストがつくりあげた嘘の現実である。たとえば、アメリカではこの数年間、ドナルド・トランプ大統領がロシアと共謀して二〇一六年の大統領選に勝利したという「ニュース」が繰り返し報じられてきた。それを受けて議会聴聞会が開かれ、犯罪捜査が行なわれ、さらに関連するニュースが無限に積み重ねられた。まったくの虚偽でしかないニュース報道に、ピューリッツァー賞まで授与された。これは、報道史上最大のメディア詐欺と言っていい。

ブーアスティンは言う。「わが国のような民主社会、きわめて識字率が高く、裕福で、技術的に発展した競争社会では特に、疑似イベントがあふれ返るおそれがある。わが国の言論・報道・放送の自由には、疑似イベントを生み出す自由も含まれる。対立する政治家、対立する報道記者、対立するニュースメディアが、疑似イベントの創出を競い合う。それぞれが、魅力的で『有益』な記事や世界像を提供しようとする。彼らは事実について自由に憶測し、新たな事実を自由に生み出し、自身が考案した疑問に対する回答を自由に要求できる。つまり、わが国の『思想の自由市場』は、大衆が競合する疑似イベントに出会い、そのなかで判断することを認められている場だと言える。大衆に『情報を伝える』とは、そういう意味なのである」（注20）

そうなると、私たちは同時に二つの世界に暮らしていると言える。メディアが私たちのためにつくったフィクションの世界と、私たちの日常生活が展開される、疑似イベントとはほとんど関係のない現実の世界である。だが、前者に魅力を感じる人は大勢いる。ブーアスティンは言う。「アメリカ市民は、現実よりも空想のほうに現実味がある世界に暮らしている。そこでは実物よりもイメージのほうに重みがある。私たちはあえて混乱に立ち向かおうとはしない。あいまいな経験は玉虫色で心地よく、つくられた現実を信じることで得られる慰めはこのうえなく現実的だからだ。こうして私たちは、この時代の壮大な詐欺の熱心な共犯者となる。これは、私たちが自身に仕掛ける詐欺なのである」（注21）

説得力のある疑似イベントが繰り返し報道され、至るところに蔓延すれば、誘惑的な力が生まれ、現実の出来事を捏造された出来事と区別するのが難しくなる。そしてたいていは、事実よりも虚偽のほうが心を動かすようになる。「疑似イベントは、その本性からして、自然に起きた出来事よりも興味深く魅力的な場合が多い。そのため、現代のアメリカの一般的な生活では、疑似イベントがほかのあらゆる種類の出来事を私たちの意識から締め出すか、少なくともほかのあらゆる種類の出来事の価値を低下させてしまう傾向がある。熱心に情報を収集している市民でさえ、自然に起きた出来事が疑似イベントに覆い隠されてしまっていることになかなか気づかない。むしろ現代では、こまめな『情報収集』に取り組んでいる人ほど、そうなりがちだ」（注22）

疑似イベントはプロパガンダ同様、大衆をだまし、コントロールし、方向づけることを目的としているだけに、マルクス主義運動や全体主義運動の推進に欠かせないものとなる。つまり、疑似イベントはむしろ、自由で民主的な、開かれた社会を完膚《かんぷ》なきまでに破壊してしまう。ブーアスティンは言う。「一九世紀アメリカのきわめて急進的な現代主義者たちは、環境が人間をつくると考えていた。一方、二〇世紀のアメリカに暮らす私たちは、環境が人間をつくるという考えを維持したまま、人間がほぼ全面的に環境をつくることもできると考えている。（中略）だがそれは何のためだろう？　人間が環境をつくり、自分の望むもので経験を満たすことができるのなら当然、神をつくることもできるのではないだろうか？」（注23）

最近では、ジャーナリズム学の教授らが、報道のなかに「社会運動」を紛れ込ませるもう一つの手段を発明している。彼らはそれを、「パブリック（あるいはコミュニティ）・ジャーナリ*

＊読者や視聴者の要請に応え、問題の解決法を一緒に探しながら、その経過を報道するジャーナリズムの手法。

ズム」と呼ぶ。アメリカのマルクス主義者全般、とりわけ教育界のマルクス主義者と同じように、いまアメリカの大多数のニュース編集室で社会運動を推進しているジャーナリストはいずれも、ジョン・デューイの支持者である。その大半は積極的に支持しているが、なかにはそれに気づいていない人もいる。また、公然とそれを認める人もいれば、そうでないふりをしている人もいる。デューイはこう主張する。「進歩主義を再生する第一の目的は、教育にある。つまりその任務は、出来事の実際の展開とほぼ一致する知性や性格の傾向、知的・道徳的なパターンの生成を支援することにある。何度も言うが、外的な世界で起きている出来事と、求め、考え、感情や目的を実行に移す方法との分断こそが、現代における知性の混乱や活動の停滞の根本的原因である。人間の知性に働きかけるだけで、状況に実際的な変化をもたらす行動がなければ、この教育の任務を達成することはできない。全面的に人間の内面に働きかけるものとして構想された『道徳的』手段だけで気質や態度を変えられるという考え方は、それ自身が古い思考パターンであり、変更していかなければならない。思考や欲求、目的は、周囲の条件との相互作用から生まれる絶えざる駆け引きのなかに存在する。それでも断固たる思想は、その行動の変化の第一歩となる。この行動の変化が、さまざまな傾向の知性や性格に必要とされるさらなる変化をもたらすことになる」(注24)

　このようにデューイは、ある種の「知性の傾向」や考え方を社会運動と組み合わせ、大衆の精神に植えつけなければならない、と主張する。要するに、大衆に社会運動の考え方を教え込む必要があるということだ。
デューイはさらにこう続ける。「進歩主義はいまや急進的になる必要がある。ここで言う『急進的』とは、制度の仕組みの徹底的な変革や、その変革を引き起こすための活動が必要だと認識することを意味する。というのは、現状により可能なことと現状そのものとの間の隔たりがあまりに大きいため、その場しのぎで行なわれる断片的な政策では、その橋渡しができないからだ。（中略）急進主義を、急進的な変革の必要性を認識する立場と定義するなら、いまや急進主義でない進歩主義は、すべて時代遅れであり、破滅する運命にある」（注25）
つまり、イデオロギーを行動に移し、社会全体に広めるために、必要に応じて急進的な措置を講じなければならない。中途半端な対策や措置ではいけない。デューイがはっきり理解していたように、マルクスもまた中途半端な対策を容認しなかった。社会主義を、自分のイデオロギーを粗悪化したものと非難し、それでは「労働者の楽園」を実現できないと訴えていた。
報道機関にいるデューイ支持者の意欲の源になっているのが、この思想である。彼らはいまや、大半のニュース編集室を占拠している。カリフォルニア大学サンディエゴ校の教授マイケル・シャドソンは言う。「パブリック・ジャーナリズムは、革新主義時代*の改革と同じように、大衆に権限を付与すると同時に、エリートや専門家に公的責任を担わせる、という取り組みを推進している。かつて進歩派は、大衆に権限を付与する国民発案や国民投票も、専門家に権限を移行する市政管理者制度も支持した。また、大衆に権限を付与する直接予備選挙も、学歴の

＊一八九〇年代から一九二〇年代にかけてアメリカの社会や政治の改革が飛躍的に進んだ時代。

ある人々に権限を付与する能力主義に基づく行政サービスも称賛した。大衆迎合主義的でもありエリート主義的でもあるこれらすべての改革に共通しているのは、政党や陳腐な党派争いに対する反感だった。これらの改革はまた、もう一つの点でパブリック・ジャーナリズムと共通している。それは、手続き主義を倫理的に重視しているという点である。手続き主義とは、解決策として特定の政策を擁護するのではなく、民主的な手続きを擁護する立場を意味する」（注26）

ジャーナリストたちは、そのようなアプローチをとるのは、特定の政治的・イデオロギー的立場を支持するためではなく、問題を解決してコミュニティに奉仕するためだと断言しているが、このような言葉に意味はない。たとえば、スタンフォード大学のコミュニケーション学教授セオドア・L・グラッサーは、二〇一六年に《スタンフォード・マガジン》誌に発表した記事のなかで本性をあらわにしている。その記事にはこうある。「ドキュメンタリー作家のケン・バーンズは、スタンフォード大学の卒業式できわめて挑発的なスピーチを行ない、二〇一六年度卒業生に対して、政治的相違を乗り越えて協力し、ドナルド・トランプを敗北させようと呼びかけた。また、直接名指しすることはなかったが、トランプをまったく大統領にふさわしくない人物だと批判した。政治的には主流派に属していたバーンズが、いかにも左派の映像作家マイケル・ムーアが言いそうな批判を行ない、トランプは『弱い者いじめをする幼稚な男』であり、『すぐに嘘をつく人間』であり、『自分自身やその富を増やすこと以外に関心を示したことがない』候補者だと訴えたのである。本人も語っていたように、バーンズはこの数十年間、自身の作品のなかで『絶えず意識的に中立を実践し、その立場を頑なに維持』し、多くの同僚を『支援する活動を避けて』きたが、いまではこう思っているという。『私にもあなたがたにも、もはや中立に留まってはいられないとき、黙ってはいられないときが来ている。私たちは口を開き、公然と意見を表明すべきである』。バーンズはさらに、ジャーナリストに対してこうも述べていた。『良質なジャーナリズムに対する絶えざる責任と、報道合戦が常に生み出す高い視聴率との間で板挟みになり』『このペテン師の正体をあばく』ことができないでいる、と」（注27）

グラッサーはこれに賛同するように、こう記している。「だがバーンズは、ジャーナリストが口を開いて公然と私見を述べ、少なくともトランプを相手にするときには中立的な立場を放棄することを、本当に望んでいるのか？　私心のない公平な記者という理想を捨てようというのか？　もはや公平性や客観性という美徳にこだわらない報道機関を思い描いているのか？　トランプをペテン師として告発する作品の制作を計画しているのか？　バーンズ自身が満足げに言及していた、CBSのあの伝説的なドキュメンタリー作家エドワード・R・マローの番組のようなもの、一九五〇年代にウィスコンシン州選出上院議員ジョセフ・マッカーシーのペテン師ぶりを暴露したあの番組と志を同じくするものをつくりあげようとしているのか？　私は、バーンズがこれらの疑問すべてにイエスと答えてくれることを望んでいる」（注28）

このような不誠実を披露しているのはグラッサーだけではない。『Public Journalism and Public Life（パブリック・ジャーナリズムと公共生活）』の著者であるデイヴィス・メリットはこう断言する。「私たちジャーナリストは市民と関係せざるを得ないため、また私たちの職業は民主主義の持続的な成功に左右されるため、公共生活の発展に寄与するための実用的な哲学を構築する必要がある。私はそれを『公平な関与』と呼ぶ。この哲学を採用するというのは、正しい判断や公平性、バランス、正確性、真実を放棄するという意味ではない。むしろ、遠く離れた報道関係者席からではなく、実際のプレーが行なわれているグラウンドにおいて、選手としてではなく、合意されたルールのもと、選手が結果を公平に判断するために必要となる公平な関係者として、これらの美徳を採用することを意味する。（中略）ジャーナリストは価値の領域に踏み込むべきではないという従来の考え方は、私たち（およびその産物）と一般市民との間になおいっそうの断絶を生み出すことになる」（注29）

では、メリットの言う公平な関与は、紙面上でどう展開されているのか？　以下にその一例を紹介しよう。メリットは二〇一五年一二月八日、自身が運営するカンザス州の地方紙に掲載した記事のなかで、こう述べている。「ドナルド・トランプはまだ一票も獲得しておらず、共和党全国大会の代議員数もゼロである。そのため、共和党にとって悲惨な候補者になりうる人物、アメリカにとって政治的災害になりうる人物を阻止する時間はまだある。だが、アラバマ州モビールでの騒々しい大規模な選挙集会を機に、トランプの奇妙な選挙運動が活発化したあ

の八月のころに比べれば、時間はあまり残されていない」（注30）
もちろんトランプはその後、大統領選に勝利することになる。それでもやはり、メリットが偏向したイデオロギーの推進を目的とするパブリック・ジャーナリズムの支持者であることに変わりはない。実際メリットは、トランプに対する憎悪をためらうことなく口にしている。「弱い者いじめもはなはだしく、一言の詫びもない、浅薄で無頓着な、真実のかけらもないトランプの選挙運動が続き、主流の共和党員は恐怖を覚えている。その大半が、こう考えているのだ。トランプのような過激な候補者が出ると、間違いなくまた大統領選で敗北を喫するだけでなく（バリー・ゴールドウォーターやジョージ・マクガヴァンがいい例だ）、上院選にも敗れるおそれがある、と」（注31）
メリットによると、パブリック・ジャーナリズム界隈の人間から見れば、客観的で公平な報道（あるいは少なくともそれを追求する姿勢）はあまりに不毛だという。つまり、口では民主主義を改善してコミュニティの問題を解決すると述べているが、本当のところその目的は、自分たちの政治的目標の推進にあるのだ。それにもかかわらず、メリットらは虫のいいことに、自分たちのアプローチは隠し立てのない真面目なものだと主張している。それどころか、自分たちを「よきサマリア人」*だとさえ見なしているらしい。メリットは言う。「私の主たる目的は、何らかの計画や実践を訴えたり促したりすることではない。そんなことをすれば、可能性を制限することになる。私の目標は、同業者の間でもそれ以外の場でも、民主主義のなかでの

＊苦しむ人々に惜しみない援助を与える心優しい人を意味する。

ジャーナリズムの真の立場について、思慮に富んだ真剣な議論を喚起することにある。だが、具体的な回答を即座に提供することを目指しているわけではない（たとえそれが可能であったとしても）。ジャーナリズムも公共生活も、瞬く間に現在の衰退期に達したわけではなく、瞬く間にそこから回復するわけでもない。したがって具体的な回答は、時間をかけて、真剣な実験を通じて見つけるべきである」（注32）

ニューヨーク大学のジャーナリズム学教授ジェイ・ローゼンもまた、パブリック・ジャーナリズムの伝道師の一人である。ローゼンはこう主張する。「未来の新聞は、図書館や大学、カフェなど、公共生活を増進させる施設との関係を再考する必要がある。それらの施設が新聞ネタになるときに『取材』するだけではいけない。また、それらの広告を出すだけでもいけない。新聞は、新聞の健全性が、大衆を私的世界から引きずり出す無数の施設の健全性に左右されることを理解しなければならない。なぜなら、公共生活の魅力が高まれば高まるほど、新聞の必要性も高まるからだ。犯罪ニュースは無数にあるが、編集者から見れば、人けのない街路こそ悪である。街路が空っぽになれば、読者がそれぞれの家に閉じこもって見る新聞の内容も空っぽになる」（注33）

ローゼンも、ほかのパブリック・ジャーナリズムの旗手たちと同じようにこう主張している。ジャーナリズムが死にかけているのは、客観的かつ公平にニュースにアプローチしていないからではなく、社会運動を通じて大衆に関与していないからだ、と。また、恩着せがましくこうも述べている。「大衆が多少なりとも無傷のまま『世のなか』に存在していると仮定するのであれば、報道機関の仕事は簡単だ。大衆のなかで起きている大衆にかかわる出来事を大衆に伝えればいい。だが、大衆が破綻した生活を送っていると仮定してみよう。抜け目なく積極的に社会問題に関与している大衆もいるかもしれないが、たいていは、ほかの圧力（そこには大衆自身からの圧力も含まれる）との闘いに疲れ、やがては屈してしまう。公共問題の軽視は、そのもっとも単純な結果であり、社会の細分化は、そのより複雑な結果である。お金が幅を利かせ、数々の問題が押し寄せ、疲労が浸み込み、関心がそがれ、皮肉がふくらむ。こうした危うい生活を送る大衆は、報道機関に別の仕事を求める。立ち上がるかどうかわからない大衆に情報を伝えるだけでなく、これから現れる変化を改善する仕事である。私が若いころに師と仰いだジョン・デューイも、一九二七年の著書『公衆とその諸問題』*のなかで、同じようなことを提案していた」（注34）

デューイを師と仰いでいたローゼンは、数年にわたり学生にジャーナリズムを教え、自身のイデオロギーに満ちた報道アプローチをセミナー研究生に奨励した。具体的なルールや形式などないと言われている「パブリック（あるいはコミュニティ）」ジャーナリズムの名のもとに、従来のジャーナリズムの放棄を促した。こうして「パブリック・ジャーナリズム」は、ニュース編集室のほぼ完全かつ広範な政治的偏向を正当化するのに多大な貢献を果たした。いまでは、アメリカのマルクス主義者が展開するさまざまな運動を支持する社会活動が、かつてのジャー

＊邦訳は阿部齊訳、筑摩書房、二〇一四年。

ナリズムを呑み込み、ニュースの代わりに偏向した意見を垂れ流している。

ローゼンも、グラッサーやメリットなど、ほかの大半のメディア関係者と同じように、トランプを公然と侮蔑することで、さらに自身の正体を暴露している。トランプはいわば、彼らの標的となることで、ほかの誰にもましてこの急進的運動の正体を明らかにする役目を果たしたと言える。たとえばローゼンは、二〇一六年の大統領選挙戦の際、《ワシントン・ポスト》紙に以下のような記事を発表している。「ある候補者が、さまざまな問題に対する自分の立場について大衆の混乱をあおり、有権者に情報の収集をあきらめさせ、むき出しの感情をもとに投票させようとしているとしよう。こうした条件下で、その候補者に『あなたはどんな立場なのですか？』と尋ねるのは、ジャーナリズムの目的を果たすことになるのか、それとも、その候補者の混沌とした計画に協力することになるのか？　ジャーナリストはきっとこう言うだろう。『われわれジャーナリストに何を期待しているのか？　主要政党の大統領候補者への取材をやめる？　そんな無責任なことはできない』と。そのとおりだろう。しかしこの反応は、知的な討論を避けている。選挙報道のあらゆる慣行の背後には、候補者は候補者らしくふるまうはずだという前提がある。私はこう尋ねたい。これらの慣行をまだ適用するのか、と。トランプのふるまいは通常の候補者とは違う。何の制約もない候補者のようにふるまっている。それならジャーナリストも、これまでどおりのやり方をする必要はない。新たな対応の仕方を考え、これまでにないことをしなければならない。有権者衝撃を与えることさえ必要になるかもしれな

い」（注35）

さらにローゼンは言う。「報道局の垣根を超えたかつてない協力が求められるかもしれない。かつてないほどの力強さでトランプに闘いを挑む必要があるかもしれない。取材に求められる礼節をかなぐり捨て、ひどく非協力的な態度を認めることが必要になるかもしれない。そして何よりも難しいことだが、トランプが特殊なケースであり、通常のルールがあてはまらないことを大衆に説明しなければならない」（注36）

このローゼンの指示はもちろん、容赦なく積極的に実行された。ところが、ジョー・バイデンが候補者になった前回の大統領選時、および大統領に就任したのちの報道では、「パブリック・ジャーナリズム」部隊は劇的な方向転換を示し、まったく私心を見せず、規律の行き届いた無関心さえ見せている。現在のメディアは、バイデンやそのきわめて急進的な目標を守る近衛兵と化しており、真剣かつ綿密な監視などほとんど行なっていない。

「進歩派」支持を自認する雑誌兼ウェブサイト《アメリカン・プロスペクト》上で、マーティン・リンスキーは単刀直入にこう述べている。「たとえて言えば、この［パブリック・ジャーナリズム］運動は、王様から公平無私というマントをはぎ取った。報道機関の重要人物たちはようやく、政治家や官僚、利益集団、市民たちが以前から気づいていた事実を認めた。つまり、メディアは公共問題というゲームに参加するプレイヤーであって、私心のない傍観者などではないということだ。メディアの行動やその手法は、メディアがその責任をとるつもりがあるかどうかにかかわらず、何らかの結果を伴う。（中略）ローゼンは、公平無私というジャーナリズムの神話を解体した。あらゆる記事、報道内容に関するあらゆる判断は、世界はこうあるべきだという（一般的には語られることのない）何らかの思い込みに基づいている。どんな形態の政治ジャーナリズムも、政治や民主主義が果たすべき役割に関するイメージに左右される、とのローゼンの主張は間違いなく正しい。そのイメージに公平無私などない（ローゼン自身の評価も含め、アメリカの民主主義の状態に関する評価も同様に、理想とする民主主義のイメージに当然左右される）。たとえば、所得の不平等に関する記事は、ニュース編集室に不平等を悪だと見なす視点が存在する場合にのみ、記事になる。選挙運動が、オックスフォードやケンブリッジで展開される討論よりもむしろスポーツ大会のように見えたとしても、それに懸念を覚えるのは、選挙運動はかつては上品なものであり、いまもそうあるべきだと考える人たちだけである」（注37）

アメリカのニュース編集室でプロパガンダや疑似イベント、社会運動が結びついた結果、悲惨な状態を呈する現代の報道が生まれた。そこにはもはや、ニュース報道に適用される明確な規範、従来の規範、職業上の規範は存在しない。こうしてジャーナリズムは一周回って、マルクス自身が適用したアプローチへと戻ってきた。ここでもう一度、前述したレッドベターの言葉を取り上げよう。「マルクスのジャーナリズムは、現在政論新聞や意見新聞に掲載されている記事に似ています。ジャーナリストとしてのマルクスの記事と、二〇世紀の（特にヨーロッパの）主な政治ジャーナリズムの特徴だった公共問題に関する偏向的な記事との間に、直接的なつながりがあるのは明らかです」（注38）。いまやマルクスの影響は、オピニオン・ジャーナリズムをはるかに超えて広がっている。その結果アメリカのメディアは、マルクス主義イデオロギーの特別弁護人、あるいは少なくとも、社会のさまざまな側面にそのイデオロギーをあてはめる人々の擁護者と化している。

だが、話はこれだけでは終わらない。事態はさらに悪化している。次の段階は、開かれた自由な社会からの必然的な離脱である。そこでは、洗脳や運動を通じて思想や結果が統制され、最終的には抑圧へと至る。つまり、イデオロギーの徹底的な実現を求めて敵を黙らせ、反対意見を封殺する。あるいは、妥協を拒否する人々を攻撃・排除する。

マルクス主義コミュニティの組織者として知られるソウル・アリンスキーは、その著書『Rules for Radicals（急進派のルール）』のなかでこう述べている。「刷新とは、大勢の国民が過去のやり方や価値観に幻滅するときが来たことを意味する。彼らは、どうすればいいのかは知らないが、現行の制度が失望をもたらし希望を奪う自滅的なものだということは知っている。変革を求めて行動することはないが、行動する人々に強く反対することもない。革命の機が熟していると言えるのはそんなときだ。（中略）覚えておいてほしい。汚染など、誰もが同意できるものを中心に大衆を組織すれば、組織された人々は行動に出る。そこからはすぐに、政治の腐敗や軍の腐敗へと自然にたどり着く」（注39）

メディアは、大衆の希望を奪い、アメリカの制度や伝統を攻撃するという点において、きわめて大きな役割を果たしてきた。アリンスキーの判断によれば、革命はもう間近に迫っており、いまこそ自分が主張する戦術を展開しなければならないという。その戦術とは、「攻撃対象を選定し、その活動を封じ、個人攻撃を行ない、分断を図る」というものだ。アリンスキーは言う。「闘争の戦術においては、組織者が常に考慮すべき普遍的なルールがいくつかある。第一に、敵を攻撃対象として選び出し、その活動を『封じ』なければならない。（中略）攻撃の中心となる標的がなければ、戦術として意味がないのは明白である。（中略）この集中攻撃は分断をもたらす。すでに述べたように、行動を促すためには、あらゆる問題を二極化しなければならない」（注40）

二〇一九年一月二日、NBCの番組《ミート・ザ・プレス》で司会を務めるチャック・トッドが、来るべき過酷な未来を描いてみせた。これまでに述べた最悪の行為や戦術をすべて取り入れ組み合わせた見解を、堂々と国民に表明したのだ。それは、アメリカの防波堤である言論の自由や思想の公正な競争の行く末を案じているあらゆる人々を震撼させたに違いない。トッドはこう述べたのだ。

今日は、普段なかなかできないことをしてみましょう。ある話題に切り込んでみようと思います。この年末に証明されたように、トランプ政権下ではそれがきわめて難しいことは百も承知です。それにもかかわらず私たちは、文字どおり地球を一変させる話題を深掘りしていきたいと思います。テレビのニュースで徹底的に取り上げられることのない気候変動の問題です。この時間に行なおうとしていることと同じくらい重要なのが、私たちが行なおうとしていないことです。私たちは、気候変動やその存在について議論しようとしていません。地球はどんどん温暖化しています。人間の活動がその主原因であることに疑いの余地はありません。したがって、気候変動否定論者に猶予を与えるつもりはありません。政治的な見解がどうあれ、この問題は科学的に決着がついています。また、気象と気候を同一視するつもりもありません。猛吹雪がマイアミを襲えば気候変動が存在する証拠になるように、熱波は気候変動が存在する証拠になります。今日は、専門家の皆さんをお招きして、気候変動に関する科学的知見やその影響、気候変動に対する政治停滞を打破する方策を明らかにしていきたいと思います（注41）。

確かに、地球は温暖化しているとか、その原因は人間の活動にあるといった見解はある。だが、それに異議を唱え、温暖化してはいるが心配性の人々が警告しているほどのレベルではないとか、ある程度温暖化しているのは太陽など人間にはどうしようもない事象に原因があるからだと訴えている専門家や学者も、何百人（もしかしたら何千人）といる。トッドは、そういう人々をすべてひっくるめて「否定論者」と片づけ、彼らを全国的な討論の舞台から退けている。彼らが情報に基づいた知識を大衆に伝える機会、このテーマに関する議論に参加する機会を奪っている。言うまでもなくトッドは、何の専門知識もないままそうしている。気候変動運動への忠誠心に突き動かされ、自分はその運動を代表する存在なのだと主張する。そんな人物は、もちろんトッドだけではない。だから、テレビのニュース番組や出版物のニュース記事に登場する気候変動の物語に異議を唱える専門家や科学者を見つけるのに、苦労することになる。その一方で、そのような物語や、それを支持するゲストは無限に存在する（注42）。

批判的人種理論やそれに関連する運動についても、同じことが言える。ザック・ゴールドバーグは《タブレット》誌にこんな見解を表明している。「信頼のおけるニュース報道のふりをして（中略）無数の記事が発表されている。それを書いているジャーナリストたちは、人種やアイデンティティに関する新たな理論の正当性を信じて疑わない。《ニューヨーク・タイムズ》紙や《ワシントン・ポスト》紙を席巻しているそのような記事は、現在流行している、人種や正義の問題に関する新たな政治倫理を示している。専門職につく学歴の高い超リベラルな白人の感性と、黒人民族主義や学術的な批判的人種理論の要素とを組み合わせた、ときに『ウォークネス』*と称される世界観である」（注43）

ゴールドバーグはさらに言う。「一部のアメリカ人にとって、これは間違いなくいいニュースだ。彼らにしてみれば、批判的人種理論の論法を採用して人種に関連する罪をアメリカの制度のせいにする記事が急速に蔓延すれば、長い間不問に付されてきた白人優越主義や人種間の

＊社会的な不正義や差別に対する意識が高いことを意味する。

不平等を清算することができるからだ。だが、この論法に対する反論はいくらでも考えられる。まずは、歴史上の前例を見るかぎり、多民族による多様な社会を、肌の色に基づいて抑圧者と被抑圧者のグループに分断すれば、正義や公正が強化されるよりもむしろ、グループ間の流血の惨事を招く可能性が高いという事実がある。さらに、この新たな人種分断制度を推進する論法は、虚偽の前提や思い込み、あるいは誤解を招きかねない前提や思い込みに基づいた事実上の詐欺であるばかりか、事実に基づいて事態を修正しようとする試みに強く敵対する。たとえば、白人優越主義こそがアメリカ社会を支配する力だとする主張には、ナイジェリア系アメリカ人やインド系アメリカ人、東アジア系アメリカ人といった一部の非白人グループが、平均的な白人よりも多くの所得を手に入れている事実を考慮しない傾向がある。だがそれを指摘すると、自覚なき人種差別だとして片づけられてしまう。この世界に関する事実をねじ曲げ、その事実を指摘する取り組みに人種差別の烙印を押す人種差別理論が、メディアにより積極的に推進されている」（注44）

こうしてメディアは、かつては傍流の急進的運動として一笑に付されてきた批判的人種理論の活動家の仲間になった。そして、その理論が提唱・信奉する恐るべき人種差別や悪者扱いの片棒を担ぎ、マルクス主義的なアメリカ社会の変革を熱心に支持している。

ゴールドバーグも、アメリカ社会の不平等を認めていないわけではない。だがその一方で、わが国を変革しようとする人々の「不都合な事実を認めようとしない強圧的な態度」に嫌悪感を感じている。「発表されたデータを見るかぎり、（中略）人種についてどんな表現を使うべきか、どんな記事が報道に値するのかという点について、世界有数の報道機関が過去一〇年間に行なった編集上の判断が、その背後にある意図や見通しがどうあれ、読者の間に人種意識を復活させることになった。意図的かどうかはともかく、《ニューヨーク・タイムズ》紙などの出版社は、特定のキーワードや概念を提示し、それを絶えず繰り返すことにより、『肌の色』が人間の決定的な属性だとする考え方を読者の間に広め、一般化させた。人種だけを重視する人々から見れば、この人種化された世界観は、政治的忠誠度を測る基準となる。その支持者は、いわゆる『有色人種』や『有色人種でない人々』（現在の支配的なイデオロギーにより『白人』とひとくくりにされる人々）のなかにある膨大な多様性を見ないよう求められる。そうすることで、固定観念が社会的に容認され、称賛さえされるようになった」（注45）

もちろん、《ニューヨーク・タイムズ》紙のプロパガンダは意図的なものだ。前にも述べたように、このメディア企業は、信用に値しない《一六一九年プロジェクト》[*]を積極的に推進し、アメリカ全土の公立学校に広く教材を配布しつつある。その目的は、アメリカは誕生した当初から救いがたいほど人種差別的で抑圧的な社会だったという思想で生徒を洗脳することにある。

ゴールドバーグはこう述べている。「このメディア組織はこれまで、アイデンティティ主義に基づく歴史観の修正や、人種に基づくアメリカ社会の急進的変革を推進してきたが、それよりも万人の生活の質の改善に関心や影響力を向けることもできたはずだ」（注46）

＊4章に詳細。

当然ＣＮＮも、同紙の方針を全面的に支持している。「ＣＮＮの［ＣＥＯ］ジェフ・ザッカーは、人種関連の報道範囲の拡大に伴い、新たなポストを複数設ける計画を発表した。デラノ・マッシーをこの分野の責任者に据え、編集主任、特別編集委員、最新トレンド担当といった新たなポストを創設するという。ザッカーのメモにはこうある。『このチームは、人種に関するニュースを伝え、人種に関する物語や対談を報道する。たとえば、その闘争や進歩、勝利。いまやアメリカ人の大多数が存在を認めている制度的な人種差別。最新の世論調査や研究、データ。仕事、政治、スポーツ、メディア、住居、医療、教育における不平等と人種とのつながり。さまざまな産業で指導的役割を果たす代表者の不在。人種差別がいまだに存在する印や兆候。解決策を提案し、刺激を与え、指導力を発揮する声。黒人、白人、ラテン系アメリカ人、アジア系アメリカ人、先住民、複数の人種、あらゆる人種』」（注47）

つまり、マーティン・ルーサー・キング・ジュニア牧師がこう宣言していた時代は過ぎ去ったということだ。「私には夢がある。私の幼い四人の子どもたちがいつか、肌の色ではなく、人格そのものにより判断される国で暮らすという夢が」（注48）

アメリカの社会や文化のさまざまな領域で革新的な変革の土台を築くため、本格的な禁止・排除・封殺が始まっている。参加ではなく抑圧が、言論ではなく追従が、独立ではなく従属が、自由ではなく隷属が、アメリカのマルクス主義の特徴である。

ロバート・ヘンダーソンは、《シティ・ジャーナル》誌に発表した論文「嘘しか言えない」

のなかでこう解説している。「現行の基準では、もはやイデオロギー的に純粋なだけでは十分とは言えない。好ましい信念を絶えず抱き続ける必要がある。だがもちろん、そのような間違った倫理規範は、嘘を生み出すだけだ。政治学者のジェイムズ・L・ギブソンとジョセフ・L・サザーランドは、最近発表した『自ら口を閉ざす　アメリカの自主検閲のスパイラル』という論文のなかで、アメリカ人の間で自主検閲が急増している事実を明らかにしている。マッカーシズムの全盛期だった一九五〇年代には、『以前ほど自由に本音を語れなくなった』と回答したアメリカ人の割合は、一三・四パーセントだった。その数字が、一九八七年には二〇パーセントに達し、二〇一九年には四〇パーセントにまで及んでいる」（注49）

ヘンダーソンは「このような自主検閲が続けばどうなるか？」との疑問を提起し、こう続ける。「イギリスの歴史学者ロバート・コンクエストが、その著書『The Great Terror（大いなる恐怖）』のなかで、考えうる一つの回答を提示している。まずは、ソ連の見せしめ裁判に関する一節で、こんな疑問を述べる。ソ連では無実の人々がなぜ、大半の市民がそのような人々の自白など信じていないというのに、恐るべき罪を犯したと虚偽の自白をしたのか？　そしてそれに対して、ぞっとするような答えを提示する。ソ連市民は嘘をつくことに慣れてしまい、さらにもう一つ嘘を重ねることなど大したことではないと思っていたからだ、と。人々は絶えず変わる規範を受け入れるどころか、それらの規範を支持することにも慣れてしまっていた」（注50）。さらにヘンダーソンはこう指摘する。「経営の専門家ジェリー・B・ハーヴィーによれば、（中略）個人的にはある考え方に同意していなくても、他人がそれに同意しているのなら と考えて黙認する、という状況があるという。正直でいることに価値がなくなれば、他人が特定の見解を（実際には抱いていないにもかかわらず）抱いているという思い込みに基づいて行動するようになる」（注51）

そしてヘンダーソンはこう警告する。「慣習的なルールが絶えず変わると、過去の自分の発言のせいで職や立場を失うことになりかねないため、誰でも嘘をつくのがうまくなっていく。そのような制度下では、平気で嘘をつく傾向のある人が生き残る可能性が高くなる。そのため次第に、嘘つきだけが公の場で話をするようになる」（注52）

いまやアメリカの大学は、キャンパスを支配するさまざまなマルクス主義運動に逆らおうとする経営者や教授陣、学生にとってこのうえなく不寛容な場になっている。かつては高等教育の基盤と考えられていた学問の自由や言論の自由は、もはや存在しない。

不寛容やキャンセル・カルチャーが蔓延した結果、キャンパス内の革命家が要求するイデオロギーを受け入れない教授や大学院生は、その雇用や昇進、助成、出版においてあからさまな差別を受けるまでになった。二〇二一年三月一日、党派心・イデオロギー研究センターのエリック・カウフマンが、次のような調査結果を発表している。

「アメリカやカナダの研究者の四割以上が、トランプ支持者の雇用を避けている。（中略）物議を醸す教授の解雇を支持している研究者はわずか一割ほどであり、大半は排除を支持してはいないが、多くはそれに反対するわけでもなく、態度をはっきりさせていない。一方、右寄りの研究者は、制度的な権威主義や同僚からの圧力を頻繁に経験している。アメリカでは保守的な研究者や博士課程の学生の三分の一以上が、自身の見解のために懲戒処分の危機にさらされており、自身の思想のために学科内で険悪な状況に陥っているという保守的な研究者は七〇パーセントに及ぶ。社会科学や人文科学の分野では、トランプを支持する研究者の九割以上が、（中略）安易に自分の見解を同僚に表明できないと述べている。また、北米やイギリスの保守的な研究者の半数以上が、研究や授業で自主検閲を行なっていることを認めている。特にアメリカでは、若い研究者や博士課程の学生は年上の研究者に比べ、物議を醸す研究者の解雇を支持する傾向が著しく強く、進歩派の権威主義がもたらす問題が、今後さらに悪化する可能性があることを示唆している。こうした険悪な状況は、保守的な大学院生が研究者の道をあきらめる一因となる」（注53）

二〇一七年には教育における個人の権利財団も、言論の自由に対する学生の考え方について大規模な調査を行ない、次のような結果を報告している。「学生の四六パーセントが、ヘイトスピーチが憲法修正第一条により保護されていると認識しており、学生の四八パーセントが、憲法修正第一条はヘイトスピーチを保護すべきでないと考えている。（中略）大学生の五八パーセントが、キャンパスには不寛容な思想や不快な思想にさらされないコミュニティが必要だと思っている。（中略）学生の三〇パーセントが、授業中に自分の言葉が他人に不快感を与えるかもしれないと思い、自主検閲をしている。また、学生の過半数（五四パーセント）が、大学生活のどこかで授業中に自主検閲をした経験があると述べている」（注54）

残念ながら、納税者が資金を提供している公立の小中学校も、思考や学習の政治化から逃れられてはいない。いまではこれらの学校も、言論の自由を封じる権威主義的な取り組みの標的になっている。

歴史学者でもあり教育政策の専門家でもあるニューヨーク大学教授ダイアン・ラヴィッチは、二〇〇三年に発表した著書『The Language Police（言語警察）』にこう記している。「教育に携わるほかの人たちと同じように、（中略）私もこれまでずっと、教科書は綿密な研究に基づいたものであり、子どもたちに価値ある内容を学ばせるためのものだと思い込んでいた。テストは、それを学んだかどうかを評価するためのものだと思っていた。だが私は気づいていなかった。いまや教材は、容認できないとされる言葉づかいや話題、不快感を与えると思われる言葉づかいや話題を排除する複雑なルールに縛られている。こうした検閲のなかには、ささいなもの、ばかげたものもあれば、子どもが学校で習う内容のレベルダウンをもたらす驚くべきものもある。こうした行為は当初、アフリカ系アメリカ人などの人種的・民族的マイノリティや女性に対する意識的あるいは潜在的な偏見（特にこれらのグループの人々をおとしめる発言）を特定し、テストからも教科書からもそれらを排除することを目的に始まった。これらの取り組みは当初、まったく理にかなったこととして正当化された。ところが、称賛すべき意図により始められたこの取り組みはやがて、本来の意図を超えた、驚くほど広範囲に及ぶ奇妙このうえない検閲行為へと変貌し、いまではテストや教科書から、常識的な人なら誰も（一般的な意味での）偏見があるとは思わない言葉や絵、文章、意見まで排除している」（注55）

ラヴィッチはいみじくもこう指摘している。「検閲は国語教育を歪め、美的判断を政治的判断に置き換えることになる。偏見に満ちた社会的な指針のせいで、国語の教科書の編集者たちは、掲載する作品の文学的な質よりも、登場人物や著者、挿絵に占めるジェンダーや民族の割合に注意を払わなければならない」（注56）

現在では、事態はさらに悪化している。アメリカ全土の学校で、批判的人種理論が幅を利かせている。そこでは、白人の子どもたちは生まれつき特権に恵まれていると教育される。生徒はみな、《ニューヨーク・タイムズ》紙が主導する不名誉な《一六一九年プロジェクト》が考案した授業を受けさせられる。そして、公然とマルクス主義を標榜し、資本主義やアメリカの統治制度の排除を積極的に求め、そのためには暴力さえ辞さないＢＬＭ運動が称賛される（注57）。

そのうえ、どの学区の教師も、自身が持つ白人の特権と向き合い、批判的人種理論に合わせて歴史認識を修正するよう教育されている。インターネットを検索すれば、そんな事例は無数に見つかる。生徒や教師はまた、性自認やジェンダーの権利など、ほかのインターセクショナリティ思想やその政治運動にも時間を割くよう強いられている（注58）。

その結果、ますます多くの地域、アメリカの歴史や市民社会のますます多くの領域で、多くの家族の民族性、祖先、信仰が侮辱され、おとしめられている。マルクス主義を志向する、きわめて分断的な人種差別的イデオロギーやインターセクショナリティ思想が教育に注入され、教師も生徒も、自身の洗脳に参加し、それを受け入れざるを得ない状況になっている（注59）。

それだけではない。《一つの国連・気候変動学習パートナーシップ》という国際機関が、「三六の国際組織の協力のもと、気候変動への対策に必要な知識や能力を構築する各国を支援する共同計画」を推進している。その支援内容には、「気候に関する知識など、この課題に取り組むために欠かせない能力の向上」が含まれる。この機関は、子どもたちに気候変動運動の思想を植えつけるよう学校に推奨し、そのための学習教材を提供している（注60）。たとえば、「なぜ学校で気候変動教育を行なうべきなのか」と題する教育指針にはこうある。「気候変動教育は、個人や社会の責任を知る重要なきっかけになる。学校は教育機関として、就職に備える教科やテストの成績にかかわる教科を教えるだけでなく、意識の高い市民になるよう生徒を教育することにも関心を注ぐべきである。気候変動について教えるということは、環境管理や共同責任について教えることを意味する。それはつまり、自分やまわりの人間には、自分よりも大きなものに対する責任があるということだ。自分たちの行動が環境にどんな影響を及ぼすのか？　環境が変化すれば、それがほかの人たちにどんな影響を及ぼすことになるのか？　自分たちはなぜ、リサイクルや持続可能性に気を配るべきなのか？」（注61）

この指針はさらに、世界主義や共同体主義、行動主義の推進へと続く。「私たちは気候変動を通じて、自分たちを超えた世界について考えるよう求められている。それだけでなく、現在を超えた時代について考えるよう求められてもいる。そのため、この話題を学校カリキュラムに取り入れれば、生徒と地域との距離が縮まる。市民活動への参加は、学校が生徒に授けるべき大切な教えの一つだが、それを、生徒と地域の機関とのかかわりを通じて教育することができる。自分が暮らす地域は、持続可能性の向上にどう取り組んでいるのか？　自治体はどんな政策を実施しており、自分はそれをどう推進していけばいいのか？　それを知るためには、気候変動に関する科学を教えるだけでは足りない。個人や機関がこの規模の問題にどう対処するのか、個人を超えたこの事態にどう対応していくのかを教える必要がある。学校には、地球市民としての分別ある行動や地域管理について教える責任がある。それなら、気候変動についても教えるべきである」（注62）

イデオロギーの洗脳、およびそれを反対から見た検閲はいまや、正規の教育機関や、人種や気候変動といった問題をはるかに超え、アメリカの産業界にまで広がっている。《ニューヨーク・ポスト》紙で経済コラムを担当しているチャールズ・ガスパリーノは、「極左のウォークネスに屈した企業」と題する記事にこう記している。「企業はかつて、労働者を雇い、ものを売り、お金をもうけるためにビジネスをしていた。この国の建国の理念を信奉する誇り高い資本家が、そんな企業を運営していた。だがいまでは、もはやそうでもないようだ。大企業がグリーン・エネルギー法制を支持し、社会正義に関するさまざまな指示を出し、ツイッター上で右寄りの意見を封殺するのがあたりまえになり、ほとんどニュースにもならない」。またこうも述べている。「左派勢力は力を結集して、アメリカの産業界を、民主党の進歩派のようなものに変えてしまった。左派は資本主義を嫌いながらも、大企業を意のままに従わせるために資本主義的なツールを積極的に利用している」（注63）

　ガスパリーノによれば、それが効果を発揮しているという。「いまでは大半の株主票が、いわゆる環境・社会・ガバナンス投資を通じて、進歩的な思想にかかわっている。ウォール街でＥＳＧ[*]と略称されるこの投資が、企業のグリーン・エネルギーに関する取り組みから、ＢＬＭなどの運動の受け入れに至るまで、あらゆるものを評価する枠組みとなっている」。さらに記事はこう続く。「ファンドに投資する平均的な一般投資家は、その資金が政治的な目的に利用されていたとしても、この大規模な変革に対して発言権や投票権を一切持たない。一方ファンドは、このゲームのやり方を理解しているマイノリティの声に応えようとする」（注64）

　イデオロギーによる恐怖政治は、わが国の社会や文化全体に広がり、それに反するさまざまな人間（教授や教師、作家、俳優、経営者、記者など）や歴史的人物、記念碑、映画、テレビ番組、ラジオ放送、書籍、漫画、玩具、そのほかのあらゆる製品、製品名やブランド、さらには言葉さえ排除・追放している（注65）。トランプ大統領でさえ、ツイッターやフェイスブックなどのソーシャルメディアから追放された。そのほか、排除・追放されたものは無数にあり、

＊環境（Ｅ）、社会（Ｓ）、ガバナンス（Ｇ）。

最新の情報をまとめることができないほど速いペースでさらに増加している。

この広範囲に及ぶ、言論の自由や選択の権利に対する有害な闘争が、わが国にとんでもない脅威を及ぼし、急速にアメリカ社会を変えつつある。そのため二〇二〇年七月七日には、一五〇人の著作家（そのほとんどが左派である）が《ハーパーズ・マガジン》誌に、「正義と開かれた討論について」と題する公開書簡を発表した。その書簡に署名しているのは、ノーム・チョムスキーなど、マルクス主義志向のさまざまな運動が掲げている目標の多く（あるいはその大半）に賛同している人々であり、なかには、きわめて急進的な活動家の思想に影響を与えた人物もいる。それにもかかわらず彼らは明らかに、抑制がきかなくなった圧制は管理が困難（あるいは不可能）であり、そのような制度の設計者や支持者、崇拝者の多くを否応なく破滅させるおそれがあることに気づいている。フランス革命やロシア革命、中国のマルクス主義革命の結果を見れば、そんな実例はいくらでもあるからだ。その公開書簡とは、次のようなものである。

自由主義社会に欠かせない情報や思想の自由な交換が、日に日に制限されつつある。このような事態は極右政権で起こるものだと思われていたが、わが国の文化においても、検閲官のような批判的姿勢がますます広がりを見せている。具体的には、反対意見に対する不寛容、公の場での辱めや追放の流行、やみくもな道徳的確信に基づいて複雑な政治問題を単純化してしまう傾向などである。私たちは、あらゆる方面からの断固たる反論、辛辣《しんらつ》な反論に価値があると信じている。ところがいまでは、言論や思想の逸脱と思われるものに対して、速やかに厳しい懲罰を求める声を耳にするのがあたりまえになっている。さらに厄介なことには、組織の指導者が大急ぎで損害を最小限に食い止めようと、熟慮のうえで改革を行なうどころか、迅速に不相応な懲罰を下そうとする。その結果、物議を醸した記事を掲載した編集者は解雇され、信憑性がないとされた書籍は回収され、記者は特定の話題に触れるのを禁じられ、授業中に特定の文学作品を引用した教授は取り調べを受け、研究者は同業者による審査を受けているにもかかわらずある学術研究を公開したかどで解雇され、組織の責任者は気のきかないささいなミスのために追放される。個別の事例に対してどのような主張がなされているにせよ、こうした事態の結果、報復のおそれなく発言できる内容の範囲が着実に狭まっている。著作家や芸術家、記者の間では、民意から逸脱したり、民意に同意する熱意が足りなかったりすれば生計が脅かされるのではないかとの不安から、リスク回避傾向が高まっており、そういう点で私たちはすでに、こうした事態の報いを受けているのである。

この息苦しい状況はいずれ、現代にもっとも欠かせない理念をむしばむことになるだろう。抑圧的な政府であれ不寛容な社会であれ、それにより討論が制限されれば、力を持たない人々がその弊害を受け、民主主義に参加することができなくなる。間違った意見を打ち負かす際には、公の場での議論を通じて説得すべきであり、それを封殺しようとしたり、それが消えるのを願ったりすべきではない。私たちは、正義か自由かという虚偽の選択を認めない。正義と自由は、一方がなければ他方も存在できない。私たち著作家には、実験やリスク負担、ミスの余地がある文化が必要だ。職や地位を失うような悲惨な結果を招くことなく、誠実に意見の相違を主張できる環境がなければならない。私たち自身が、自分の仕事にとって何より大切なこの理念を擁護しないのなら、私たちに代わってそれを擁護するよう大衆や国家に求めるべきではない（注66）。

この書簡に署名している人々の多くが、ＢＬＭをはじめとするマルクス主義運動を支持している点に留意してほしい。それでもこの書簡は無視された。その証拠に、この書簡が発表された二〇二〇年七月七日以来、言論はますます激しい積極的攻撃にさらされている。たとえば、グーグルやアマゾン、フェイスブック、アップル、ツイッターなどの大手ＩＴ企業は、次から次へともっともらしい口実を設けては、意のままに検閲や追放を進めている。これについても実例は無数にあり、ここにリストアップするのが不可能なほど日ごとにその数を増している。とはいえ、実態をよく理解してもらうためには、顕著な事例をいくつか紹介しないわけにはいかない。

まずは、メディア研究センターの報告を紹介しよう。「［二〇二〇年に］開催された大手ＩＴ

企業の偏見に関するある上院公聴会では、フェイスブックやツイッターのCEOに尋ねても、自社プラットフォームで検閲の対象になっている左派の著名な人物や組織は一つも挙がらなかった」。さらにこうも記されている。「重点的に検閲を受けたテーマには、選挙、新型コロナウイルスやその対策、およびドナルド・トランプ大統領の発言に関するものが含まれていた。大手IT企業は、女性の参政権を称える児童書のような無害なものにさえ、保守派を検閲する口実を見出していた」（注67）

同センターは、二〇二〇年に言論の自由の制限を引き起こしたさまざまな「侵害」行為にまつわるニュースを、トップテン形式にまとめている。

一、大手IT企業が、ハンター・バイデン*に関する《ニューヨーク・ポスト》紙の衝撃的な報道を抑止した。

二、ツイッターが前例のない方法で、郵送投票に関するトランプのツイートを削除した。

三、フェイスブックが、キャンディス・オーウェンズ**のページに対して収益化ツールの利用を禁じ、その活動を抑制した。

四、ユーチューブが、トランプの顧問スコット・アトラス医師が登場する新型コロナウイルス関連の動画を削除した。

五、フェイスブックがモンティ・パイソンのジョークをめぐり、「風刺サイト」バビロ

＊ジョー・バイデン大統領の次男。

＊＊アメリカの保守系の作家、政治評論家。

ン・ビーのページに対して収益化ツールの利用を禁じた。

六、ツイッターが、ジョー・バイデンのあらゆるミームを削除した。

七、インスタグラムが、「ヘイトスピーチ」のようなものだとの理由から、ＦＢＩの犯罪統計を削除した。

八、ユーチューブが、トランスジェンダー手術を受けたのちに元に戻した男性の動画を削除した。

九、ユーチューブが、保守系のニュース・ネットワーク《ワン・アメリカ・ニュース》の配信を差し止め、収益化ツールの利用を禁じた。

一〇、インスタグラムが、［共和党］上院議員マーシャ・ブラックバーンが執筆した児童書の広告掲載を禁じた。

二〇二一年一月三一日にはプロジェクト・ヴェリタスが、フェイスブック内部の人間から受け取ったという動画を公開した。その動画には、ＣＥＯのマーク・ザッカーバーグをはじめとする経営幹部らが、同社が持つ「政治的発言を検閲し、党派的な目的を推進する広範な能力」について議論している様子が収められている（注68）。

一月七日の動画には、トランプ大統領（当時）がこの国を破壊したと非難するザッカーバーグの姿が見られる。

「政治的指導者は模範を示して指導にあたるべきだ。私たちはまず国民を第一に考えないといけないのに、［トランプ］大統領はその反対のことをしてきた。（中略）［トランプ］大統領は残りの在職期間を利用して、平和的・合法的な政権移行に抵抗するつもりだ」

「自分のアカウントを使って、連邦議会議事堂での支持者の行動を非難するどころか容赦しようとする［トランプの］判断に、当然のことながら、アメリカはおろか世界中の人々がとまどい、頭を悩ませている」

ザッカーバーグはまた、これら議事堂襲撃者はBLM運動のデモ参加者よりいい待遇を受けていると遠まわしに述べている。「現在の状況は、ここにいる多くの人たち、とりわけ黒人の同僚にとってはきわめて辛いものだと思う。［議事堂を］襲撃した人たちが、昨年の抗議に参加した人々とは著しく対照的な扱われ方をしているのを見ると、不安を感じないではいられない」

また「一月二一日のミーティングでは」、フェイスブックの公正化担当副社長ガイ・ローゼンが、危険と見なす言論に同社がどう対処しているのかを説明している。「わが社には、ヘイトスピーチや暴力にかかわるスレッドがあるとシステムが検知した場合に、そのスレッドへのコメントを凍結できる仕組みがある。（中略）これらのシステムはすべて、選挙を保護し公正化を推進する取り組みへの投資の一環として、この三～四年の間に構築されたものだ」

ザッカーバーグはバイデンの政治目標を称賛している。「バイデン大統領の就任演説は大変よかったと思う」

「バイデン大統領は就任初日からすでに、わが社がしばらく前から深く憂慮していた分野について、無数の大統領行政命令を発表した」

ザッカーバーグはさらに言う。「若年移民に対する国外強制退去の延期措置の維持、イスラム主流国からの渡航制限の撤廃といった移民問題、それに、気候変動、人種的正義や人種的公正の推進に関する行政命令。これらはいずれも重要な、前向きな一歩だと思う」

同じ一月二一日のミーティングでは、フェイスブックの国際問題担当責任者ニック・クレッグが、トランプ前大統領のアカウント凍結が引き起こした国際的な反発について語っている。「メキシコの大統領からロシアの反体制指導者アレクセイ・ナワリヌイまで、世界中のさまざまな指導者が多大な懸念を表明している。ドイツのアンゲラ・メルケル首相らは、『民間企業があまりに大きな力を持ちすぎた証拠だ』と言っているが、そのとおりだと思う」「理想を言えば、こうした判断は自分たちの裁量で行なうべきではなく、同意に基づいて、民主的に合意されたルールや原則に基づいて行なうべきだ。だがいまのところ、民主的に合意されたルールは存在しない。そのなかで私たちは、リアルタイムで判断を下さなければならない」

フェイスブックの公民権担当副社長ロイ・オースティンは、企業の製品は、人種に関するその企業の見解を反映したものであるべきだと述べている。

「オキュラス*を利用すれば、警察に止められ、尋問され、逮捕される黒人の若者の気持ちがどんなものかを白人警察官に理解させるのに役立つかもしれない。（中略）公民権という視点から、あらゆる主要な判断を下してほしい」（注69）

大手ＩＴ企業の幹部は、インターネット上の言論を検閲・削除する理由の一つとして、「ヘイトクライム」の増加を挙げている。だが、二〇二一年一月に商務省の電気通信情報局が作成し、連邦議会に提出した報告書「ヘイトクライムにおける電気通信の役割」を見てほしい（驚くべきことに、この報告書は公開されていない）。そこには、インターネットはヘイトクライムの増加を引き起こしてはおらず、大手ＩＴ企業の行動は専制的な支配者のように危険だとある。

ブライトバート・ニュースが入手したその報告書のコピーには、はっきりこう記されている。「インターネットやモバイル機器、ソーシャルメディアなどを通じて電気通信が豊かに成長した過去一〇年の間に、ヘイトクライムの件数が増加したという証拠はない」。電気通信情報局の報告書はまた、こんな厳しい警告を発している。「オンラインの言論を統制・監視する取り組みは、その目的が犯罪を抑止するという立派なものであるにせよ、憲法修正第一条にかかわ

＊フェイスブック・テクノロジーズが開発したＶＲ機器。

る深刻な懸念をもたらし、わが国が奉じてきた表現の自由に逆行することになる」（注70）

電気通信情報局は、大手ＩＴ企業に専制的な行為をやめるよう厳しく勧告している。「ＩＴ企業の指導者たちは、人間の手だけでは十分にコンテンツを精査できないため、人工知能に大幅に頼らざるを得ないことを認識している。だが、自動的なコンテンツの監視には、方針的にも実際的にも重大な限界があることは言うまでもない。興味深いことに、このテクノロジーの大部分は、中国共産党が政治的議論や異論を抑圧するために提唱したアプローチをもとに開発されている」

報告書はさらに続く。「主要なソーシャルメディアがすべてヘイトスピーチを規制するルールを策定し、洗練されたアルゴリズムを組み込んだ人工知能（ＡＩ）を採用して、専制体制でもよく見られるような形で、その矛盾を含んだあいまいなルールを実施しているのであれば、これらの企業がそれによりどんな利益を得ているのかを考えてみる必要がある。この報告書が示しているとおり、これらの企業は間違いなく、検閲によりヘイトクライムを削減あるいは根絶できると多少なりとも期待しているわけではない。というのは、ヘイトスピーチの増加とヘイトクライムとを関連づける実証的証拠がないからだ。それどころかこの検閲は、わが国の政治制度に真の危機をもたらす。これらの企業は、ヘイトスピーチの禁止をはじめとする検閲ルールに従い、喫緊の政治的・社会的課題に大きくかかわると思われるコンテンツを削除してきた」（注71）

だがおそらく、この報告書は無視されるだろう。イデオロギーに主導された意思決定にはそういう性質がある。実際、二〇二〇年一一月に開催された上院公聴会で民主党の議員は、大手ＩＴ企業がさらに多くの対策を迅速に講じ、自社のプラットフォーム上の言論を封殺するよう要請している（注72）。

大手ＩＴ企業はまた、起業家が興した小企業パーラー*をつぶそうと異常なほどの努力をしている。パーラーは登場するとたちまち、偏向したイデオロギーや政治的党派心、あるいは検閲行為を振りかざす数十億ドル規模の巨大グローバル企業に与しない数百万もの市民の支持を得た。《ピッツバーグ・ポスト＝ガゼット》紙にはこうある。「ソーシャルメディアのパーラーは、グーグルやアップルのアプリストアから締め出され、アマゾンからもクラウドサービスの提供を停止された結果、事実上運営ができなくなり、大手ＩＴ企業を相手どり連邦裁判所に提訴した。（中略）パーラーをつぶそうとするこうした行為は、身も凍るような言論への攻撃である。（中略）いまやソーシャルメディアは、多くのニュースメディア同様、アメリカ人を分断するくさびと化している。数々の排除や追放を受け、アメリカの大衆は自身のイデオロギーに基づき、異なるプラットフォームへと数万人単位で分散している。これが、わが国にとっていい兆候であるはずがない」（注73）

パーラーは結局、何とか復活を果たしたが、独立系のプラットフォームをつぶそうとする大手ＩＴ企業の共謀的・独占的行為は、異常な専制的行為と言っていい。それなのにメディアの

＊非主流を自称するソーシャル・ネットワーキング・サービス企業。

多くは、《ピッツバーグ・ポスト＝ガゼット》紙とは違い、大手ＩＴ企業の行為を黙認あるいは支持し、パーラーは右派や白人優越主義者、暴力的な陰謀家のためのプラットフォームだとしきりに主張している。だが、それはいずれも事実ではない。

大手ＩＴ企業のイデオロギー的・政治的傾向は、その経営幹部や従業員の政治献金先を見てもわかる。つまり、どの候補者や政党を支持し、資金を提供しているかということだが、その実態は誰が見ても明らかだ。責任ある政治センターの報告にはこうある。「二〇二〇年の選挙戦の際、アルファベット（グーグルの親会社）、アマゾン、フェイスブック、アップル、マイクロソフトなど大手ＩＴ企業の従業員は、さまざまな民主党候補者の選挙運動に数百万ドルを寄付した。たとえば上記五社の従業員は、バイデンの選挙運動団体に合計一二三〇万ドル、注目を集めた上院議員選の民主党候補者（みごと当選を果たしたジョージア州のジョン・オソフやラファエル・ウォーノックなど）にさらに数百万ドルを提供した。これらの民主党候補者への高額献金者には、大手ＩＴ企業の従業員たちが名を連ねている。二〇二〇年の選挙では、これら従業員からの多額の献金に加え、アルファベットが民主党候補者におよそ二一〇〇万ドル、アマゾンがおよそ九四〇〇万ドルを寄付している。フェイスブック、マイクロソフト、アップルの民主党候補者への献金額はそれぞれ、六〇〇万ドル、一二七〇万ドル、六六〇〇万ドルである。これら各企業の献金は、その大部分が民主党候補者を対象としており、マイクロソフトを除き、バイデンの選挙運動団体が高額受領者のトップ、オソフやウォーノックもトップテン内にランクしている。マイクロソフトからの献金の高額受領者のトップは、上院多数党政治行動委員会、つまり民主党の上院院内総務チャック・シューマーにつながる特別政治行動委員会*である。またこれら五社のいずれでも、民主党全国委員会が高額受領者のトップスリーに入っていた」（注74）

CNBCはこう報じている。「現在の大手IT企業のCEOのなかでもっとも多くの資金を提供したのが、ネットフリックスのリード・ヘイスティングスである。ヘイスティングスとその妻パティ・クィリンは、五〇〇万ドルを超える額を献金した。そのなかでも最高額を受領したのが、上院多数党政治行動委員会だった。メイン州やテキサス州、アイオワ州など、接戦を強いられた民主党候補者を支援していた団体である。（中略）責任ある政治センターの調べによると、インターネット会社の従業員は、選挙運動や外部団体への資金提供を通じて、その総額の九八パーセントを民主党候補者に託したという」（注75）

その結果、バイデン政権と大手IT企業との間に親密な関係が生まれている。実際、バイデンは大手IT企業に見返りを与えるかのように、アップルやグーグル、アマゾン、ツイッター、フェイスブックの現幹部・元幹部少なくとも一四人を、自身の政権移行チームや政権の役職に雇っている（注76）。

民主党の支持者だけでなく民主党自身も、検閲や抑圧の推進に重要かつ直接的な役割を果た

＊政治行動委員会とは、アメリカにおいて企業や業界団体などが特定の政治家を支援するためにつくる政治資金調達機関を指す。

している。二〇二〇年一一月、ニューヨーク州選出の民主党下院議員アレクサンドリア・オカシオ＝コルテスが、次のようなツイートを投稿した。「トランプのちょうちん持ちたちが将来、自分たちが共犯であることを軽視あるいは否定する場合に備えて、あの人たちのごますりやおべっかを記録してくれている人いるかな？　きっと将来、多くのツイートやメッセージ、写真が削除される可能性が高いから」。この発言に促されるような形で、トランプ説明責任プロジェクトという団体が設立された。同団体はこう宣言している。「彼らがしたことを忘れてはならない。トランプを大統領に選んだ人々、トランプ政権のスタッフを務めた人々、トランプに資金を提供した人々が、これまでの自分の行為により利益を受けるのを認めてはならない」（注77）

これを受けて、ソーシャルメディアなどメディア全般で、トランプ政権の職員やトランプ支持者をブラックリストに載せ、民間会社への就職を阻止しようという話が大いに盛り上がった。暴徒が連邦議会議事堂を襲撃したあとには、元ファーストレディのミシェル・オバマが、トランプをあらゆるソーシャルメディアから永久に追放すべきだというツイートを投稿した。もちろん官公庁の職員や公的立場にいる人々のなかにも、同じようなことをした人が無数にいる。するとと大手ＩＴ企業もそれに従った。

言論を封殺する闘争のなかでも目に余る露骨な事例と言えるのが、二〇二一年二月二二日に、カリフォルニア州選出のベテラン民主党下院議員アンナ・エシューとジェリー・マクナーニーが提示した書簡である。二人は、AT&T、ベライゾン、ロク、アマゾン、アップル、コムキャスト、チャーター、ディッシュ、コックス、アルティス、フールー、アルファベット*の最高経営責任者に宛て、これら各社のプラットフォームでフォックス・ニュースやワン・アメリカン・ニュース・ネットワーク（OANN）、ニュースマックス**を配信している理由を詰問する書簡を送付した。どの企業に対しても、ほぼ同じ内容の書簡である。この書簡には、その主張の情報源を示す長いリストが添付されているが、そのほとんどが偏向した「調査」や記事でしかない。ここでは、AT&Tに送られた書簡を見てみよう。

二人の下院議員はこう記している。「テレビの誤情報により現在の汚染された情報環境が生まれた結果、過激化した大衆が扇動的な行為に走ったり、遺漏《いろう》のない公衆衛生の実践が阻害されたりするなど、公の場で議論されている数々の問題が起きている。専門家の指摘によれば、右派のメディアは全体的に『偽情報や虚偽、中途半端な真実を（中略）受け入れる傾向が強い』という。実際、ニュースマックスやワン・アメリカン・ニュース・ネットワーク、フォックス・ニュースといった右派の報道機関はいずれも、二〇二〇年一一月の選挙について誤情報を放送していた。（中略）フォックス・ニュースは（中略）以前から、アメリカ政治に関する誤情報をまき散らしている。

これらの報道機関はまた、パンデミックに関する誤情報を広めた主要媒体でもあった。あるメディア監視機関によれば、わずか五日の間にフォックス・ニュースで放送された新型コロナ

＊いずれも通信・メディア関連の企業。
＊＊いずれも右派・保守的とされるニュースチャンネル。

ウイルス関連の誤情報は二五〇件以上に及ぶという。こうしたフォックス・ニュースの報道が公衆衛生指針の不履行に影響を及ぼしていることは、経済学者により明確に立証されている」（注78）

だがこの下院議員二人は、「あるメディア監視機関」というのが、信憑性が低いことで有名な《メディア・マターズ》であることに触れていない。民主党を支持する急進左派のサイトである。さらに、ニュースサイト《デイリー・コーラー》にはこんな指摘がある。「誤情報と見なしたフォックス・ニュースの各報道を独自に審査・検証するために利用した方法論が提示されていない」。同サイトは最終的に、この書簡の内容そのものが「誤情報」だらけだと結論している（注79）。

この下院議員二人は、AT&Tなどの企業に対し、以下の質問に対する回答を二週間以内に提示するよう要請している。

貴社は、配信するチャンネルを決定したり、あるチャンネルに対抗的な措置をとる状況を判断したりする際に、どのような道徳的・倫理的指針（報道機関としての誠意や暴力、医療情報、公衆衛生に関する指針も含まれる）に従っているのか？

配信するチャンネルの運営会社に契約書などを通じて、何らかのコンテンツ指針に従うよう要請しているか？　要請しているのなら、その指針のコピーを提示していただきたい。

二〇二〇年一一月三日の選挙、および二〇二一年一月六日の議事堂襲撃の前、当日、あとに、偽情報(貴社が数百万もの市民に配信しているチャンネルによる暴力の奨励や扇動も含まれる)の拡散を監視・抑止するためにどんな措置を講じたか? 貴社がとった措置やその時期を一つずつ説明していただきたい。

貴社のプラットフォームを使って偽情報を配信したチャンネルに対して何らかの措置を講じたことはあるか? あるのなら、どんな措置をいつ講じたのかを説明していただきたい。

現在も契約更新日を過ぎた先も、(中略)フォックス・ニュースやニュースマックス、OANNの配信を続けていくつもりなのか? そのつもりであるなら、なぜ配信を続けるのか?(注80)

これは、標的とした中道右派の放送局や報道機関への恫喝や威嚇を目的とした、このうえなく卑劣な書簡と言っていい。その唯一の目的は、言論の封殺にある。ほかのメディアや報道機関は事実上、どこもこれに反論しなかった。その理由は、みなこの書簡に同意していたからだ。それどころか、多くの報道関連企業やジャーナリスト、評論家が先頭に立って、フォックス・ニュースやOANN、ニュースマックスを各社のプラットフォームから排除するよう提案した。そしていままでは、パーラーの場合と同様に、政府の規制当局やこれらのプラットフォーム企業に、右派ニュースチャンネルの活動を停止させるよう求める運動を展開している。これこそが、本章の冒頭で指摘した現在のアメリカのメディアのあり方なのである。

アメリカのマルクス主義の中核を成すインターセクショナリティ運動は、主に民主党に支持され、メディアにより推進されている。これについては、もはや疑いの余地は一片もない。共産主義的な思想に反対する発言、討論、異議は認められない。社会や経済を変革するための手段として社会運動や積極的行動が推奨される一方で、敵は公然と非難され、おとしめられ、押しつぶされる。

このさまざまな企業への書簡が、フォックス・ニュースやOANN、ニュースマックスを各社プラットフォームから排除したいというメディアの要請から生まれたことは明らかだ。実際、そのような要請は、この書簡の前からあった。二〇二一年一月八日には、CNNのオリヴァー・ダーシーがこう述べている。「ニュースマックスやワン・アメリカン・ニュース・ネットワーク、さらにはフォックス・ニュースといったニュースチャンネルにプラットフォームを提供しているテレビ企業をどう思うだろう？　これらの企業はこれまでうまく精査を逃れ、こうした話題を徹底的に避けてきた。だがもはや、そんなことがあってはならない。水曜日［二〇二一年一月六日］に連邦議会議事堂に対する国内テロ事件があったいま、テレビ通信事業者は、偽情報や陰謀論で利益をあげている不誠実な企業にプラットフォームを提供する問題に向き合わなければならない。結局のところ、トランプは公正な選挙に敗れたのだ。それなのに、トランプ大統領の熱心な支持者たちがその事実を信じられなくなったのは、フォックスやニュースマックス、OANNが嘘を広めたからにほかならない（注81）。

確かに、視聴者に嘘を広めたのは、ショーン・ハニティ、タッカー・カールソン、マーク・レヴィンといった人たちである。だが、それをアメリカ全土の何百万もの家庭に配信したテレビ企業にも、いくばくかの責任がある。それなのに、こうした企業についてはほとんど話題になることがなかった」（注82）

ダーシーが、私自身を含め、一部のニュースチャンネルやテレビ番組の司会者を槍玉に上げる際に、アリンスキーの戦術を採用している点に注目してほしい。「攻撃対象を選定し、その活動を封じ、個人攻撃を行ない、分断を図る」というあの戦術である（注83）。だが、ダーシーが挙げたニュースチャンネルも司会者も、議事堂襲撃事件とは何の関係もない。

《ニューヨーク・タイムズ》紙のコラムニスト、ニコラス・クリストフは、アリンスキー流の戦術など、あらゆる点でダーシーのあとを継ぎ、右派チャンネルを各社プラットフォームから排除する運動を推進した。その記事にはこうある。「フォックスを告発したり、［タッカー・］カールソンやショーン・ハニティを上院で尋問したりはできないが、トランプはおろか、フォックスやOANN、ニュースマックスといったその仲間にも説明責任を負わせる方法がないわけではない。危険を伴う、不完全で不十分な方法ではあるが」（注84）。こうしてクリストフは、《ニューヨーク・タイムズ》紙という壇上から、こう要求した。「私たち」（すなわち、マルクス主義者のような暴徒）は、これら不適切な報道機関や司会者の責任を問わなければならない。つまり、その口を封じなければならない、と。

クリストフの記事はさらに続く。「その方法とは、（政治的に偏向した）過激主義者を支援しないよう広告主に圧力をかけるというものだ。ところがフォックス・ニュースの経営は、広告料よりもむしろケーブルテレビ加入者の受信料に支えられている。そのため第二のステップとして、ケーブルテレビ各社に、ケーブルテレビの基本パッケージからフォックス・ニュースを除外するよう呼びかけることが必要になる」（注85）

クリストフが主張するこの第二のステップは、《メディア・マターズ》から借用したものに違いない。

クリストフは次に、ひねくれた暴君のような文章を駆使して、消費者がフォックスに視聴料を支払わざるを得ない状況、さらにはその結果として、（クリストフの偏見や固定観念によれば）人種差別的・暴力的・反政府的なフォックスの視聴者を消費者が支援せざるを得ない状況を、打開しなければならないと主張する。「ここでの問題は、多くのアメリカ人が（Ａ）フォックス・ニュースを見ていないのに、（Ｂ）フォックス・ニュースに視聴料を支払っている、という点である。ケーブルテレビの基本パッケージを購入すると、誰もが自動的に、フォックス・ニュースに年間およそ二〇ドルを支払わなければならなくなる。つまり、強い偏見のある人や暴動を推進するような人に抵抗を感じている人でも、彼らの給料の一部を負担することに

なる」（注86）

その後クリストフは、《メディア・マターズ》を運営するアンジェロ・カルソーネの言葉を引用する。偏見に満ちた急進的イデオロギーの信奉者であり、不適切なメディアに対するあてこすりの権威でもある人物である。「カルソーネによれば、（中略）フォックス・ニュースは異常なほど気前のいいケーブルテレビの受信料に頼っている。CNNが受け取っている額の二倍以上、MSNBCが要求している額の五倍もの金額である。そこで《メディア・マターズ》はある運動を始めた。（中略）大衆を動員して、ケーブルテレビのパッケージからフォックス・ニュースを除外するようケーブルテレビ各社に要求する運動である。カルソーネは言う。『フォックス・ニュースが実際に被害を及ぼしている点、いまだに脅威であり続けている点を考慮すれば、絶対にフォックス・ニュースをパッケージから除外しなければならない。あれはニュースチャンネルではない。政治的なたわ言を混ぜたプロパガンダ活動だと言ったほうがいい。それを見たいという人がいるのなら、有料映画チャンネルの視聴料と同じように、それを見る人だけが視聴料を支払うようにすべきだ』」（注87）

《ワシントン・ポスト》紙のマーガレット・サリヴァンやマックス・ブート、CNNのブライアン・ステルター、MSNBCのアナンド・ギリダラダスなど、無数の記者やコラムニストらが、同様のプロパガンダや要求を積み重ねている。民主党の連邦議会議員も、政府での地位や権威を利用して、それを強制しようとしている。

教育や娯楽の場、メディア、政府など至るところで、威嚇、検閲、誹謗中傷などの猛烈な抑圧的行動が見られ、さらにそれを求める声が聞かれる。マルクスならこれを好意的に受け止めるだろう。

実際、現代アメリカの文化や環境のなかで、人物や言論、言葉、放送の排除、ソーシャルメディアへのアクセスの禁止、言葉や歴史、知識、科学の再定義が行なわれ、推進されている。これらはすべて、全体主義の特徴である。問題にされることのない日常的な権力の乱用、バイデン大統領による共和主義や立憲主義の破壊についても同様である。バイデン大統領は、大統領行政命令を連発することで、議会や憲法による抑制と均衡のシステムをないがしろにし、市民の代表である議会の意見も市民の意見も聞くことなく、アメリカ社会を根本的に変革しようとしている。また、下院議長のナンシー・ペロシ、上院多数党院内総務のチャック・シューマーなど、民主党の議会指導者たちは、法的判断に影響を及ぼし、自分たちのイデオロギー的・政治的目標を推進するために、大胆にも司法の独立を脅かそうとしている。さらに、連邦政府の立法府・行政府の民主党指導層は共謀して、民主党がまず支配権を失うことのないように、アメリカ全土の選挙プロセスを徹底的に改変しようとしている。それに加えて民主党は、下院ではここ数十年間で最小の多数派となり、上院では共和党と同数の議席を分け合う状況のなか、上院の定数を拡大してそこに民主党の議席を積み増し、フィリバスター制度を廃止しようとしている。その目的は、ほかの議員からの幅広い支持もないまま、国民に急進的な変革を押しつけることにある。

それなのに、これらの専制に反対する人々が、市民の自由や人権の侵害者、進歩の妨害者、人民の敵とのレッテルを貼られ、実際にそう思われている。だが本当の侵害者は、そんなレッテルを貼っている人たちのほうである。彼らは国家機関や文化の大半を掌握し、世間で語られる物語を支配している。

ハリー・ホジキンソンは、その著書『Doubletalk: The Language of Communism（ごまかしの言葉　共産主義の言語）』にこう記している。「マルクスにとって言語とは、思想が『直接現実化したもの』だった。言語から『切り離された思想は存在しない』のである。スターリンも、『思考は言語となって現実化する』と述べている。言葉は道具であると同時に武器であり、それぞれの言葉に特定の機能がある。（中略）共産主義の言語は、共産主義を信奉しない者に共産主義の意味を説明する手段というよりはむしろ、共産主義に敵意を抱く人や無関心な人を相手に、共産主義政策への支持を生み出したり、共産主義政策への反論を解消したりすることを目的とした武器や道具なのである。つまり共産主義の言葉とは、それが伝える内容ではなく、それが生み出す効果を意味する」（注88）

さらにホジキンソンは言う。「共産主義者にとって多数派は特別神聖なものではない。多数派は自分たちが望むことではなく、『歴史という法廷における多数派の義務』を遂行するよう求められる。政党間の選択など、ブルジョワ民主主義の『つまらないつくりごと』に過ぎない。（中略）民主主義という言葉は主に、限定形容詞として利用されるものでしかない」（注89）

実際、マルクス主義者の上院議員バーニー・サンダースは、「民主主義」を限定形容詞として使い、「民主主義的」社会主義者を名乗っている。「共産主義者にとっては、［そのような表現は］共産主義へ至る道に欠かせない一つの段階に過ぎない」（注90）

アメリカを席巻する抑圧の波は、フランス革命やロシア革命、中国革命などの初期のころに似ていなくもない。それらはいずれも、大衆運動や市民革命として推進され、ルソー主義的な共同体主義や共産主義的な平等主義の確立を目的としていた。だが、ルソーやマルクスとの類似点はそこまでだ。これらの革命は、大衆やプロレタリアートが専制的な政治や腐敗した社会に対して立ち上がる解放運動として喧伝された。だがそこから生まれたのは、大量虐殺的な警察国家だった。もちろんアメリカは、これらの政府や社会とは違う立憲的な代表共和制であり、君主制などの独裁体制ではない。全土に不満が広がっているわけでもない。大半のアメリカ国民は愛国的で、この国に敬意を抱いている。だが現在、狂信的イデオロギーの信奉者や活動家たちが、偽の解放を主張する勢力を率い、紛れもない専制や全体主義をもたらそうとしている。プロパガンダや妨害行為、破壊活動を利用して、既存の社会や文化を混乱・動揺させ、最終的には破壊しようとしている。実際に彼らは、広く「キャンセル・カルチャー」と呼ばれるものを通じて、同胞の市民の自由を抑圧している。ソーシャルメディアから異論を排除することで、思想の一致を要求している。「抑圧者と被抑圧者」という偽の物語を利用して、「白人が支配する文化」の一員とされる人々を非難し、同胞の市民の声を封殺している。言葉や書籍、製品、映画、歴史的記念碑を排除している。懐疑的な人々の社会的地位を奪い、協調的でない企業の製品をボイコットしている。恐怖や脅威を与えて学問の自由を侵害し、知的好奇心を阻害している。アメリカの歴史を歪め、生徒たちを洗脳している。ニュースチャンネルの排除や番組司会者の口封じを要求している。人種差別や性差別、年齢差別などを終わらせると主張しながら、分断や反乱の武器として、それらの差別を利用・推進している。そしてさらに悪いことに、アメリカが掲げる自由を利用して自由を破壊し、憲法を利用して憲法を破壊しようとしている。これらの毒を文化全体に広めているその目的は、この国に対する疑惑の種をまき、市民から愛国心を奪い、大衆が生まれ持った道理に基づく反抗心を抑え込むことにある。そうすれば大衆は、マルクス主義に触発されたさまざまな国内運動の圧制を黙認するようになる。

第7章

私たちは自由を選ぶ!

We Choose Liberty!

私はラジオの番組でよく、わが国を取り戻すために「私たち」は何をすればいいのかという質問を受ける。だがこの「私たち」に、自分が含まれていない場合があまりに多い。そのような考え方はとうてい受け入れられない。私たち自身の自由や不可侵の権利を守るために団結するつもりがあるのなら、私たち一人ひとりが、それぞれの役割に応じたそれぞれの方法で、市民活動家として、自身の運命やわが国の運命に自ら直接関与しなければならない。私たちのものであるアメリカの共和制を、それを破壊しようとする人々から取り戻すべきときが来ている。私たちの代わりに誰かがわが国を救ってくれることを期待して、起きつつあることをただ傍観しながら日常生活を送り、現在の出来事に目も耳もふさいでいては、この闘争に負けてしまう。そう、これは闘争なのだ。

私たちはこれまで、アメリカのマルクス主義（共産主義）者が私たち国民を自由に定義するに任せてきた。その結果、マルクス主義者は私たちを中傷し、私たちの祖先や歴史をおとしめ、わが国の建国の文書や理念をくず扱いしている。彼らはいわば、自分が暮らしている国を憎悪し、その改善に何の貢献もしてこなかった無頼漢だ。他人の汗や苦労に頼って生きていながら、わが国を邪悪で破滅的な道へ追いやり、この社会のありとあらゆる制度を攻撃・破壊している。そのイデオロギーや世界観は、カール・マルクスという一人の男の主張や信念に基づいている。その著作は、何百万もの人々に奴隷化や貧困、拷問、死をもたらしてきた。そう言うと、一部の人々からの異議が予想されるが、これは紛れもない事実である。そういう人たちは、マルクス主義の中核的理念を支持・推進しながら、それが必然的に生み出す結果に対して責任を負おうとしない。これら「役に立つ愚か者」たちが、民主党やメディア、学界、文化などで、影響力のある立場や指導的な立場を独占している。

だが私たちは、ジョセフ・ウォーレン、サミュエル・アダムズ、ジョン・ハンコック、ポール・リヴィア、トマス・ペインなど、自身を犠牲にして勇敢に闘ったわが国の初期の革命家たちに、慰めや力を見出すことができる。また、ジョージ・ワシントンやトーマス・ジェファーソン、ジョン・アダムズ、ジェイムズ・マディソン、ベンジャミン・フランクリンなど、知恵と才能に恵まれた人々に活力や元気を与えてもらうこともできる。これらの人々は、アメリカのマルクス主義者やその仲間たちに汚され、おとしめられてきたが、私たちはこれからも彼らを称え、その鋭気を受け継ぎ、彼らが当時世界最強と謳われた軍を一致団結して打ち破り、人類史上もっとも偉大かつ非凡な国家を創建した事実を絶えず思い出さなければならない。

その後の世代の愛国者たちも、アメリカ各地の戦場や町で数十万もの死者を出す多大な犠牲を払いながら南北戦争を戦い、それまでどの国も成し遂げられなかった奴隷制廃止を実現させた。ゲティスバーグの戦いだけでも、五万一〇〇〇人が死傷した。そのほかにも、チカマウガの戦い、スポットシルバニア・コートハウスの戦い、荒野の戦い、チャンセラーズビルの戦い、シャイローの戦い、ストーンズリバーの戦い、アンティータムの戦い、ブルランの戦い（第一次・第二次）、ドネルソン砦の戦い、フレデリックスバーグの戦い、ポートハドソンの包囲戦、コールドハーバーの戦い、ピーターズバーグの戦い、ゲインズミルの戦い、チャタヌーガの戦い、アトランタの戦い、セブンパインズの戦い、ナッシュビルの戦いなどで、多大な死傷者が出た。

前世紀には、二つの世界大戦で何百万ものアメリカ人が戦い、数十万人が死亡した。第一次世界大戦では、アメリカから動員されたおよそ四〇〇万人の兵士が、ドイツやオーストリア＝ハンガリー、ブルガリア、オスマン帝国と戦い、ソンムの戦い、ベルダンの戦い、パッシェンデールの戦い、ガリポリの戦い、タンネンベルクの戦いなどで一一万六〇〇〇人が帰らぬ人となった。第二次世界大戦では、アメリカの一六〇〇万人以上の兵士が、ナチス・ドイツや日本、イタリアを相手に戦い、ハスキー作戦、アンツィオの戦い、大西洋の戦い、ノルマンディー上陸作戦、ドラグーン作戦、バルジの戦い、硫黄島の戦い、ガダルカナル島の戦い、タラワの戦い、サイパンの戦い、沖縄戦などで四〇万人以上が命を落とした。

ソ連との冷戦時代には、アメリカの兵士がマルクス主義の拡大を阻止するために戦った。朝鮮では、ソ連と中国が支援する朝鮮半島北部の共産軍が、南部に侵攻した。この戦争に五七〇万人以上のアメリカ人が従事し、およそ三万四〇〇〇人が死亡した。またベトナム戦争では、やはりソ連や中国が支援する同国北部の共産軍による南部支配を防ごうと、三〇〇万人近いアメリカ人が軍務につき、五万八〇〇〇人以上が命を落とした。それ以後も、イラクやアフガニスタンなどでの戦争や、テロとの戦いがあった。

アメリカのマルクス主義者は、アメリカは帝国主義的・植民地主義的勢力だと中傷しているが、わが国の兵士は昔もいまも、宗教や肌の色、民族、人種にかかわらず、世界各地で抑圧されている人々を保護・解放するために命を懸けて戦う高潔な戦士である。一部の敵国とは違い、占拠や領土拡大を目的に他国を征服しようとしているわけではない。

アメリカではどの世代の人々も、この偉大な国やその建国の理念を外敵から守るためなら進んですべてを犠牲にし、その多くが実際に究極の代償を支払ってきた。アメリカやその理念には命を懸けて戦う価値があると信じてきたからだ。国民の多くは、自分の一族が昔もいまもそう信じてきたと思っている。

ところが最近になって、アメリカのマルクス主義者が官僚制度や民主党の政策を通じ、批判的人種理論や批判的ジェンダー理論をわが国の軍に押しつけることに成功した（注1）。いまや兵士は、これらのイデオロギーを強化する研修に強制的に参加させられる。それどころか、陸軍士官学校の士官候補生までが、「白人優位の文化」に関する洗脳を受ける（注2）。さらに国防総省は、気候変動を国家安全保障の最優先課題と位置づけ、中国や北朝鮮、イラン、ロシアなどの敵国に匹敵する重大な脅威と見なしている（注3）。その一方で、歴代の民主党政権は、中国をはじめとする敵国が戦争の準備をしているというのに、即応能力の維持に必要な資金を軍に提供するどころか、軍事予算を圧縮している。

では、国内の治安についてはどうだろう？　大半の国民はこれまでずっと、警察は私心のない勇敢な法の番人であり、治安を維持して国民を犯罪から守る存在だと考えてきた。そのため警察官は尊敬され、高く評価されている。高度な訓練を受けているとはいえ、国内の至るところで発生する犯罪の暴力性を考えれば、警察官の仕事には多大な危険が伴う。全国警察記念基金の報告にはこうある。「アメリカでは、殉職者の統計が始まった一七八六年以来、二万二〇〇〇人以上の警察官が職務中に死亡した。（中略）［二〇一八年だけでも］警察官に対する攻撃が五万八八六六件あり、（中略）一万八〇〇五人が負傷している」（注4）

同時多発テロ事件が起きた九月一一日には毎年、アルカイダのテロリストに攻撃されたツインタワーやペンタゴンにいた被害者を救出しようとするこのうえなく英雄的な行為のなかで命を落とした警察官たちが、消防士や救急隊員らとともに称えられている。これら立派な警察官たちは、以前から何も変わっていない。現在も、その当日やほかの日と同じように、わが国のために自己を犠牲にしている。

それなのに最近では、アメリカのマルクス主義が台頭し、アンティファやブラック・ライブズ・マター（ＢＬＭ）などのマルクス主義的・無政府主義的運動が高まるにつれ、状況が変わってきた。あらゆるレベルの警察が、猛烈な攻撃にさらされるようになったのだ。突然、警察官は何の役にも立たない、警察の活動を制限・抑制するべきであり、治安維持そのものを「再考」する必要がある、と言われるようになった。また、警察は「制度的に人種差別的」であり、アフリカ系アメリカ人などのマイノリティに対する態度が白人とはまったく違う、とも言われている。それに反する異論の余地のない統計や圧倒的な証拠があるにもかかわらずである（注5）。言うまでもなく、メディアを通じて絶えず警察に関する偽情報が流され、動画撮影された尋問がイデオロギー的・政治的に利用され、主要都市の民主党政治家により警察予算が削減され、警察が容赦なくおとしめられて弱体化すれば、地域の治安は悪化し、警察活動に対する大衆の信頼は崩れ、その結果やがては法の支配が、最終的には市民社会が損なわれる。これを逆に言えば、アメリカの「根本的変革」（注6）、すなわち、わが国の歴史や伝統、ひいては共和制の廃止を目的とするなら、警察への支持を妨害することが必要になる。結局のところ、警察がなければ市民社会は崩壊する。

実際、警察法的擁護基金の報告にはこうある。「アメリカの主要都市では、二〇二〇年六月から二〇二一年二月にかけて、警察に対する抗議や当局の声明および方針決定を受け、明らかな取り締まり放棄*が発生する事態となった。その結果、ジョージ・フロイド殺害事件の数カ月後には逮捕数や尋問数が急減するとともに、殺人事件が急増した。（中略）昨年［二〇二〇年］、アメリカでは殺人事件が二万件以上あった。これは、一九九五年以降では最高の件数であり、二〇一九年より四〇〇〇件も多い。また、FBIの二〇二〇年の予備データを見ても、殺人事件が二五パーセント増加しており、FBIが一九六〇年に同様のデータの公表を始めて以来、単年では最大の増加率となっている」（注7）。警察官の離職や退職も大幅に増えている（注8）。その結果、主要都市では人口が減少しつつある。主に犯罪の増加のため、市民が前例のない規

＊人種差別だとの批判を避けるため、警察官がマイノリティの取り締まりに消極的になること。

模で都市から離れているからだ（注9）。

さらに有害なのが、アメリカのマルクス主義者による公立学校や大学の教室の支配である。これを全面的に支持し、積極的に推進しているのが二つの全国的な教職員組合、全米教育協会（ＮＥＡ）（注10）と米国教員連盟（ＡＦＴ）（注11）である。こうした教室では、自分の子どもや孫たちが、わが国を憎むよう教えられ、人種差別的なプロパガンダで洗脳されている。このような事態が続けば、ほぼ間違いなくわが国は失墜するだろう。ヘリテージ財団の報告にはこうある。「批判的人種理論が生み出された中等教育後の教育機関に同理論が蔓延したのに続き、いまでは幼稚園から高校にまで、同理論に基づいたカリキュラムや教育が広まっている。大学での教授細目や学術論文への広がりは、二〇世紀の数十年の間に起きたが、幼稚園から高校までの社会や歴史、公民といった科目への影響は、比較的最近になって顕著になってきた」（注12）

国民の同意もなく、国民に知らされることもないまま、「全国の学区で、学校のカリキュラムに批判的人種理論が組み込まれている。わが国最大の教職員組合二つが、ＢＬＭ運動を支持しており、なかでも全米教育協会は、幼稚園から高校までの学校に、同運動が推奨するカリキュラム教材の使用を求めている。このカリキュラムは、厳密には教育課程と一切関係のない『同性愛の肯定』といった思想に『尽力』しており、『小学一年生の算数に隠された公然たる秘密　アメリカの通貨制度に見られる白人優越主義の教育』といった人種的偏見に基づく論文を推奨している。二〇一八年には、ロサンゼルスやワシントンDCなど、二〇を超える大規模学区の職員が、BLM運動が提示するカリキュラム内容や、同運動の『活動週間』を奨励していた。《エデュケーション・ウィーク》紙が二〇二〇年六月に行なった調査によれば、教師や校長、学区の教育長の八一パーセントが『BLM運動を支持している』という」（注13）

実際、「実践的な公民教育として、破壊的な抗議活動の教育をしている学校もあった」（注14）。共産主義を基盤とするイデオロギーは、宗教系の学校も含め、私立学校にまで及んでいる（注15）。

この害毒が最初に広まったのが大学である。いまや大学はこのイデオロギーに支配され、学問の自由や言論の自由などほとんど残されていない。教育の学位の取得を目指す学生は特に、その標的となった。ジェイムズ・G・マーティン学術機関刷新センターのジェイ・シェイリンは言う。「教員を養成する教育大学院に対する『長い取り組み』は、みごと成功した。いまわが国の教育大学院に多大な影響力を行使しているのは、わが国を集産主義的ユートピアに変革しようとしている政治的急進派［マルクス主義者］である」（注16）。「教育大学院で、この急進思想から逃れるのは難しい。教育界の序列を上へ上がるほど、過激な思想に長期間さらされる可能性が高くなり、それを拒むことができなくなる。教育界で影響力のある地位につくためには、だまされやすい人を洗脳し、反抗的な人を排除する大学院教育課程という地雷原をうまく通り抜けなければならない」（注17）

さらに忘れてはならないのが、アメリカの企業経営者である。さまざまなマルクス主義・批判理論運動に傾倒している企業は枚挙にいとまがなく、人事や研修、雇用などを通じてその運動を推進する活動に余念がない。多様性・公正・包摂関連のコンサルタントで著作家でもあるリリー・ジェンは、《ハーバード・ビジネス・レヴュー》誌に寄稿した記事のなかでこう述べている。「企業の社会正義とは、全員の声に耳を傾けるといった心温まるアプローチなどではなく、その性質から見て、全員を幸福にする取り組みをもたらすものでもない。たとえば、多くの企業はその最初のステップとして、公式の声明や寄付を通じて、BLM運動を公的に支持する。こうしてある立場を採用すると宣言すれば、一部の消費者、従業員、企業パートナーを遠ざけることになる。それでも企業は、一部の集団（白人優越主義者や警察など）との取引を失うことにこだわってはならない。なぜなら、それらの集団との取引で利益をあげるのは、企業の社会正義戦略に反することになるからだ」（注18）

これらの企業はまた、その資金力を利用して民主党寄りの政治運動を組織するなど、民主党にこびへつらい協力している（注19）。その好例が、共和党が支配するジョージア州議会の最近の決定に対する共同戦線である*（注20）。

フェイスブック／インスタグラム、ツイッター、グーグル／ユーチューブなどのソーシャルメディアにも、同じことが言える。ソーシャルメディアはかつて、民主党の宣伝機関あるいは「社会運動」や「進歩主義」の代弁者としての役割を少数独占していたメディア企業への対抗

＊マイノリティの投票を制限するとされる法律がジョージア州議会で可決されたのを受け、グーグルやアマゾンなど数百社が共同でそれに反対する声明を発表した事件を指す。

手段と考えられ、自由にコミュニケーションできる公共の場として利用されていた。それなのにいまでは、ほかの企業同様、独善的な計略に加担している。昨年の事例を見れば、これらの大手ＩＴ企業も実際には少数独占企業なのだということを痛烈に思い知らされる。民主党やさまざまなマルクス主義運動、あるいは新型コロナウイルスによるパンデミックを喧伝する権威主義者などの見解に反論や異議を唱えるメッセージや動画を、わずかばかりの億万長者たちが検閲・停止・削除・編集しているからだ。また、フェイスブックを運営する億万長者マーク・ザッカーバーグは、前回の選挙の間に数億ドルもの献金を行ない、重要な激戦州における民主党の拠点で投票率を上げるのに貢献している（注21）。

自由、家族、国家に対するこれらの攻撃に対して、私たちに何ができるだろう？　もちろん、私がその答えをすべて知っているわけではない。だがまずは、私が数年前に発表した『自由と圧制』のなかで述べた警告を再掲しよう。「私たちはもっと公共問題に関心を持たなければならない。（中略）そのためには、新世代の（中略）活動家、これまでよりも多くの明敏で雄弁な活動家が、国家統制主義者による反革命を抑えようと努力することが必要になる」（注22）。公職選挙に立候補する、任命制の公職につく、この事態に変化をもたらす愛国者を教育機関や報道機関、実業界に送り込むなど、あらゆる機会を利用して、わが国の機関や組織を取り戻さなければならない。わが国やその憲法、資本主義の偉大さについて、マルクス主義やそれを推進する人々や組織の邪悪さについて、子どもや孫たちに教える仕事を進んで引き受けなければならない。そして、犯罪者や外敵から私たちを守ってくれている警察や軍を支持し、彼らに敬意を払うことがなぜ重要なのかを、子どもや孫たちに説明してやらなければならない。

だが、切迫した現状を考えると、それだけではとうてい十分とは言えない。わが国の運命はあなたの手にかかっている。あなたがわが国の自由を熱心に称える力強い活動家になれるかどうかにかかっている。この国の未来が荒涼たるものに見えることがあったとしても、いまもこれからも、この内なる敵に屈してはならない。

それを忘れることがないように、トマス・ペインの著書『The American Crisis, No. 1（アメリカの危機第一巻）』の一節を紹介しよう。これは、独立戦争のさなか、ジョージ・ワシントン率いる植民地軍の敗色が濃くなり、兵士の士気が底をついていた一七七六年一二月一九日に執筆された。その冒頭にはこうある。

いまこそ人間の魂が試されるときだ。このような危機的状況のなか、日和見的な兵士や愛国者は、この国への奉仕に尻込みすることだろう。だが、いま国への奉仕に力を貸す者は、市民の愛情や感謝を受けることになる。圧制は地獄同様、容易に打ち負かせるものではない。それでも、闘争が困難であるほど勝利の栄光も高まる。そこに救いがある。楽に手に入れたものは尊重することもできない。高くつくものだからこそ価値を帯びる。何かに対する代償がどのように決められているのかは神にしかわからないが、『自由』という天上のものが高く評価されないはずがない（注23）。

そしてペインは、圧制に対する戦いに参加するよう全アメリカ人に呼びかける。

私は、一部の市民にではなく、全市民に呼びかける。特定の植民地だけでなく、あらゆる植民地に呼びかける。立ち上がって私たちを支援せよ。あなたがたの肩をこの車輪に預けよ。これほど偉大なものが危機に瀕しているのだから、軍勢は少ないよりは多いほうがいい。そして未来の世界に伝えよ。希望と美徳しか生き延びられない真冬のさなか、ある共通の危機に恐怖を覚えた都市と田園地方とが、その危機に立ち向かい、撃退するために立ち上がった、と（注24）。

トレントンの戦いに先立つ一七七六年一二月二五日の夜、ワシントンは疲弊した軍隊にこのペインの言葉を読み聞かせるよう命じた。その結果は、言うまでもなく勝利である。ペインのこの小冊子は、ワシントン軍の兵士を元気づけるだけでなく、瞬く間に植民地全土に広まり、市民を奮い立たせた。

現在の状況は、当時と同じように厳しく切迫しており、多くの点でもっと複雑な様相を呈している。私たちがこのような衝突を望んだわけではないのだが、衝突は現にここにある。そのうえ独立戦争の初期と同じように、私たちは敗れつつある。残念ながら、国民の大半は不意打ちを食らったまま、いまだ積極的な行動を起こしていない。だが忘れてはいけない。マルクス主義に関連したさまざまな運動は、扇動、強制、威嚇、攪乱、あるいは暴動さえも絶えず繰り返し、目的を達成しようとしている。一方、それに対する効果的で持続的な反対勢力や抵抗運動は存在しない。そのような状況を変えなければならない。

これは、行動に対する呼びかけである。

いまこそ行動を起こすときだ。私たち一人ひとりが、わが国を救うために日常生活の時間を割かなければならない。アメリカのマルクス主義やそのさまざまな運動に、機敏かつ戦術的に対応しなければならない。組織化し、力を結集し、ボイコットし、抗議し、演説や執筆などを行ない、必要に応じて、マルクス主義者の戦略や戦術も利用して対抗しなければならない。つまりは、新たな「地域社会活動家」になる必要がある。だがマルクス主義の活動家とは違い、その中心的理念は愛国主義にある。

私たちが採用すべき重要な戦略の一部を以下に紹介しよう。

ボイコット・投資撤収・制裁（ＢＤＳ）

ボイコット・投資撤収・制裁（ＢＤＳ）運動という言葉を耳にしたことがあるかもしれない。これは、イスラエルを経済的に破壊しようと過激派が採用していた戦略である。アメリカの愛国者も、資金提供などを通じてわが国のマルクス主義運動を支援している企業や組織、献金者に対して、ＢＤＳ運動の各要素を利用できる。

「ボイコット」では、アメリカのマルクス主義やその各種運動の推進に加担している企業（メディアや大手ＩＴ企業など）、ハリウッド、スポーツ・文化・学術機関への支援をやめる。

「投資撤収」では、銀行や企業、地方政府や州政府、宗教法人、年金基金などに、各種マルクス主義運動への投資や支援を撤回するよう圧力をかける。

「制裁」では、地方政府や州政府に、マルクス主義的な運動や政策に関係のある組織への公的助成などの支援をやめるよう圧力をかけるとともに、公費により運営される公立学校から、批判的人種理論や批判的ジェンダー理論などの教育や洗脳を排除する。

さらに言えば、アメリカのマルクス主義者は訴訟好きだ。自分に有利な司法管轄区や法廷で提訴を繰り返したり、連邦政府や州政府の官僚組織を相手に次々と行政訴訟を起こしたりするなどして、政府の活動や政敵に関する情報を収集すると同時に、度重なる調査要求で官僚の仕事を妨害している。それなら、アメリカの愛国主義者も同じ手を使うべきだ。連邦政府に情報開示を要求する方法については、FOIA.gov というサイトに記載がある。情報公開法はどの州にもあり、その内容は、インターネットを検索すれば簡単に見つかる。そのほか、すべてではないものの保守的・自由主義的な法律団体の一覧は、https://conservapedia.com/Conservative_legal_groups に、連邦政府や州政府に不服を申し立てるための手続きは、https://www.usa.gov/complaint-against-government に掲載されている。また、マルクス主義を基盤とする特定の組織に関する情報を集め、その党派的・政治的性質を明らかにすれば、その組織に与えられた税制上有利な地位に異議を唱え、内国歳入庁に不服を申し立てることもできる。

原則としては、実現可能であれば、アメリカのマルクス主義の影響を抑えるBDS運動を始動させ、「体制」を制圧・打倒・批判・制御するというクロワードとピヴェンのアプローチを採用する必要がある。ただしここで言う体制とは、マルクス主義を基盤とする運動が生み出した体制である。

そのほか、必要に応じて、ソウル・アリンスキーの『急進派のルール』も活用したほうがいい。先に述べた「攻撃対象を選定し、その活動を封じ、個人攻撃を行ない、分断を図る」というものだ（注25）。アリンスキーはこうも述べている。「攻撃の中心となる標的がなければ、戦術として意味がないのは明白である」（注26）

また、数が力になることを忘れてはいけない。教職員組合やアンティファ、ＢＬＭなどは、この点をよく理解している。私たちもそれを理解しなければならない。

以下に、具体的な戦術をいくつか紹介しよう。もちろんこれがすべてではない。

教育

まずはアメリカのあらゆる学区で、愛国的な地域社会活動家による地域委員会を組織することが必要になる（一部の学区ではすでに設立されている）。この委員会には、地域の公教育のあらゆる側面に関与することが求められる。もはや子どもたちの教育や地域の福祉を「教育の専門家」に任せておいてはいけない。すでに経験しているように、特にパンデミック以降は、教育に携わる官僚組織が子どもたちの利益を最優先に考えておらず、その怠慢が悲惨な結果を招いている。では、それに対して何をすればいいのだろう？

一、地域委員会が、教育委員会のあらゆる会議に委員を出席させ、教職員組合やマルクス主義活動家など特定の団体の独占的利益ではなく、大衆の利益や生徒の利益に奉仕しているかどうかを確認する。これはつまり、数百人の愛国的活動家が、年間を通じて教育委員会のあらゆる会議に出席し、その議論に耳を傾けるということだ。教室や学校を、地域社会の手に取り戻さなければならない。

二、地域の学校組織の秘密主義的な行為を終わらせる。学校のカリキュラム、教科書、教師向けの研修やセミナーの教材、教師と学区との契約、学校予算を、地域委員会が吟味《ぎんみ》する。透明性を確保するこれらの行為に対して、教育委員会や学校経営者からの抵抗があった場合には（その可能性はある）、地方自治体や州政府の情報開示手続きなど、法的手段を活用して情報を取得する。ここでは粘り強さが鍵になる。必要であれば、情報公開を自発的に支援してくれる地域の法律家や弁護士の手を借りてもいい。全国的な法律団体に支援を求める必要が生じる場合もあるが、いずれにせよその目的は、学校組織のなかに、教育委員会や教育官僚、教職員組合の活動を抑制・監視する地域委員会の存在感や発言権を永続的に生み出すことにある。これらの組織は好き放題にふるまい、いまでは教育を全面的に掌握してしまっている。

三、教職員組合との契約を通じて、教師が教室を利用したり学問の自由を乱用したりして批判的人種理論や批判的ジェンダー理論を生徒に推奨・洗脳するのを防ぐよう、地域委員会から要求する。マルクス主義に属するこれらの運動は、最近になって突然生徒に押しつけられるようになったが、これ以上、人種差別的な憎悪やわが国を軽蔑する気持ちを子どもたちに植えつけてはならない。教師は教える対価として給与を受け取っているが、その教える内容は、科学的で客観的な、正確な事実でなければならない。また学校経営者にも、監督下にある教師の質や履修課程の内容が妥当なものかどうかを常に確認するよう求められていることを通知しておく必要がある。たとえば、生徒は本物の歴史学者が記した歴史を学ぶべきであり、幅広い非難にさらされている信憑性のない《一六一九年プロジェクト》を学ぶべきではない。あれは、批判的人種理論から生まれた愚劣な思想でしかない。学校経営者にそれをきちんと管理する能力も意思もないのであれば、そのような経営者は辞めさせるべきである。

四、現在、代理人や法律団体が協力して、公立学校における批判的人種理論教育に反対する訴訟を起こしている。人種や肌の色、性やジェンダー、宗教に基づく差別は、一九六四年公民権法、および一九七二年教育改正法第六編・第九編に違反しており、この教育により差別的な言論が強制されるとともに人種的な固定観念が維持され、好ましくない教育環境が生まれている、との主張である（注27）。これについては、地域委員会や保護者団体などの愛国的活動家からも、批判的人種理論による人種差別など、マルクス主義関連のイデオロギーを実践・強制するなるべく多くの学校組織に対して訴訟を起こすべきである。ウィリアム・ジェイコブソン教授が設立・運営するウェブサイト《リーガル・インサレクション（Legal Insurrection）》には、幼稚園から高校まで、各地の学校における批判的人種理論教育について有益な情報が掲載されている。草の根団体の一つ《教育を守る保護者の会（Parents Defending Education）》も支援を提供している（https://defendinged.org/）。

五、愛国者に友好的な議会や知事を擁する州であれば、批判的人種理論など、マルクス主義関連のイデオロギーによる生徒の洗脳や教師の教育を防ぐ法律を可決するよう、地域委員会から要請する。すでにそのような法律を制定している州もあるが、まだとても十分な数とは言えない。友好的な州の検事総長にも、合衆国憲法や州憲法、公民権法による保護を訴え、教師や生徒に人種差別的洗脳を押しつける学区や教職員組合に対抗するよう要請する。愛国者はそのほか、学校が公民の授業で生徒に、独立宣言や合衆国憲法などに記された建国の理念を教えるよう義務づける州法の制定を求めていくべきである。学校組織は州政府からかなりの助成を受けており、それもまた、学校組織の責任を問う手段になる。

＊従来の学校では対処できないさまざまな問題を抱えた子どもの教育問題に取り組むため、保護者や教員、地域団体などが州や学区の認可を受けて設立する学校。

六、ほとんどの地域では、財産税収の大半が地域の学校組織の助成に充てられ、その助成金の大半が教師の給与に使用される。それなのに、学校組織が地域委員会や大衆の要請を拒み、教職員組合がなおも政治的・イデオロギー的目標の推進を続けるのなら、地域委員会が納税者による反対運動を組織する。これについては、ティーパーティ運動の経験が優れた指針になる。一部の州では教職員組合がストライキを行なう権利を持っているが、財源の権利もまた、まだ十分に活用されてはいないものの、公立学校の管理闘争における重要な手段になる。

七、地域委員会から、教育の競争を推進するよう要請する。競争は、考え方が凝り固まった教育委員会や教職員組合、教育官僚ではなく、個々の生徒や大衆にとって最善の利益になる。この三者（教育委員会、教職員組合、教育官僚）は、チャータースクール*や、私立学校や教区学校のバウチャー**制など、学校選択制を推進する取り組みに常に反対している。なぜなら、教育に競争を持ち込むことに反対しているからだ。これに対して、保護者などの納税者には、生徒数に応じて税金を分配するよう主張していくことが求められる。いまや公立の学校組織が急進化・政治化しており、パンデミックの間に多くの教職員組合が権力を乱用したことを考えれば、なおさらである。

＊＊子どもがいる家庭に教育用クーポンであるバウチャーを配布し、子どもや保護者に学校を選択させ、このバウチャーの数に応じて政府から学校へ運営費を支払う仕組み。

八、地域委員会が、教育委員に立候補する候補者を育成・教育するか、真の教育改革に取り組む姿勢を共有する人々を支援する。すでにこれを始めた地域がわずかながらある。

九、地域委員会を全国各地に設立・発展させ、各委員会の間で情報や戦術を共有できるようにするのが望ましい。

一〇、全米教育協会（ＮＥＡ）や米国教員連盟（ＡＦＴ）、および各州や各地域にあるその系列団体の政治活動などについては、ほかの団体や非営利法律財団と連携すれば、上記以外にもさまざまな対策を講じられる。たとえば、ＮＥＡやＡＦＴ、その系列団体は公共部門労働組合であり、特別な税制措置や政府からの給付を受けている（注28）。そのため、これらの団体の納税申告書の情報開示を内国歳入庁に要請してもいい。また、これらの組合やその関連団体が、非課税法人を設立している場合がある。非課税法人が提出する年次情報報告書（フォーム九九〇）はその法人のウェブサイトで公表されているが、内国歳入庁では、税制上の地位に対する要件を満たしていないと思われる非課税法人に対する訴状も受けつけており、教職員組合の多くはこの非課税法人に含まれる。提訴に関する情報は、https://www.irs.gov/charities-non-profits/irs-complaint-process-tax-exempt-organizations に掲載されている。

高等教育機関には、また別の問題や課題がある。大学はいまやアメリカのマルクス主義の温床となり、終身在職権を得たマルクス主義的・急進的な教授が支配権を握っている。そのため、きわめて反体制的な大学については、その学生や大学院生がほかの人々や組織に向けて実施しているようなＢＤＳ運動を、その大学に対して展開していかなければならない。具体的な抵抗手段を以下に紹介しよう。

一、まずは、子どもが大学に通うための学費を親が支援するのであれば、子どもが大学を選択する際に、親が何らかの影響を及ぼせるか試してみる必要がある。大学は文字どおり学校選択制であり、その選択が賢明なものなのかどうかの判断を迫られる。したがって親は、学問の自由や言論の自由、伝統的な教育方針などに関する大学の評判はどうか、マルクス主義的な急進主義や不寛容の温床になっていないかどうかをよく確認しなければならない。親が学費を支援しない場合であっても、親は親としての影響力を行使して、子どもが選択を誤らないよう指導するべきである。また、子どもが名門大学への入学を認めてもらえたとしても、その名声や過去の評判にだまされてはいけない。たとえば、批判的人種理論の熱心な提唱者のなかには、ハーバード大学やスタンフォード大学の法学教授もいる。すでに詳しく述べたように、マルクス主義を基盤とする批判理論イデオロギーは、わが国の大学を次々に呑み込み、全国各地の大学でさまざまな急進的運動を生み出し、社会全体にまで広めている。先に紹介したウェブサイト《リーガル・インサレクション（Legal Insurrection）》には、大学キャンパス内の批判的人種理論活動に関する有益かつ包括的な情報が掲載されている（https://legalinsurrection.com/tag/college-insurrection/）。

二、大学は絶えず募金活動を実施し、卒業生に資金援助を呼びかけている。これらの教育機関のなかには、巨額の寄付金を貯め込んでいるところもある。だが、アメリカのマルクス主義の温床となっている大学への資金源を断つ簡単な方法がある。卒業生などの支援者を相手に、学問の自由や言論の自由を封殺し、マルクス主義を推進し、キャンセル・カルチャーの一翼を担う大学への支援を差し控えるよう促す運動を展開すればいい。世のなかには、数は少ないながらも、ヒルズデール大学やグローブシティ大学など、教養教育について従来のアプローチを採用している大学もあり、そのような大学こそ支援すべきである。

三、きわめて急進的な大学については、形勢を逆転させる必要がある。そのなかから数校を見せしめとして選び、ＢＤＳ運動の標的にする。つまり、親や学生、支援者によるボイコット、民間からの投資撤収、州政府や地方政府、企業にこれらの大学への支援を打ち切るよう圧力をかける制裁である。

四、大学の主たる資金源は州議会であり、その資金を主に提供しているのは州の納税者である。それなのに州議会が、その資金の大半が大学でどのように使われているのかを監視したり、その使途に影響を及ぼしたりすることはほとんどない。大学は自らを一つの帝国と見なし、実質的な監視や管理の免除を要求する一方で、憲法修正第一条や学問の自由の理念に従い教育機関に付与された自由を乱用して、教授や学生や外部講演者の不適切な意見を封殺している。これら専制的な教育機関の活動を抑制するため直ちに対策を講じるよう議会や知事に圧力をかけるべきときは、とうに過ぎている。いまや大学は、大学に認められた自由を利用して、私たちの自由を破壊している。

大学が終身在職権を得た急進的な教授であふれており、その多くが暴動を説き勧めていることは、すでに詳しく述べたとおりだ。第三章でも述べたように、二〇〇六年に大学の教員数百名を対象に実施した調査では、こんな結果が出ている。「紛れもない左派が八〇パーセントもいる。しかもその半数以上が極左である。（中略）また、社会科学の教授の五分の一は、『マルクス主義者』を自称している」（注29）。しかもこれは一五年も前の話である。現状がどれだけ悪化しているか想像してみてほしい。さらに、拙著『略奪と欺瞞』でも紹介した、次のような調査結果もある。「さまざまな分野のトップ学部の卒業生が、ほかの大学の学部で最高の地位につくと、そこに同窓生を招き入れるといった排他的なネットワークが存在する」（注30）。こうして、教員の間にイデオロギー的集団思考を確立・促進しているのである。

州議会は、公的な助成の対象である大学の教員が採用・雇用され、給与を受け取り、終身在職権を手に入れているこの腐敗した慣行を終わらせなければならない。とりわけ「終身在職権」に関する慣習は、完全に排除すべきだ。無数の学部の大学教員がイデオロギー的・政治的に著しく偏向していることに、妥当かつ合理的な根拠などない。また、数世代もの学生に自国を憎悪するよう教育し、自身の精査や説明責任を免れ、終身在職権を自らに付与しているマルクス主義者に、納税者が資金を提供する正当な理由などない。学界にはびこるこれらの徒党は、絶えず意のままに自身のイデオロギー運動を推進し、アメリカの大学を事実上支配している。その結果、学問の自由や言論の自由が破壊されてしまった。実際、学問の自由や言論の自由が本当にまだ大学に存在しているのであれば、多数派のイデオロギーに従わず、あえてそれに異議を唱える数少ない教授たちが脅されることも、キャンセル・カルチャーにさらされることも、人生を棒に振ることもないだろう。キャンパス内のマルクス主義者に逆らう学生グループが、嫌がらせや暴力を受けることもないはずだ（注31）。そしてさまざまな意見を持つ来賓講演者が受け入れられ、愛国的な講演者がやじり倒されることも、激怒した群衆により追い払われることもなく、卒業式の講演者は広範な社会を代表する一人と見なされることだろう（注32）。

アメリカの大学の多くの学部がマルクス主義の洗脳工場と化してしまったいまでは、バーニー・サンダース上院議員など民主党系の政治家たちが、大学に通う若者をさらに増やそうとして、大学の授業料の無償化や学生ローンの返済免除を提案しているのも、驚くにはあたらない（注33）。またバイデン政権は、高等教育への支出や助成を数十億ドル増やすことを公約しており、将来的にはさらに増やすと公言している（注34）。だが、それでもまだ十分とは言えないだろう。大学の学費や支出が途方もなく急騰しているからだ（注35）。

さらに、これらの大学の助成に巨額の公費が投入されているにもかかわらず、大半の大学は排他的なネットワークにより、定期的・持続的・徹底的な監視や査察を免れている。これは間違いなく、民主党が連邦議会や州議会を支配しているためだ。しかし、こうした教育機関の変質や莫大な助成を容認していない州議会もある。そのような議会は直ちに、これらの大学から未来の資金を取り戻し、学問や財政に関する説明責任を要求する行動をとるべきだ。ここでも財源の権利が、ますます制御不能になっていく教育機関を抑制する重要な手段になる。

五、バイデン政権は、外国から何千万ドルもの助成金や寄付金を受け取っている大学を擁護している（注36）（たとえば中国は、こうした助成金を通じてアメリカ全土の大学に「孔子学院」なるものを設立している）。上院が最近になって、こうした資金の規制を強化しているにもかかわらずである（注37）。そのため、まずはこれらの資金の受領の報告を、次いで受領の禁止を大学に義務づけるよう州議会に圧力をかけていく必要がある。中国などの国々は、こうした資金をもとに、抑圧的な政治体制を支持・推奨するプロパガンダや講義の機会を手に入れている。大学がこの義務に従おうとしないのなら、州議会は大学への助成をさらに削減すべきである。

六、州の情報公開法を利用すれば、公立大学に関するあらゆる情報を収集できること、連邦政府の情報公開法は教育省にも適用されることを忘れてはならない。教育省には、大学に関するさらなる情報が間違いなく存在する。

最後に、学生は当然、自身が受ける教育と無関係ではいられない。そのため、教授がその役職を悪用して教室を、マルクス主義関連の運動を推進する定期セミナー会場に変えてしまうようなら、以下の行動を起こすべきである。大学に学費の返還を要求する。同じ考えを持つ学生と協力して、教授のプロパガンダに反対する。さらには、虚偽の広告、誘惑的な宣伝文句、教育方針の転換などを理由に、商業面からの提訴を考慮してもいいかもしれない。

企業

アイン・ランドはこう述べている。「現代の実業家の最大の罪は、工場の大煙突から煙を吐き出していることではなく、この国の知的社会を汚染していることだ。実業家たちは、その汚染を容認し、支持・支援している」（注38）。まさにそのとおりである。

一見すると奇妙に思えるかもしれないが、前述した理由により多くの主要企業は、ＢＬＭの理念や（注39）、批判理論に関連するマルクス主義的な運動や目標、民主党の欺瞞的な選挙戦略を採用している（注40）。実際、多くの企業が抑圧的な運動を通じて、言論の自由を圧殺し、不適切な意見や信念を検閲し、新たに正統とされた考え方に従わない個人や集団、（たいていは小規模な）企業、および共和党が優位な州議会を排除またはボイコットしている。さらには、雇用の条件として、さまざまなマルクス主義運動のイデオロギーで従業員を洗脳している（注41）。もちろんドナルド・トランプは、連邦政府が職員に批判的人種理論の研修をしたり、批判的人種理論を採用している企業と取引したりするのを禁じ、二〇二〇年以前の州投票法を骨抜きにしようとする民主党やその代理組織の取り組みに抵抗してきた（注42）。

これらの企業はいまや、民主党と公然と結託して共和党に対抗し、共和党への財政支援を控えるとともに、民主党候補者への支援を強化している（注43）。こうした企業にとって、ジョー・バイデンは文句なしの大統領候補者だった（注44）。実際バイデンは、これらの企業の幹部を大勢政権に雇い入れている（注45）。また企業のCEOは、マルクス主義運動の活動家や宣伝者と化し、請願や書簡など、政治的動機に基づいた公的取り組みをとりまとめ、社会運動における功績を企業の成功の指標と見なしてさえいる（注46）。

だが、国内では道徳性の高さをアピールしているこれらの企業の多くが、アメリカにとってもっとも危険な敵国である中国の虐殺政権との取引を進めている（注47）。こうした企業は中国との関係を深め（注48）、中国市場に参入しようとする一方で、中国の恐るべき人権侵害については沈黙を保っている（注49）。移植用臓器の強制的摘出（注50）、無数の強制収容所（注51）、ウイグル人イスラム教徒を含むマイノリティ集団の拷問・強姦・殺害（注52）などである。

では、これに対してどうすればいいのだろうか？

一、私たちや、その周囲にいる友人や同僚、隣人一人ひとりが、「愛国的な商取引」を実践する。つまり、情報に通じた愛国的な消費者になるのである。私たちが力を合わせれば、かなりの経済的影響力を及ぼせる。日常的に使うささいな製品やサービスを購入するにせよ、人生を変えるほど多額の金銭的決断をするにせよ、誰もが多少なりとも時間をかけ、取引相手となる個人や企業が自分と世界観を共有しているかどうかを確認する。取引相手が同じ世界観を共有していたり、政治的に中立だったり、政治からは距離を置いていたりするのであれば、その取引相手を支援する。そうでなければ、その相手とは取引せず、ＢＤＳ運動の一環として、その個人や企業に対するボイコット運動を組織する。ボイコットはこの数十年間、アメリカのマルクス主義者やその仲間、代理組織が実施してきたが、私たちはそれに対抗しなければならない。事実、近年ではマルクス主義者によるボイコット活動が大幅に増えている（注53）。

また、こうした群衆戦術の標的にされながらも屈しない企業の製品やサービスを購入し、そのような企業を財政的に支援する。たとえば、食品会社ゴヤのＣＥＯがトランプ大統領を支持する発言をすると、マルクス主義軍団が同社をボイコットした。だが、愛国的なアメリカ人が迅速かつ徹底的に抗戦し、同社を支援しようとゴヤの製品を大量に購入したため、店舗の棚が空っぽになってしまったという（注54）。このように、特定の企業を個人的・集団的にボイコットするだけでなく、愛国的な企業を支援する必要もある。

さらには、ソーシャルメディアを活用して、政治的・イデオロギー的に敵対する企業を暴露し、圧力をかけ、抗議活動を組織する（大手ＩＴ企業についてはあとで詳しく述べる）。株主総会に大勢で乗り込み、こちらの意見を聞いてもらう（その相手には、メディア企業や大手ＩＴ企業も含まれる）。また、自由企業プロジェクト（ＦＥＰ）では、「株主決議を提示し、企業のＣＥＯや取締役を株主総会に関与させ、証券取引委員会に解釈の指針を示すよう請願し、企業がその使命に注力し続けるためのインセンティブを生み出す効果的なメディア・キャンペーンを支援する」取り組みを推進している（詳細については、https://nationalcenter.org/programs/free-enterprise-project を参照）。同様の組織はほかにもあり、愛国的な株主が主導する運動に誰でも参加できる。

そのほか、これらの企業（特に中国国内で営業している企業や中国と取引している企業）の調査を州議会に働きかけ、州助成金などあらゆる資金を撤収するよう圧力をかけることも忘れてはならない。

二、批判的人種理論などのマルクス主義的な思想を支持している企業、自分が賛同していない政治的・政策的理念に関与している企業を、どう確認すればいいのか？　もちろんインターネットを検索すれば、企業設立趣意書など、こちらが知りたい重要な情報を入手できる（企業は「社会運動」を誇示したがる傾向がある）。また、政治的・イデオロギー的活動に基づいて企業を追跡・評価しているサイトもある。たとえば、《2ndVote》や、寄付金を追跡している《OpenSecrets》（https://www.opensecrets.org）といったサイトに企業名を入力してみるといい。さらにメディア研究センターが、主要テレビ局のニュース番組の企業スポンサーを追跡している（https://www.mrc.org/conservatives-fight-back）。

可能であれば、マルクス主義関連の運動とますます連携しつつある大手国際企業やアマゾン、大規模な倉庫型店舗ではなく、そのような運動とかかわりがなさそうな小企業、スタートアップ企業、近隣の企業から製品やサービスを購入したほうがいい。

三、自由市場資本主義を支持するのは、少数企業による独占や縁故資本主義を擁護することではない。大企業はいまや社会運動事業を始め、マルクス主義を基盤とする運動や民主党と協調している（注55）。それなら、大企業がこれら新たに見つけた仲間の圧制のもとで活動を続け、その結果を経験するに任せておこう。つまり、政府における私たちの仲間が税制や規制の方針を定める際に、少数独占企業の待遇と中小企業の待遇とを分離させるよう主張するのである。少数独占企業の利益は、中小企業の利益や、わが国の共和制を守ろうとする私たちの利益とは一致しない。たとえば、グーグルやフェイスブック、ツイッター、アップルなどは、一丸となって図々しい取り組みを続けている。スタートアップ企業のパーラーをつぶす、トランプ前大統領の発言を検閲する、本選挙前にハンター・バイデンのスキャンダルをもみ消す、新型コロナウイルスを理由にロックダウンを実施して政府官僚の意見とは異なる科学者や専門家の言動を禁じる、自分たちが支持していない政治・政策問題に関する言論や討議を幅広い抑圧手段を使って非難・封殺する、といった取り組みである。また、何百もの企業が結託して、共和党主導で州の選挙制度を合法的に改革しようとするジョージア州議会に対抗し、同州の一党支配を狙う民主党の取り組みに協力している。これらの企業は、書簡や請願、公式声明をとりまとめ、経済的なボイコットさえ実施してきた。たとえばメジャーリーグ・ベースボールは、ジョージア州アトランタで開催される予定だったオールスター・ゲームの会場を別の州に変更している（注56）。

そのため、民主党が支配する州議会や連邦議会の民主党議員が新たに見つけた企業仲間を裏切り、法人税の大幅な増税などを提案したりしたときには、それを阻止する動きを一切見せてはならない。それよりも、アメリカのマルクス主義者や民主党の目標の推進にかかわっていない中小企業を守るよう主張すべきだ。必要であれば、自社の影響力を利用して競合他社（大手ＩＴ企業など）を圧倒するだけでなく、わが国を損なう政治的・法的方針を推進している大企業に対して、独占禁止法違反を主張する。既存の独占禁止法が不十分であれば改定する。また、大手ＩＴ企業に対抗するよう友好的な州議会に働きかけるという手もある。フロリダ州の事例が証明しているように、法に訴える手段が州にないわけではない（注57）。

四、大手メディア企業や大手ＩＴ企業は、わが国最大の少数独占企業である。これらの企業は、社会的活動やマルクス主義を基盤にした運動や民主党に代わり、再三にわたりその影響力を行使して抑圧・検閲・プロパガンダを実施している。大手メディア企業は、不適切な報道機関や言論機関をつぶそうとしており（たとえば、ＡＴ＆Ｔが所有するＣＮＮは、フォックス・ニュースを各社プラットフォームから排除し、その司会者を各社番組から排除するよう繰り返し訴えている）、大手ＩＴ企業もまた、規模の小さなソーシャルメディア企業に対して同じことをしている。だが思い出してほしい。ケーブルテレビやソーシャルメディアが発展してきた当初は、ニュース視聴者の選択肢を広げるものだと称賛されていた。それなのに企業の買収や合併により、比較的少数の企業経営者が、情報の内容や配信を全国的に統制するようになってしまった。このような状況を容認するわけにはいかない。

まず、大手ＩＴ企業に対抗するには、ソーシャルメディアを利用するにしても、少数独占企業に代わるメディアを探したほうがいい。私はテクノロジーに精通しているわけではないが、それでもいくつか候補を挙げることはできる。Parler や MeWe、Discord のコミュニティ、Rumble、Vimeo、BitChute、検索エンジンの DuckDuckGo などだ。インターネットを検索すれば、ほかにもたくさんある。また、メディア研究センターの《FreeSpeechAmerica》プロジェクトが運営しているサイト《CensorTrack》を利用すれば、少数独占企業の検閲活動を監視できる（https://censortrack.org/）。

だが、大手ＩＴ企業が権力を乱用する根本原因は、一九九六年に連邦議会が制定した通信品位法の第二三〇条*により、これらの企業が保護されている点にある。保守パートナー

＊プラットフォーム企業は原則として、第三者が発信する情報について責任を負わず、有害なコンテンツに対する削除等の対応に関して責任を問われないとする条項。

シップ研究所のレイチェル・ボヴァードはこう説明する。この条項のおかげで「大手IT企業は、自社サイトに投稿されたコンテンツについて提訴されることがない。この法律はまた、『プロバイダーやユーザーが（中略）不快だと考える素材について、それが憲法により保護されている内容であれ、その素材へのアクセスや利用を制限する』法的な後ろ盾にもなっている」（注58）。「いまではわずかばかりの大手IT企業が、政府の政策に助けられながら、自由社会のほとんどの情報の流れを支配している。これを、民間企業が憲法修正第一条に基づいた権利を行使しているだけだと言うのは、あまりに単純化した考え方である。これらの企業は、特権的な方法でその権利を行使している。新聞社など、憲法修正第一条に関係するほかの企業が負っている責任を免れている。しかも、前例のないほど途方もない規模で、こうしたコンテンツ操作を行なっている」（注59）。そのため、次に共和党が連邦議会を掌握し、大統領職を獲得した際には、第二三〇条の免責を撤回するよう連邦議会や大統領に積極的に圧力をかけていかなければならない（トランプ大統領がそうしようとしたときには、共和党自身がそれを阻止する側にまわった）。

また、億万長者のフェイスブック経営者マーク・ザッカーバーグは、二〇二〇年の大統領選時に数億ドルに及ぶ集中的献金を行なうなど、選挙に干渉して結果を操作しようとした。グーグルも、検索アルゴリズムを操作していた。こうした行為については、連邦レベルでも州レベルでも捜査を行ない、違法としなければならない（注60）。そのための方法としては、友好的な州議会議員に働きかける、事実上の現物寄付にあたる行為をした企業を連邦当局や州当局に訴える、株主総会に出席して声を届ける、などがある。

では、言論の自由やメディアの競争を封じようとする大手メディア企業についてはどうだろう？　この業界では、大手企業が多くの有意義なメディアを併合してしまっている。AT&TがCNNを所有し、コムキャストがNBCを所有している（そのほかの企業については、Investopedia.com を参照〈注61〉）。これらの企業は、自主的な管理や監視などないまま民主党やマルクス主義組織の目標を推進しており、それが事実上、競争の激しい自由で開かれた報道の破壊を引き起こしている。したがって、これらのニュース機関やその親会社にも狙いを定めてBDS運動を展開するべきだ。一人ひとりがそれらのメディアを利用しないようにする、家族や友人、同僚にそれらのメディアのボイコットを促す、株主総会に出席して、その方針、イデオロギー的な社会活動、報道の自由の破壊に異議を唱えるなどの方法を通じて、これらのメディアの重要性をできるかぎり低下させるのである。

さらに、これまでの視聴習慣や購読習慣を改め、大手メディアよりもはるかに信用できる独立系の記者やニュースサイトに忠誠心を向けることも重要だ。こうしたサイトは日増しに増えており、独自の報道を展開して本当のニュースを伝えているサイトもあれば、ニュース記事の選別や収集を支援してくれるサイトもある（具体的なサイトについては、https://www.libertynation.com/top-conservative-news-sites を参照）。またケーブルテレビにも、フォックス・ニュースやフォックス・ビジネス、ワン・アメリカン・ニュース・ネットワーク、ニュースマックス、シンクレア・ブロードキャスティングほか、新進気鋭のニュース放送プラットフォームがある。新聞は比較的数が少ないが、《ニューヨーク・ポスト》紙、《ワシントン・エグザミナー》誌、《ワシントン・タイムズ》紙などがある。

五、プロのスポーツリーグや個々のチームもまた、数十億ドル規模の企業と言っていい。ナショナル・バスケットボール・アソシエーション（ＮＢＡ）をはじめとする一部のリーグ、および一部のチームや選手は、ＢＬＭ運動などを支持しながら、自国民の虐殺を続けている中国の共産主義政権とのビジネスで大儲けをしている。そのため必要があれば、そのリーグやチームに対して、試合が行なわれる会場や本社で抗議活動を展開するべきだ。プロスポーツは文化に莫大な影響を及ぼすというのに、これまではそれに対抗する運動がまったくなされていない。さらに、メジャーリーグ・ベースボールがオールスター・ゲームの会場をジョージア州からコロラド州に変更した事例などを考慮し、同組織が独占禁止法の免除を受けている特例を廃止するよう連邦議会の共和党議員に圧力をかける必要もある。

気候

すでに述べたように、「気候変動」（以前は地球冷却化や地球温暖化と言われていた）を主張する運動は、アメリカ国民を貧困化させる反資本主義的な脱成長運動だと言える。基本的には、私たちの財産権・自由・生活様式に対する広範な闘争であり、より広く言えば、人類史上最大の成功を収めた経済制度に対する攻撃である。連邦政府の官僚や政治家、国際機関や世界機関の権限を大幅に拡大し、公衆の衛生や安全、清浄な空気や水、国家の安全を守るためと称する規制や命令を通じて、わが国の社会や経済のありとあらゆる側面を管理・支配・統制しようとしている。これに比べたら、無謀かつ圧制的な州政府が新型コロナウイルスによるパンデミックに対処するために行なった権力の乱用や、市民の自由や宗教の自由の重大な侵害など、大した問題ではない。

私は数年前、『自由と圧制』のなかにこう記したことがある。「国家統制主義者は、従順なメディアや賛同するメディアの力を借り、疑似科学や虚偽、恐怖心を利用しては、公衆衛生や環境に関する不安をあおる。なぜなら、広範囲に及ぶ公衆衛生上の緊急事態が本当に迫った場合には、政府の権限に制約があったとしても、政府がその危機に対処するため積極的な行動に出ることを大衆が望んでいるからだ。脅威が切迫していればいるほど、大衆は自由を放棄してもかまわないと考えるようになる。その結果、政府の権限が社会の行動判断の枠組みの一部となり、次の『危機』の際には、それに基づいて事態が進んでいくばかりとなる」（注62）

私はさらにこう述べている。こうした病的状態は「切迫した予言」と関係している。「自分に都合のいいデータだけをつまみ食いする『専門家』が予言を提示すると、メディアはそれを、独立した調査も疑念もなく受け入れ、不安を喧伝する。すると官僚が大騒ぎを始め、危険を改善する措置を講じる予定だと言いだす。こうして間もなく、大衆を新たな『リスク』から守るという名目のもと、新たな法が制定され、新たな規制が発令される」（注63）

実際、バイデン政権の気候問題担当大統領特使ジョン・ケリーは、気候変動に対処するには国民の自由を侵害しないわけにはいかないことを強調している。この言い分は、マルクス主義者がアメリカで生み出したすべての運動にあてはまる。ケリーはこう断言する。「国民全員にご理解いただきたいのだが、この問題は、何らかの画期的なテクノロジーやイノベーション、何らかの最適な対応策を生み出せるかどうかにかかっている。だが、温室効果ガスの実質排出ゼロを実現したとしても、まだ大気から二酸化炭素を取り除かなければならない。したがってこれは、多くの人々がこれまで取り組んだ経験のないほど規模の大きな課題だと言える」（注64）

こうした運動に対抗するには、まずは法的・行政的な対応が必要になる。その際には、州政策集団ネットワーク（https://spn.org）や、財産権擁護団体連合（https://www.property-rts.org）の力を借りるといい。政策の提言や弁護士の紹介をしてくれるはずだ。また、国や州の情報公開法を利用したり、有益だと思われる法律団体（リンクは前述）に直接連絡したりしてもいい。

必要があれば、自分の財産利用を違法に妨害したり、自分の財産の市場価値を低下させたりする政府・民間・非営利組織に対して、訴訟を起こすことも可能だ（注65）。環境保護庁や内務省などの連邦政府機関に直接情報開示を請求し、これらの機関の活動を徹底的に調査してその責任を問うことも（注66）、規制に関するプロセスや活動を遅らせることもできる。また、友好的な州の検事総長に働きかけ、連邦政府の行為（バイデン政権によるキーストーンＸＬパイプラインへの違法な攻撃など）を提訴してもいい（注67）。

そのほか共和党が上院・下院で過半数の議席を回復し、大統領職を獲得したあかつきには、環境団体に付与された特別免税資格を剝奪するよう議会や大統領に圧力をかける必要がある。これらの団体は無党派の慈善団体などではない。また、大衆を代表して提訴できる環境団体の法的権限を廃止するよう働きかける必要もある。環境団体の主目的は、わが国の経済制度や私有財産権、共和制の原則を骨抜きにすることにある。これらの団体はずいぶん前から、内務省や農務省、環境保護庁など、連邦政府の省庁の官僚との間に、政策的にも法的にもなれ合いの関係を築いている。

アンティファ、ブラック・ライブズ・マター（BLM）、暴徒

アンティファやBLMなど、国内のテロ組織がアメリカ各地で引き起こした騒乱や数十億ドル規模の損害に対して、連邦政府が犯罪捜査も起訴もしていないのは、とても容認できる話ではない（注68）。連邦警察が政治的信条に基づいて差別的な対応を行なうのは間違っている（注69）。

だが、高潔な知事であれば、そのような暴力や暴動を禁止する法を強化するなど、市民を守る行動に出ることもできるはずだ。実際、フロリダ州ではロン・デサンティス知事が、「暴力的な集会の間になされた既存の犯罪に対する罰則を増やし、地域の警察官やこれらの暴力行為の犠牲者を守る」対策を実施している。「この法律では、暴徒による脅迫やサイバー空間における脅迫といった特殊犯罪を新設しており、群集心理により罪のない市民や警察官に自分の意思を押しつけようとする人々をフロリダ州が歓迎しないことを明確に表明している。ここでは暴徒による脅迫もサイバー空間における脅迫も、第一級の軽罪となる」（注70）。ほかの知事や

州議会議員にも、これと同様の法律を採択するよう働きかけるべきである。

だが、地方政府や州政府、連邦政府が行動するのを待っている必要はない。それぞれの州法に従い、暴力的組織や暴徒に対して私的民事訴訟を起こすことも可能である。そうすれば、これらの組織や個人の財政に打撃を与え、うまくいけば損害賠償を受けることができる。訴因としては、精神的苦痛の意図的付与、契約の違法な妨害、土地への不法侵入や動産の不当侵害、資産の不正な転換などが考えられる。激しい暴動の現場にいつも同じ組織が姿を現すなど、あまりに極端な場合には、威力脅迫および腐敗組織に関する連邦法（ＲＩＣＯ法）に基づく州・連邦民事訴訟も可能だ（注71）。

また、新聞の記事やオンライン情報などで見かけるＢＬＭなどの組織について、財政問題を調査するよう内国歳入庁に依頼してもいい。たとえばＢＬＭの場合、ほかの団体と連携した財務戦略（注72）や透明性（注73）について疑問が提起されている。

さらに、現場から逃走した暴徒の車のナンバーを見た場合には、それを地域の警察に報告する。自分の目や耳、携帯電話で撮影した動画は、犯罪と闘う重要なツールになる。

警察

警察はいま、アンティファやBLMといったマルクス主義的・無政府主義的団体、暴力的な犯罪者、民主党の政治家、メディアなどからの攻撃にさらされている。実際、BLMが登場し、メディア報道がそれに同調するようになって以来、警察に対する信頼が、とりわけマイノリティの間で低下している（注74）。だが、メディアを見ると警察はいつも、アフリカ系アメリカ人などのマイノリティを標的とする人種差別的組織だと非難されているものの、そのような告発を支持する証拠はない（注75）。それに、黒人アメリカ人の八一パーセントが、自分が暮らす地域にこれまでどおり警察の存在感が維持されることを求めており、これまで以上に警察の存在感が増すことを望んでいる黒人も多い。

それなのに警察に対するこうした闘争のせいで、大都市を中心にアメリカ全土で暴力犯罪が急増している（注76）。その結果、法を順守している市民が不当な犠牲を払っている。それでも、暴徒やそのまとめ役に立ち向かうどころか、むしろ警察に対する闘争が激化している。

現在、警察を改革する取り組みが進行しているが、その取り組みは実際のところ、警察や警察官から市民を守る能力を奪うことを目的にしている。その一例が、警察官に悪影響を及ぼし、警察を財政破綻に追い込もうとする法的取り組みである。なかでも連邦議会の民主党議員やその代理を務める急進的団体は、以下の項目の実現を求めている。警察官に認められた限定免責を原則的に廃止して警察官を無数の訴訟にさらす、警察官の刑事訴追のハードルを下げる、地方自治体や州レベルで警察官の調査を推進する、連邦政府レベルであらゆる警察官のデータベースを管理する、正当な権力行使を判断する法的基準を「妥当」から「必要」に下げる、「軍隊式」装備の警察への移譲を制限する、といった項目である（注77）。

こうした取り組みの結果、アメリカ全土で警察官の採用者数や在職率が急減している（注78）。警察部隊が壊滅し、市民社会が混沌へと陥りつつあるのだ。そのため、警察への支持を声に出して訴えるなどの方法で警察や警察官を支援するだけでなく、もっと具体的な形で支援することも必要だ。以下は私からの提案だが、警察を支援する方法はほかにも無数にある。

州法で認められているのであれば、警察官に物理的な攻撃を仕掛けてきた個人や、警察官に傷害を負わせた暴動の背後にいた組織（アンティファやＢＬＭなど）に対して、警察官が民事訴訟を起こしてはいけない理由などない。これには、個人や組織の関与を特定できるかどうか、因果関係を立証できるかどうかなど、考慮しなければならない要素がいくつもあるが、警察官や警察官組合は優れた弁護士に相談して、法令や事実を再検証すべきだ（注79）。私たち市民も、地域の警察や警察互助会、警察法的擁護基金、全国警察組織協会（https://www.napo.org）、警察友愛会（https://fop.net）などの団体を通じて、こうした訴訟を起こす警察官の法定代理人に直接資金援助を行なうことができる。

伝えられるところによれば、ジョージ・S・パットン将軍はこう言ったという。「人にはどうすべきかを教えるのではなく、何をすべきかを教えよ。そうすれば、その人の創意工夫の才に驚かされることになるだろう」。これまで私は、目の前の問題にどう対処すべきかを具体的に提示してきたが、可能な活動や領域はこれだけに限らない。結局のところ、この共和制を積極的に守っていくにはどうするのがいちばんいいのか、どんな役割を担えばいいのかを決めるのは私たち自身だ。ただし、パットン将軍はこうも述べている。「回転椅子の上で優れた判断がなされたことはない」

本書はこれで終わるが、ここから新たな時代が始まる。

私たちは自由を選択する！　アメリカの愛国者よ、団結せよ！

バーニー・レヴィンとの麗しき思い出に。

第1章　反革命の到来

1 Mark R. Levin, *Ameritopia: The Unmaking of America* (New York: Threshold Editions, 2012), 6–7.

2 Andrew Mark Miller, "Black Lives Matter co-founder says group's goal is 'to get Trump out,' " *Washington Examiner*, June 20, 2020, https://www.washingtonexaminer.com/news/black-lives-matter-co-founder-says-groups-goal-is-to-get-trump-out (April 22, 2021).

3 Jason Lange, "Biden staff donate to group that pays bail in riot-torn Minneapolis," Reuters, May 30, 2020, https://www.reuters.com/article/us-minneapolis-police-biden-bail/biden-staff-donate-to-group-that-pays-bail-in-riot-torn-minneapolis-idUSKBN2360SZ (April 22, 2021).

4 Levin, *Ameritopia*, 7.

5 Ted McAllister, "Thus Always to Bad Elites," *American Mind*, March 16, 2021, https://americanmind.org/salvo/thus-always-to-bad-elites/ (April 22, 2021).

6 Ronald Reagan, "Encroaching Control (The Peril of Ever Expanding Government)," in *A Time for Choosing: The Speeches of Ronald Reagan 1961–1982*, eds. Alfred A. Baltizer and Gerald M. Bonetto (Chicago: Regnery, 1983), 38.

第2章　育成される暴徒

1 Mark R. Levin, *Ameritopia: The Unmaking of America* (New York: Threshold Editions, 2012), 6-7.

2 Ibid., 7-8.

3 Ibid., 16.

4 Julien Benda, *The Treason of the Intellectuals* (New Brunswick: Transaction, 2014), 2（邦訳は『知識人の裏切り』ジュリアン・バンダ著、宇京頼三訳、未来社、一九九〇年）.

5 Ibid., 2-3.

6 Capital Research Center, "What Antifa Really Is," December 21, 2020, https://capitalresearch.org/article/is-antifa-an-idea-or-organization/ (April 6, 2021).

7 Scott Walter, "The Founders of Black Lives Matter," *First Things*, March 29, 2021, https://www.firstthings.com/web-exclusives/2021/03/the-founders-of-black-lives-matter (April 6, 2021).

8 Levin, *Ameritopia*, 11.

9 Ibid., 13.

10 Jean-Jacques Rousseau, *Discourse on the Origin and Foundations of Inequality Among Men*, ed. and trans. Donald A. Cress (Indianapolis: Hackett, 2012), 45（原典の邦訳は『人間不平等起源論』ルソー著、中山元訳、光文社、二〇〇八年など）.

11 Ibid., 87.

12　G. W. F. Hegel, *Elements of the Philosophy of the Right*, trans. S. W. Dyde (Mineola, NY: Dover, 2005), 133（原典の邦訳は『法の哲学　自然法と国家学の要綱』ヘーゲル著、上妻精・佐藤康邦・山田忠彰訳、岩波書店、二〇二一年など）.

13　Karl Marx and Friedrich Engels, *The Communist Manifesto* (London: Soho Books, 2010), 36（原典の邦訳は『共産党宣言』マルクス＆エンゲルス著、森田成也訳、光文社、二〇二〇年など）.

14　Ibid., 23.

15　Ibid., 42.

16　Eric Hoffer, *The True Believer: Thoughts on the Nature of Mass Movements* (New York: HarperPerennial, 2010), 12（邦訳は『大衆運動』エリック・ホッファー著、中山元訳、紀伊國屋書店、二〇二二年）.

17　Ibid., 69.

18　Ibid., 75.

19　Ibid., 76.

20　Ibid.

21　Ibid., 74.

22　Ibid., 80.

23　Ibid., 80–81.

24　Ibid., 85.

25　Ibid., 85–86.

26　Ibid., 87.

27　Tyler O'Neil, "Hacked Soros Documents Reveal Some Big Dark Money Surprises," PJ Media, August 19, 2016, https://pjmedia.com/news-and-politics/tyler-o-neil/2016/08/19/hacked-soros-documents-reveal-some-bigdark-money-surprises-n47598（April 6, 2021）.

28 Hoffer, *The True Believer*, 98（『大衆運動』）.

29 Ibid., 140.

30 Hannah Arendt, *The Origins of Totalitarianism*（New York: Harcourt, 1976）, 307（邦訳は『全体主義の起原』ハンナ・アーレント著、大久保和郎訳、みすず書房、二〇一七年）.

31 *Frontiers in Social Movement Theory*, ed. Aldon D. Morris and Carol McClurg Mueller（New Haven: Yale University Press, 1992）, x.

32 William A. Gamson, "The Social Psychology of Collective Action," in *Frontiers in Social Movement Theory*, 56. ガムソン教授はボストン大学の社会学教授で、メディア研究・行動プロジェクトの共同代表者を務めている。

33 Ibid.

34 Ibid., 57.

35 Ibid., 74.

36 Debra Friedman and Doug McAdam, "Collective Identity and Activism: Networks, Choices and the Life of a Social Movement," in *Frontiers in Social Movement Theory*, 157. マカダム教授は現在、スタンフォード大学のレイ・ライマン・ウィルバー社会学教授（名誉教授）である。https://sociology.stanford.edu/people/douglas-mcadam（April 6, 2021）.

37 Ibid.

38 Ibid., 169-70.

39 Bert Klandermans, "The Social Construction of Protest and Multiorganizational Fields," in *Frontiers in Social Movement Theory*, 99-100. クランダーマンス教授は、アムステルダム自由大学（オランダ）の社会学教授である。https://research.vu.nl/en/persons/bert-klandermans（April 6, 2021）.

40 Aldon D. Morris, "Political Consciousness and Collective Action," in *Frontiers in Social Movement Theory*, 351–52. モリス教授は、ノースウェスタン大学のレオン・フォレスト社会学・アフリカ系アメリカ人研究教授である。

41 Ibid., 357–58.

42 Ibid., 370.

43 Ibid.

44 Ibid.

45 Ibid., 371.

46 Ibid.

47 Ibid.

48 Ibid.

49 Ibid.

50 Ibid.

51 Frances Fox Piven and Richard Cloward, *The Breaking of the American Social Compact* (New York: New Press, 1967), 267.

52 Ibid., 269.

53 Ibid., 287, 288.

54 Ibid., 289.

55 Biden-Sanders Unity Task Force Recommendations, "Combating the Climate Crisis and Pursuing Environmental Justice," https://joebiden.com/wp-content/uploads/2020/08/UNITY-TASK-FORCE-RECOMMENDATIONS.pdf (April 6, 2021).

56 Piven and Cloward, *The Breaking of the American Social Compact*, 289.
57 Ibid.
58 Ibid., 290.
59 Ibid.
60 Ibid., 291.
61 Ibid.
62 Ibid.
63 Ibid., 291–92.
64 Nicholas Fondacaro, "ABC, NBC Spike 'Mostly Peaceful' Protests Leaving $2 Billion in Damages," mrcNewsBusters, September 16, 2020, https://www.newsbusters.org/blogs/nb/nicholas-fondacaro/2020/09/16/abc-nbc-spike-mostly-peaceful-protests-leaving-2-billion（April 6, 2021）.
65 Piven and Cloward, *The Breaking of the American Social Compact*, 292.
66 Ibid., 292–93.
67 Frances Fox Piven, "Throw Sand in the Gears of Everything," *Nation*, January 18, 2017, https://www.thenation.com/article/archive/throw-sand-in-the-gears-of-everything/（April 6, 2021）.
68 Ibid.
69 Ibid.
70 Ibid.
71 Allan Bloom, *The Closing of the American Mind*（New York: Simon & Schuster, 1987）, 26（邦訳は『アメリカン・マインドの終焉　文化と教育の危機』アラン・ブルーム著、菅野盾樹訳、みすず書房、二〇一六年）.
72 Ibid., 55, 56.

73 Ibid., 58.

第3章 アメリカを憎悪する社会

1 Felicity Barringer, “The Mainstreaming of Marxism in U.S. Colleges,” *New York Times*, October 29, 1989, https://www.nytimes.com/1989/10/25/us/education-the-mainstreaming-of-marxism-in-us-colleges.html（April 7, 2021）.

2 Ibid.

3 Ibid.

4 Ibid.

5 Herbert Croly, “The Promise of American Life,” *in Classics of American Political and Constitutional Thought*, vol. 2, eds. Scott J. Hammond, Kevin R. Harwick, and Howard L. Lubert（Indianapolis: Hackett, 2007）, 297.

6 Ibid., 313.

7 Herbert D. Croly, *Progressive Democracy*（London: Forgotten Books, 2015）, 38–39.

8 Statista, “Percentage of the U.S. Population who have completed four years of college or more from 1940 to 2019,” https://www.statista.com/statistics/184272/educational-attainment-of-college-diploma-or-higher-by-gender/（April 7, 2021）.

9 Ibid.

10 John Dewey, *Individualism Old and New* (Amherst, NY: Prometheus Books, 1999), 51.

11 John Dewey, *Democracy and Education* (Simon & Brown, 2012), 234（訳注／邦訳は『民主主義と教育』J・デューイ著、金丸弘幸訳、玉川大学出版部、一九八四年）.

12 Ibid., 239, 240, 245.

13 John Dewey, "Ethical Principles Underlying Education," appearing in *The Early Works*, vol. 5, *1882–1898: Early Essays*, ed. Jo Ann Boydston (Carbondale, Ill.: Southern Illinois University Press, 2008), 59–63.

14 John Dewey, "What Are the Russian Schools Doing?" *New Republic*, December 5, 1928, https://newrepublic.com/article/92769/russia-soviet-education-communism (April 7, 2021).

15 Ibid.

16 Ibid.

17 Mark R. Levin, *Unfreedom of the Press* (New York: Threshold Editions, 2019), Chapter 6（邦訳は『失われた報道の自由』マーク R・レヴィン著、道本美穂訳、日経BP、二〇二〇年）.

18 Richard M. Weaver, *Ideas Have Consequences* (Chicago: University of Chicago Press, 1948), 2.

19 Ibid.

20 Ibid., 5.

21 Ibid.

22 Ibid., 5–6.

23 Ibid., 6.

24 Ibid., 85.

25 Madeleine Davis, "New Left," *Encyclopaedia Britannica*, https://www.britannica.com/topic/New-Left (April 7, 2021).

26 Ibid.
27 *A-Z Guide to Modern Social and Political Theorists*, eds. Noel Parker and Stuart Sun (London: Routledge, 1997), 238.
28 Herbert Marcuse, *One Dimensional Man* (Boston: Beacon Press: 1964), 3（邦訳は『一次元的人間　先進産業社会におけるイデオロギーの研究』ヘルベルト・マルクーゼ著、生松敬三・三沢謙一訳、河出書房新社、一九八〇年）.
29 Ibid.
30 Ibid., 4.
31 Herbert Marcuse, "The Failure of the New Left?" in New *German Critique* 18 (Fall 1979), https://www.marcuse.org/herbert/pubs/70spubs/Marcuse1979FailureNewLeft.pdf (April 7, 2021).
32 Barringer, "The Mainstreaming of Marxism in U.S. Colleges."
33 Ibid.
34 Ibid.
35 Richard Landes, *Heaven on Earth: The Varieties of the Millennial Experience* (Oxford: Oxford University Press, 2011), 12, 13.
36 Ibid., 13.
37 Ibid.
38 Ibid., 14.
39 Ibid., 17.
40 BBC, "Historical Figures, Vladimir Lenin," http://www.bbc.co.uk/history/historic_figures/lenin_vladimir.shtml (April 7, 2021).

41 BBC, "Historical Figures, Mao Zedong," http://www.bbc.co.uk/history/historic_figures/mao_zedong.shtml (April 7, 2021).

42 BBC, "Historical Figures, Pol Pot," http://www.bbc.co.uk/history/historic_figures/pot_pol.shtml (April 7, 2021).

43 Lois Weis, "For Jean Anyon, my colleague and friend," *Perspectives on Urban Education*, University of Pennsylvania, https://urbanedjournal.gse.upenn.edu/archive/volume-11-issue-1-winter-2014/jean-anyon-my-colleague-and-friend (April 7, 2021).

44 Jean Anyon, *Marx and Education* (New York: Routledge, 2011), 7.

45 Ibid., 7, 8.

46 Raymond Aron, *The Opium of the Intellectuals* (New Brunswick, NJ: Transaction, 1957), 94.

47 Anyon, *Marx and Education*, 8–9 (quoting Marx and Engels).

48 Jeffry Bartash, "Share of union workers in the U.S. falls to a record low in 2019," *Marketwatch*, January 31, 2020, https://www.marketwatch.com/story/share-of-union-workers-in-the-us-falls-to-a-record-low-in-2019-2020-01-22 (April 8, 2021).

49 Richard Epstein, "The Decline of Unions Is Good News," Ricochet, January 28, 2020, https://ricochet.com/717005/archives/the-decline-of-unions-is-good-news/ (April 8, 2021).

50 Anyon, *Marx and Education*, 9–10 (quoting Marx).

51 Aron, *The Opium of the Intellectuals*, 94–95.

52 Anyon, *Marx and Education*, 11.

53 Ibid., 12–13 (quoting Marx).

54 Lance Izumi, "Why Are Teachers Mostly Liberal?" Pacific Research Institute, April 3, 2019, https://www.

pacificresearch.org/why-are-teachers-mostly-liberal/ (April 8, 2021).

55 Alyson Klein, "Survey: Educators' Political Leanings, Who They Voted For, Where They Stand on Key Issues," *Education Week*, December 12, 2017, https://www.edweek.org/leadership/survey-educators-political-leanings-who-they-voted-for-where-they-stand-on-key-issues/2017/12 (April 8, 2021).

56 Anyon, *Marx and Education*, 19.

57 Ibid., 35.

58 Ibid., 36–37.

59 Ibid., 96–97.

60 Ibid., 97.

61 Ibid., 98.

62 Ibid., 99.

63 Ibid.

64 Ibid., 99–100.

65 Ibid., 100–101.

66 Ibid., 103–4.

67 Jean Anyon, *Radical Possibilities: Public Policy, Urban Education, and a New Social Movement* (New York: Routledge, 2014), 140–41.

68 John M. Ellis, *The Breakdown of Higher Education* (New York: Encounter Books), 30, 31.

69 Ibid., 31.

第4章　人種差別・ジェンダー差別とマルクス共産主義

1 Uri Harris, "Jordan B. Peterson, Critical Theory, and the New Bourgeoisie," *Quillette*, January 17, 2018, https://quillette.com/2018/01/17/jordan-b-peterson-critical-theory-new-bourgeoisie/ (April 8, 2021).

2 Ibid.

3 Ibid.

4 Ibid.

5 Ibid.

6 Ibid.

7 Ibid.

8 Ibid.

9 Jonathan Butcher and Mike Gonzalez, "Critical Race Theory, the New Intolerance, and Its Grip on America," Heritage Foundation, December 7, 2020, https://www.heritage.org/civil-rights/report/critical-race-theory-the-new-intolerance-and-its-grip-america (April 8, 2021).

10 George R. La Noue, "Critical Race Training or Civil Rights Law: We Can't Have Both," Liberty & Law, November 4, 2020, https://lawliberty.org/critical-race-theory-or-civil-rights-law-we-cant-have-both/ (April 8, 2021).

11 Ibid.

12 Thomas Sowell, *Intellectuals and Society* (New York: Basic Books, 2011), 468.

13 Ibid., 469.

14 Ibid.

15 Ibid.

16 Herbert Marcuse, *One-Dimensional Man: Studies in the Ideology of Advanced Industrial Society* (Boston: Beacon Press, 1991), 256–57 (『1次元的人間』).

17 Faith Karimi, "What critical race theory is — and isn't," CNN, October 1, 2020, https://www.cnn.com/2020/10/01/us/critical-race-theory-explainer-trnd/index.html (April 8, 2021).

18 Ibid.

19 Richard Delgado and Jean Stefancic, *Critical Race Theory* (New York: New York University Press, 2017), 3.

20 Ibid., 8.

21 Ibid.

22 Ibid., 9.

23 Ibid.

24 Ibid., 10, 11.

25 Ibid., 8.

26 "Thomas Sowell Hammers 'Despicable' Derrick Bell; Compares to Hitler," Breitbart, March 7, 2012, https://www.breitbart.com/clips/2012/03/07/sowell%20on%20bell/ (video interview dated May 24, 1990) (April 8, 2021).

27 Thomas Sowell, *Inside American Education: The Decline, the Deception, the Dogmas* (New York: Free

Press, 1993）, 154.

28 Derrick A. Bell, "*Brown v. Board of Education* and the Interest-Convergence Dilemma," *Harvard Law Review*, January 11, 1980, https://harvardlawreview.org/1980/01/brown-v-board-of-education-and-the-interest-convergence-dilemma/（April 8, 2021）.

29 Derrick A. Bell, "Who's Afraid of Critical Race Theory?" *University of Illinois Law Review*, February 23, 1995, https://heinonline.org/HOL/LandingPage?handle=hein.journals/unilllr1995&div=40&id=&page=

30 Ibid.

31 Steve Klinsky, "The Civil Rights Legend Who Opposed Critical Race Theory," RealClearPolitics, October 12, 2020, https://www.realclearpolitics.com/articles/2020/10/12/the_civil_rights_legend_who_opposed_critical_race_theory_144423.html（April 8, 2021）.

32 Ibid.

33 Ibid.

34 Ibid.

35 Delgado and Stefancic, *Critical Race Theory*, 45, 46.

36 Butcher and Gonzalez, "Critical Race Theory, the New Intolerance, and Its Grip on America."

37 Robin DiAngelo, *White Fragility*（Boston: Beacon Press, 2018）, 28（訳注／邦訳は『ホワイト・フラジリティ　私たちはなぜレイシズムに向き合えないのか？』ロビン・ディアンジェロ著、貴堂嘉之監訳、上田勢子訳、明石書店、二〇二一年）.

38 Delgado and Stefancic, *Critical Race Theory*, 29.

39 Chris Demaske, "Critical Race Theory," First Amendment Encyclopedia, https://www.mtsu.edu/first-amendment/article/1254/critical-race-theory（April 9, 2021）.

40 Delgado and Stefancic, *Critical Race Theory*, 125.

41 Ibid., 127, 128.

42 Ibid., 132, 133.

43 Butcher and Gonzalez, "Critical Race Theory, the New Intolerance, and Its Grip on America."

44 Ozlem Sensoy and Robin DiAngelo, *Is Everyone Really Equal?* (New York: Teachers College Press, 2017), xii.

45 Ibid., vii.

46 Ibid., xxi, xxii, xxiii, xxiv.

47 Ibid., xxiv.

48 "Critical Race Training In Education," Legal Insurrection Foundation, https://criticalrace.org/ (April 9, 2021).

49 Krystina Skurk, "Critical Race Theory in K–12 Education," RealClear-PublicAffairs, July 12, 2020, https://www.realclearpublicaffairs.com/articles/2020/07/16/critical_race_theory_in_k-12_education_498969.html (April 9, 2021).

50 Ibid.

51 Ibid.

52 Peter W. Wood, *1620: A Critical Response to the 1619 Project* (New York: Encounter Books, 2020), 1 (quoting Jake Silverstein, New York Times Magazine).

53 Ibid., 4.

54 Ibid., 5.

55 Ibid., 6.

56 “We Respond to the Historians Who Critiqued the 1619 Project,” *New York Times Magazine*, December 20, 2019, https://www.nytimes.com/2019/12/20/magazine/we-respond-to-the-historians-who-critiqued-the-1619-project.html (April 9, 2021).

57 Ibid.

58 Ibid.

59 Ibid.

60 Adam Serwer, “The Fight Over the 1619 Project Is Not About Facts,” *Atlantic*, December 23, 2019, https://www.theatlantic.com/ideas/archive/2019/12/historians-clash-1619-project/604093/ (April 9, 2021).

61 Mark R. Levin, *Unfreedom of the Press* (New York: Threshold Editions, 2019), chapter 6 (『失われた報道の自由』).

62 Glenn Garvin, “Fidel's Favorite Propagandist,” *Reason*, March 2007, https://reason.com/2007/02/28/fidels-favorite-propagandist/ (April 9, 2021).

63 Zach Goldberg, “How the Media Led the Great Racial Awakening,” *Tablet*, August 4, 2020, https://www.tabletmag.com/sections/news/articles/media-great-racial-awakening (April 9, 2021).

64 Ibid.

65 Ibid.

66 Ibid.

67 Ibid.

68 Executive Order 13950, “Combating Race and Sex Stereotyping,” September 22, 2020, https://www.federalregister.gov/documents/2020/09/28/2020-21534/combating-race-and-sex-stereotyping (April 9, 2021).

69 Ibid.

70 Ibid.

71 "Executive Order on Advancing Racial Equity and Support for Underserved Communities Through the Federal Government," January 20, 2021, https://www.whitehouse.gov/briefing-room/presidential-actions/2021/01/20/executive-order-advancing-racial-equity-and-support-for-underserved-communities-through-the-federal-government/ (April 9, 2021).

72 Bradford Betz, "What is China's social credit system?" Fox News, May 4, 2020, https://www.foxnews.com/world/what-is-china-social-credit-system (April 9, 2021).

73 Ibid.

74 President's Advisory 1776 Commission, "The 1776 Report," January 2021, https://ipfs.io/ipfs/QmVzW5NfySnfTk7ucdEoWXshkNUXn3dseBA7ZVrQMBfZey (April 9, 2021).

75 Ibid.

76 MSNBC, January 19, 2021.

77 Delgado and Stefancic, *Critical Race Theory*, 154, 155.

78 Patrisse Cullors, "Trained Marxist Patrisse Cullors, Black Lives Matter BLM," YouTube, June 2020

79 https://www.dailywire.com/news/fraud-blm-co-founder-patrisse-cullors-blasted-over-real-estate-buying-binge.

80 Mike Gonzalez, "To Destroy America," *City Journal*, September 1, 2020, https://www.city-journal.org/marxist-revolutionaries-black-lives-matter (April 9, 2021).

81 Ibid.

82 Scott Walter, "A Terrorist's Ties to a Leading Black Lives Matter Group," Capital Research Center, June 24, 2020, https://capitalresearch.org/article/a-terrorists-ties-to-a-leading-black-lives-matter-group/ (April 9, 2021).

83 Gonzalez, "To Destroy America."

84 Laura Lambert, "Weather Underground," *Encyclopaedia Britannica*, https://www.britannica.com/topic/Weathermen (April 9, 2021).

85 "Celebrating four years of organizing to protect black lives," *Black Lives Matter*, 2013, https://drive.google.com/file/d/0B0pJEXffvS0uOHdJREJnZ2JJYTA/view (April 9, 2021).

86 Karl Marx, *Manifesto of the Communist Party* (Marxists.org), https://www.marxists.org/archive/marx/works/1848/communist-manifesto/ch02.htm (April 9, 2021), chapter 2.

87 Lindsay Perez Huber, "Using Latina/o Critical Race Theory (LATCRIT) and Racist Nativism to Explore Intersectionality in the Education Experiences of Undocumented Chicana College Students," *Educational Foundations*, Winter–Spring 2010, https://files.eric.ed.gov/fulltext/EJ885982.pdf (April 9, 2021), 77, 78, 79.

88 Ibid., 79, 80.

89 Ibid., 80, 81.

90 Jean Stefancic, "Latino and Latina Critical Theory: An Annotated Bibliography," *California Law Review*, 1997, 423.

91 Rodolfo F. Acuna, *Occupied America: A History of Chicanos* (New York: Pearson, 1972), 1.

92 Abby Budiman, "Key findings about U.S. immigrants," Pew Research Center, August 20, 2020, https://www.pewresearch.org/fact-tank/2020/08/20/key-findings-about-u-s-immigrants/ (April 9, 2021).

93 Ricardo Castro-Salazar and Carl Bagley, *Navigating Borders: Critical Race Theory Research and Counter History of Undocumented Americans* (New York: Peter Lang, 2012), 4.

94 Ibid., 5.

95 Ibid., 27.

96 Ibid., 26, 27.

97 Ibid., 27.

98 Ibid., 37.

99 Robert Law, "Biden's Executive Actions: President Unilaterally Changes Immigration Policy," Center for Immigration Studies, March 15, 2021, https://cis.org/Report/Bidens-Executive-Actions-President-Unilaterally-Changes-Immigration-Policy (April 9, 2021).

100 Ashley Parker, Nick Miroff, Sean Sullivan, and Tyler Pager, " 'No end in sight': Inside the Biden administration's failure to contain the border surge," ***Washington Post***, March 20, 2021, https://www.washingtonpost.com/politics/biden-border-surge/2021/03/20/21824e94-8818-11eb-8a8b-5cf82c3dffe4_story.html (April 9, 2021).

101 Ibid.

102 Ruth Igielnik and Abby Budiman, "The Changing Racial and Ethnic Composition of the U.S. Electorate," Pew Research Center, September 23, 2020, https://www.pewresearch.org/2020/09/23/the-changing-racial-and-ethnic-composition-of-the-u-s-electorate/ (April 9, 2021).

103 Jim Clifton, "42 Million Want to Migrate to U.S.," Gallup, March 24, 2021, https://news.gallup.com/opinion/chairman/341678/million-migrate.aspx (April 9, 2021).

104 Scott Yenor, "Sex, Gender, and the Origin of the Culture Wars," The Heritage Foundation, June 30, 2017, https://www.heritage.org/gender/report/sex-gender-and-the-origin-the-culture-wars-intellectual-history (April 9, 2021).

105 Veronica Meade-Kelly, "Male or Female? It's not always so simple," UCLA, August 20, 2015, https://newsroom.ucla.edu/stories/male-or-female (April 9, 2021).

106 Kadia Goba, "He/she could be they in the new Congress," *Axios*, January 2, 2021, https://www.axios.com/congress-gender-identity-pronouns-rules-40a4ab56-9d5c-4dfc-ada3-4a683882967a.html (April 9, 2021).

107 Russell Goldman, "Here's a list of 58 gender options for Facebook users," ABC News, February 13, 2014, https://abcnews.go.com/blogs/headlines/2014/02/heres-a-list-of-58-gender-options-for-facebook-users/ (April 9, 2021).

108 "Executive Order on Preventing and Combating Discrimination on the Basis of Gender Identity or Sexual Orientation," White House, January 20, 2021, https://www.whitehouse.gov/briefing-room/presidential-actions/2021/01/20/executive-order-preventing-and-combating-discrimination-on-basis-of-gender-identity-or-sexual-orientation/ (April 9, 2021).

109 "Joe Biden's War on Women," *National Review*, January 25, 2021, https://www.nationalreview.com/2021/01/joe-bidens-war-on-women/ (April 9, 2021).

110 Ibid.

111 "Transgender Children & Youth: Understanding the Basics," Human Rights Campaign, https://www.hrc.org/resources/transgender-children-and-youth-understanding-the-basics (April 9, 2021).

112 Michelle Cretella, "I'm a Pediatrician. How Transgender Ideology Has Infiltrated My Field and Produced Large-Scale Child Abuse," The *Daily Signal*, July 3, 2017, https://www.dailysignal.com/2017/07/03/im-pediatrician-transgender-ideology-infiltrated-field-produced-large-scale-child-abuse/ (April 9, 2021).

113 Ibid.

114 Christine Di Stefano, "Marxist Feminism," Wiley Online Library, September 15, 2014, https://onlinelibrary.wiley.com/doi/abs/10.1002/9781118474396.wbept0653 (April 9, 2021).

115 Sue Caldwell, "Marxism, feminism, and transgender politics," *International Socialism*, December 19, 2017,

http://isj.org.uk/marxism-feminism-and-transgender-politics/（April 9, 2021）.

116 Ibid.

117 Natalie Jesionka, "Social Justice for toddlers: These new books and programs start the conversation early," *Washington Post*, March 18, 2021, https://www.washingtonpost.com/lifestyle/2021/03/18/social-justice-antiracist-books-toddlers-kids/（April 9, 2021）.

118 Ibid.

119 "Sexual Ideology Indoctrination: The Equality Act's Impact on School Curriculum and Parental Rights," Heritage Foundation, May 15, 2019, https://www.heritage.org/civil-society/report/sexual-ideology-indoctrination-the-equality-acts-impact-school-curriculum-and（April 9, 2021）.

120 Ibid.

121 Ibid.

第5章　狂信的な「気候変動」論

1 George Reisman, *Capitalism*（Ottawa, IL: Jameson Books, 1990）, 19.

2 F. A. Hayek, *The Fatal Conceit: The Errors of Socialism*（Chicago: University of Chicago Press, 1988）, 6, 7（邦訳は『ハイエク全集第二期第一巻』所収の『致命的な思いあがり』、ハイエク著、西山千明監修、春秋社、二〇〇九年）.

3 Milton Friedman, *Capitalism and Freedom*（Chicago: University of Chicago Press, 2002）, 7, 8（邦訳は『資本

主義と自由』ミルトン・フリードマン著、村井章子訳、日経BP社、二〇〇八年）.

4 Ibid., 9.

5 Ibid., 10.

6 Reisman, 77.

7 Ibid.

8 Federico Demaria, Francois Schneider, Filka Sekulova, and Joan Martinez-Alier, "What Is Degrowth? From Activist Slogan to a Social Movement," *Environmental Values* 22, no. 1 (2013), 192.

9 Ibid., 194.

10 Ibid.

11 Mark R. Levin, *Plunder and Deceit* (New York: Threshold Editions, 2015), 112; Demaria, Schneider, Sekulova, and Martinez-Alier, "What is Degrowth?"

12 Mackenzie Mount, "Green Biz, Work Less to Live More," Sierra Club, March 6, 2014, https://www.sierraclub.org/sierra/2014-2-march-april/green-biz/work-less-live-more).

13 "Serge Latouche," famouseconomists.net, https://www.famouseconomists.net/serge-latouche (April 10, 2021).

14 Serge Latouche, *Farewell to Growth* (Cambridge: Polity Press, 2009), 89.

15 Ibid., 90–91.

16 Ibid., 31, 32.

17 George A. Gonzalez, "Urban Sprawl, Climate Change, Oil Depletion, and Eco-Marxism," in *Political Theory and Global Climate Change*, ed. Steve Vanderheiden (Cambridge, MA: MIT Press, 2008), 153.

18 Ibid.

19 Giorgos Kallis, *In Defense of Degrowth: Opinions and Minifestos* (Brussels: Uneven Earth Press, 2017), 10.

20 Ibid., 12.

21 Ibid., 13, 14.

22 Ibid., 71.

23 Ibid., 72.

24 Ayn Rand, *Return of the Primitive: The Anti-Industrial Revolution* (New York: Meridian, 1998), 280, 281.

25 Ibid., 282.

26 Ibid., 285.

27 Ibid.

28 Timothy W. Luke, “Climatologies as Social Critique: The Social Construction/Creation of Global Warming, Global Dimming, and Global Cooling,” in *Political Theory and Global Climate Change*, ed. Steve Vanderheiden (Cambridge, MA: MIT Press, 2008), 128.

29 Ibid., 145.

30 Rand, *Return of the Primitive*, 277.

31 Ibid., 278.

32 Luke, “Climatologies as Social Critique,” 145.

33 Karl Marx and Friedrich Engels, *The Communist Manifesto* (London: Soho Books, 2010) 21 (『共産党宣言』).

34 Rand, Return *of the Primitive*, 285, 286.

35 David Naguib Pellow, *What Is Critical Environmental Justice?* (Cambridge, U.K.: Polity Press, 2018), 4.

36 Ibid., 4, 5.

37 Ibid., 18.

38 Ibid., 18–19.

39 Ibid., 22.

40 Ibid., 23.

41 "Declaration of Independence: A Transcription," https://www.archives.gov/founding-docs/declaration-transcript (April 10, 2021).

42 Pellow, *What Is Critical Environmental Justice?*, 26, 30.

43 Ibid., 30, 31.

44 "The Margarita Declaration on Climate Change," July 15–18, 2014, https://redd-monitor.org/2014/08/08/the-margarita-declaration-on-climate-change-we-reject-the-implementation-of-false-solutions-to-climate-change-such-as-carbon-markets-and-other-forms-of-privatization-and-commodification-of-life/ (April 10, 2021).

45 Hayek, *The Fatal Conceit*, 8.

46 "The Margarita Declaration on Climate Change."

47 Thomas Sowell, *The Quest for Cosmic Justice* (New York: Touchstone, 1999), 99.

48 Ibid., 131, 132.

49 "The Margarita Declaration on Climate Change."

50 Ibid.

51 Reisman, *Capitalism*, 63.

52 Ibid., 65.

53 Ibid.

54 Ibid., 71.

55 Ibid.

56 "There is no climate emergency," Letter to United Nations Secretary General, September 23, 2019, https://clintel.nl/wp-content/uploads/2019/09/ecd-letter-to-un.pdf (April 10, 2021).

57 Ibid.

58 Ibid.

59 Ian Pilmer, "The Science and Politics of Climate Change," in *Climate Change: The Facts*, ed. Alan Moran (Woodsville, NH: Stockade Books, 2015), 10, 11.

60 Ibid., 21.

61 Ibid., 24, 25.

62 Patrick J. Michaels, "Why climate models are failing," in *Climate Change: The Facts*, 27.

63 Richard S. Lindzen, "Global warming, models and language," in *Climate Change: The Facts*, 38.

64 Robert M. Carter, "The scientific context," in *Climate Change: The Facts*, 81.

65 Ibid., 82.

66 H. Res. 109, 116th Cong. (2019–2020), https://www.congress.gov/bill/116th-congress/house-resolution/109 (April 10, 2021).

67 Milton Ezrati, "The Green New Deal and the Cost of Virtue," *Forbes*, February 2, 2019, https://www.forbes.com/sites/miltonezrati/2019/02/19/the-green-new-deal-and-the-cost-of-virtue/?sh=6fe12ccd3dec (April 10, 2021).

68 Ibid.

69 Ibid.

70 Ibid.

71 Kevin Dayaratna and Nicolas Loris, "A Glimpse of What the Green New Deal Would Cost Taxpayers," *Daily*

Signal, March 25, 2019, https://www.dailysignal.com/2019/03/25/a-glimpse-of-what-the-green-new-deal-would-cost-taxpayers/ (April 10, 2021).

72 Douglas Holtz-Eakin, Dan Bosch, Ben Gitis, Dan Goldbeck, and Philip Rossetti, "The Green New Deal: Scope, Scale, and Implications," American Action Forum, February 25, 2019, https://www.americanactionforum.org/research/the-green-new-deal-scope-scale-and-implications/ (April 10, 2021).

73 "Paris Agreement," November 2015, https://unfccc.int/files/meetings/paris_nov_2015/application/pdf/paris_agreement_english_.pdf (April 10, 2021).

74 "U.S. Declares China committing 'genocide' against Uighurs," Associated Foreign Press, January 19, 2021.

75 Ibid.

76 Barbara Boland, "Biden: China's Genocide of Uighurs Just Different Norms," *American Conservative*, February 18, 2021, https://www.theamericanconservative.com/state-of-the-union/biden-chinas-genocide-of-uighurs-just-different-norms/ (April 10, 2021).

77 Brian Zinchuk, "This is the executive order killing Keystone XL, citing the reasons why Biden did it," *Toronto Star*, January 20, 2021, https://www.thestar.com/news/canada/2021/01/20/this-is-the-executive-order-killing-keystone-xl-citing-the-reasons-why-biden-did-it.html (April 10, 2021).

78 "Fact Sheet: President Biden Takes Executive Actions to Tackle the Climate Crisis at Home and Abroad, Create Jobs, and Restore Scientific Integrity Across Federal Government," White House, January 27, 2021, https://www.whitehouse.gov/briefing-room/statements-releases/2021/01/27/fact-sheet-president-biden-takes-executive-actions-to-tackle-the-climate-crisis-at-home-and-abroad-create-jobs-and-restore-scientific-integrity-across-federal-government/ (April 10, 2021).

79 Megan Henney, "Progressives pressure Biden to pass $10T green infrastructure, climate justice bill,"

FoxBusiness, March 30, 2021, https://www.foxbusiness.com/economy/progressives-pressure-biden-green-infrastructure-climate-justice-bill (April 10, 2021).

80 "Pork wrapped in a stimulus," *Washington Times*, March 9, 2021, https://www.washingtontimes.com/news/2021/mar/9/editorial-democrats-coronavirus-stimulus-91-percen/ (April 10, 2021).

81 Brad Polumbo, "9 Crazy Examples of Unrelated Waste and Partisan Spending in Biden's $2 Trillion 'Infrastructure' Proposal," Foundation for Economic Education, March 31, 2021, https://fee.org/articles/9-crazy-examples-of-unrelated-waste-and-partisan-spending-in-biden-s-2t-infrastructure-proposal/ (April 10, 2021)
.

82 Katelyn Caralle, "AOC leads left's claim $2 trillion infrastructure bill is NOT enough," *Daily Mail*, March 31, 2021,

83 "Recognizing the duty of the Federal Government to implement an agenda to Transform, Heal, and Renew by Investing in a Vibrant Economy ('THRIVE')," S. Res.____, MUR21083, https://www.markey.senate.gov/imo/media/doc/ (2.8.2021)%20THRIVE.pdf (April 10, 2021).

84 Collin Anderson, "Progressives Push Biden to Include $10 Trillion Climate Plan in Infrastructure Package," *Washington Free Beacon*, March 31, 2021, https://freebeacon.com/policy/progressives-push-biden-to-include-10-trillion-climate-plan-in-infrastructure-package/ (April 10, 2021).

85 Michael Shellenberger, "Why California's Climate Policies Are Causing Electricity Blackouts," *Forbes*, August 15, 2020, https://www.forbes.com/sites/michaelshellenberger/2020/08/15/why-californias-climate-policies-are-causing-electricity-black-outs/?sh=43991d831591 (April 10, 2021).

86 Ibid.

87 "Understanding the Texas Energy Predicament," Institute for Energy Research, February 18, 2021, https://

www.instituteforenergyresearch.org/the-grid/understanding-the-texas-energy-predicament/ (April 10, 2021).
88 Ibid.
89 Ibid.
90 Benji Jones, "The Biden administration has a game-changing approach to nature conservation," *Vox*, May 7, 2021, https://www.vox.com/2021/5/7/22423139/biden-30-by-30-conservation-initiative-historic.
91 Mark R. Levin, *Plunder and Deceit* (New York: Threshold Editions, 2015), 111.

第6章　プロパガンダ、検閲、破壊活動

1 "Marx the Journalist, an Interview with James Ledbetter," *Jacobin*, May 5, 2018, https://www.jacobinmag.com/2018/05/karl-marx-journalism-writings-newspaper (April 11, 2021).
2 Ibid.
3 Ibid.
4 Ibid.
5 Ibid.
6 Richard M. Weaver, *Ideas Have Consequences* (Chicago: University of Chicago, 1948), 87–88.
7 Ibid., 88.
8 Ibid., 88, 89.
9 Ibid., 89–90.

10 Ibid., 101.

11 Edward Bernays, *Propaganda* (Brooklyn: IG, 1928), 52, 53（邦訳は『プロパガンダ』エドワード・バーネイズ著、中田安彦訳・解説、成甲書房、二〇一〇年）.

12 Ibid., 47–48.

13 Richard Gunderman, "The manipulation of the American mind — Edward Bernays and the birth of public relations," Phys.org, July 9, 2015, https://phys.org/news/2015-07-american-mindedward-bernays-birth.html（April 11, 2021）.

14 Harold Dwight Lasswell, *Propaganda Technique in the World War* (Boston: MIT Press, 1927), 221（邦訳は『宣伝技術と欧洲大戦』ハロルド・ラスウエル著、小松孝彰訳、高山書院、一九四〇年）.

15 Hannah Arendt, *The Origins of Totalitarianism* (Orlando: Harcourt, 1968), 352（『全体主義の起原』）.

16 Ibid., 353.

17 Mark R. Levin, *Ameritopia* (New York: Threshold Editions, 2012), 7, 8.

18 Daniel J. Boorstin, *The Image: A Guide to Pseudo-Events in America* (New York: Vintage Books, 1961), 35（邦訳は『幻影の時代　マスコミが製造する事実』ダニエル・J・ブーアスティン著、後藤和彦・星野郁美訳、東京創元社、一九六四年）.

19 Ibid.

20 Ibid.

21 Ibid., 37.

22 Ibid.

23 Ibid., 182, 183.

24 John Dewey, *Liberalism and Social Action* (Amherst, NY: Prometheus Books, 1935), 65–66.

25 Ibid., 66.

26 Michael Schudson, "What Public Journalism Knows about Journalism but Doesn't Know about 'Public,' " in *The Idea of Public Journalism*, ed. Theodore L. Glasser (New York: Guilford Press, 1999), 123.

27 Theodore Glasser, "The Ethics of Election Coverage," *Stanford Magazine*, October 2016, https://stanfordmag.org/contents/the-ethics-of-election-coverage (April 11, 2021).

28 Ibid.

29 Davis "Buzz" Merritt, *Public Journalism and Public Life: Why Telling the News Is Not Enough* (New York: Routledge, 1998), 96, 97.

30 Davis Merritt, "Stop Trump? But who will bell the cat?" *Wichita Eagle*, December 8, 2018, https://www.kansas.com/opinion/opn-columns-blogs/article48524730.html (April 11, 2021).

31 Ibid.

32 Merritt, *Public Journalism and Public Life*, 7.

33 Jay Rosen, *What Are Journalists For?* (New Haven, CT: Yale University Press, 1999), 20.

34 Ibid., 19–20.

35 Jay Rosen, "Donald Trump Is Crashing the System. Journalits Needs to Build a New One," *Washington Post*, July 13, 2016, https://www.washingtonpost.com/news/in-theory/wp/2016/07/13/donald-trump-is-crashing-the-system-journalists-need-to-build-a-new-one/ (April 11, 2021).

36 Ibid.

37 Martin Linsky, "What Are Journalists For?" *American Prospect*, November 14, 2001, https://prospect.org/features/journalists-for/ (April 11, 2021).

38 "Marx the Journalist, an Interview with James Ledbetter," *Jacobin*, May 5, 2018, https://www.jacobinmag.

com/2018/05/karl-marx-journalism-writings-newspaper (April 11, 2021).

39 Saul D. Alinsky, *Rules for Radicals: A Pragmatic Primer for Realistic Radicals* (New York: Vintage Books, 1971), xxii, xxiii.

40 Ibid., 130, 131, 133.

41 Chuck Todd, *Meet the Press*, December 30, 2018, https://www.nbcnews.com/meet-the-press/meet-press-december-30-2018-n951406 (April 11, 2021).

42 "Global Warming," mrcNewsBusters, https://www.newsbusters.org/issues-events-groups/global-warming (April 11, 2021).

43 Zach Goldberg, "How the Media Led the Great Racial Awakening," *Tablet*, August 4, 2020, https://www.tabletmag.com/sections/news/articles/media-great-racial-awakening (April 11, 2021).

44 Ibid.

45 Ibid.

46 Ibid.

47 Ted Johnson, "CNN Announces Expansion of Team Covering Race Beat," *Deadline*, July 13, 2020, https://deadline.com/2020/07/cnn-jeff-zucker-race-beat-1202984234/ (April 11, 2021).

48 Martin Luther King Jr., "I Have a Dream," 1963, *Encyclopaedia Britannica*, https://www.britannica.com/topic/I-Have-A-Dream (April 11, 2021).

49 Robert Henderson, "Tell Only Lies," *City Journal*, December 27, 2020, https://www.city-journal.org/self-censorship (April 11, 2021).

50 Ibid.

51 Ibid.

52 Ibid.

53 Eric Kaufmann, "Academic Freedom in Crisis: Punishment, Political Discrimination, and Self-Censorship," Center for the Study of Partisanship and Ideology, March 1, 2021, https://cspicenter.org/wp-content/uploads/2021/03/AcademicFreedom.pdf (April 11, 2021).

54 Kelsey Ann Naughton, "Speaking Freely: What Students Think about Expression at American Colleges," Foundation for Individual Rights in Education, October 2017, https://d28htnjz2elwuj.cloudfront.net/wp-content/uploads/2017/10/11091747/survey-2017-speaking-freely.pdf (April 11, 2021).

55 Diane Ravitch, *The Language Police: How Pressure Groups Restrict What Students Learn* (New York: Vintage, 2003), 3–4.

56 Ibid., 160.

57 Krystina Skurk, "Critical Race Theory in K–12 Education," RealClearPublicAffairs, https://www.realclearpublicaffairs.com/articles/2020/07/16/critical_race_theory_in_k-12_education_498969.html (April 11, 2021); Max Eden, "Critical Race Theory in American Classrooms," *City Journal*, September 18, 2020, https://www.city-journal.org/critical-race-theory-in-american-classrooms (April 11, 2021).

58 Todd Starnes, "Parents furious over school's plan to teach gender spectrum, fluidity," Fox News, May 16, 2015, https://www.foxnews.com/opinion/parents-furious-over-schools-plan-to-teach-gender-spectrum-fluidity (April 11, 2021).

59 Charles Fain Lehman, "American High Schools Go Woke," *Washington Free Beacon*, November 30, 2020, https://freebeacon.com/campus/american-high-schools-go-woke/ (April 11, 2021).

60 UN Climate Change Learning Platform, https://www.uncclearn.org/ (April 11, 2021).

61 Allison Graham, "Why Should Schools Teach Climate Education?" Medium.com, July 12, 2018, https://

medium.com/uncclearn/why-should-schools-teach-climate-education-f1e101ebc56e (April 11, 2021).

62 Ibid.

63 Charles Gasparino, "How corporations surrendered to hard-left wokeness," *New York Post*, February 13, 2021, https://nypost.com/2021/02/13/how-corporations-surrendered-to-hard-left-wokeness/ (April 11, 2021).

64 Ibid.

65 Brooke Kato, "What is cancel culture? Everything to know about the toxic online trend," *New York Post*, March 10, 2021, https://nypost.com/article/what-is-cancel-culture-breaking-down-the-toxic-online-trend/ (April 11, 2021).

66 "A Letter on Justice and Open Debate," *Harper's Magazine*, July 7, 2020, https://harpers.org/a-letter-on-justice-and-open-debate/ (April 11, 2021).

67 Heather Moon, "Top 10 Worst Cases of Big Tech Censorship in 2020," mrcNewsBusters, January 4, 2021, https://www.newsbusters.org/blogs/free-speech/heather-moon/2021/01/04/top-10-worst-cases-big-tech-censorship-2020 (April 11, 2021).

68 "FACEBOOK INSIDER LEAKS: Hours of Video of Zuckerberg & Execs Admitting They Have 'Too Much Power' . . . FB Wants to 'Work . . . with [Biden] on Some of Their Top Priorities' . . . 'Biden Issued a Number of Exec Orders . . . We as a Company Really Care Quite Deeply About,' " Project Veritas, January 31, 2021, https://www.projectveritas.com/news/facebook-insider-leaks-hours-of-video-of-zuckerberg-and-execs-admitting-they/ (April 11, 2021).

69 Ibid.

70 Allum Bokhari, "Exclusive: Unreleased Federal Report Concludes 'No Evidence' that Free Speech Online 'Causes Hate Crimes,' " Breitbart, March 3, 2021, citing "The Role of Information and Communication

Technologies in Hate Crimes: An Update to the 1993 Report," U.S. Department of Commerce, https://www.slideshare.net/AllumBokhari/ntia-hate-crimes-report-january-2021/1 (April 11, 2021).

71 Ibid.

72 Emily Jacobs, "Democrats demand more censorship from Big Tech bosses," *New York Post*, November 18, 2020, https://nypost.com/2020/11/18/democrats-use-big-tech-hearings-to-demand-more-censorship/ (April 11, 2021).

73 "The War on Free Speech," *Pittsburgh Post-Gazette*, January 26, 2021, https://www.post-gazette.com/opinion/editorials/2021/01/26/The-war-on-free-speech-Parler-Social-Media-technology/stories/202101140041 (April 11, 2021).

74 Krystal Hur, "Big tech employees rally behind Biden campaign," Opensecrets.org, January 12, 2021, https://www.opensecrets.org/news/2021/01/big-tech-employees-rally-biden/ (April 11, 2021).

75 Ari Levy, "Here's the final tally of where tech billionaires donated for the 2020 election," CNBC, November 2, 2020, https://www.cnbc.com/2020/11/02/tech-billionaire-2020-election-donations-final-tally.html (April 11, 2021).

76 Chuck Ross, "Biden Has Ties to 5 Major Tech Companies," *Daily Caller*, January 10, 2021, https://dailycaller.com/2021/01/10/biden-big-tech-apple-facebook-trump-parler/ (April 11, 2021).

77 Ryan Lizza, Daniel Lippman, and Meridith McGraw, "AOC wants to cancel those who worked for Trump. Good luck with that, they say," *Politico*, November 9, 2020, https://www.politico.com/news/2020/11/09/aoc-cancel-worked-for-trump-435293 (April 11, 2021).

78 Representatives Anna G. Eshoo and Jerry McNerney, "February 22, 2021 Letter to Mr. John T. Stankey," https://www.justsecurity.org/wp-content/uploads/2021/06/Jan6-Clearinghouse-Eshoo-and-McNerney-Heads-

of-TV-Channel-Distributors-re-Fox-News-Newsmax-and-OANN-Feb-22-2021.pdf.

79 Andrew Kerr, "Media Matters Study on Fox News 'Misinformation' Is Riddled with Misrepresentations, Flagged Objectively True Statements," *Daily Caller*, February 22, 2021, https://dailycaller.com/2021/02/22/media-matters-fox-news-disinformation/ (April 11, 2021).

80 Eshoo and McNerney, "February 22, 2021 Letter to Mr. John T. Stankey."

81 Tom Elliot, "Now CNN's @oliverdarcy is going after cable companies for carrying Fox News," Twitter, January 8, 2021 (screenshot of @oliverdarcy), https://twitter.com/tomselliott/status/1347465189252341764?lang=en (April 11, 2021).

82 Ibid.

83 Alinsky, *Rules for Radicals*, 130.

84 Nicholas Kristoff, "Can We Put Fox News on Trial with Trump?" *New York Times*, February 10, 2021, https://www.nytimes.com/2021/02/10/opinion/fox-news-accountability.html (April 11, 2021).

85 Ibid.

86 Ibid.

87 Ibid.

88 Harry Hodgkinson, *Double Talk: The Language of Communism* (London: George Allen & Unwin, 1955), v, vi.

89 Ibid., 44.

90 Ibid., 122.

第7章　私たちは自由を選ぶ！

1　J. Christian Adams, "Read the Shocking Pentagon Training Materials Targeting Conservatives in the Military," PJ Media, March 22, 2021, https://pjmedia.com/jchristianadams/2021/03/22/read-the-pentagon-training-materials-targeting-conservatives-in-the-military-n1434071 (April 22, 2021); "Reversing Trump, Pentagon to release new transgender policy," Associated Press, March 31, 2021, https://www.foxnews.com/us/reversing-trump-pentagon-new-transgender-policy (April 22, 2021).

2　Charles Creitz, "Rep. Waltz slams West Point 'White rage' instruction: Enemy's ammo 'doesn't care about race, politics,' " Fox News, April 8, 2021, https://www.foxnews.com/politics/rep-michael-waltz-slams-west-point-white-rage-instruction-enemys-ammo-doesnt-care-about-race-politics (April 22, 2021).

3　Aaron Mehta, "Climate change is now a national security priority for the Pentagon," *DefenseNews*, January 27, 2021, https://www.defensenews.com/pentagon/2021/01/27/climate-change-is-now-a-national-security-priority-for-the-pentagon/ (April 22, 2021).

4　"Facts and Figures," National Law Enforcement Officers Memorial Fund, https://nleomf.org/facts-figures (April 22, 2021).

5　Jeffrey James Higgins, "Enough of the lying — just look at the data. There's no epidemic of racist police officers killing black Americans," *Law Enforcement Today*, June 26, 2020, (April 22, 2021).

6　Victor Davis Hanson, "Obama: Transforming America," RealClearPolitics, October 1, 2013, https://www.

realclearpolitics.com/articles/2013/10/01/obama_transforming_america_120170.html (April 22, 2021).

7 "Less Policing = More Murders," Law Enforcement Legal Defense Fund, http://www.policedefense.org/wp-content/uploads/2021/04/Depolicing_April14.pdf (April 22, 2021).

8 George Thomas, "Demoralized and Demonized: Police Departments Face 'Workforce Crisis' as Officers Leave in Droves," CBN News, September 9, 2020, https://www2.cbn.com/cbnnews/us/demoralized-and-demonized-police-departments-face-workforce-crisis-as-officers-leave-in-droves (April 22, 2021).

9 Jack Kelly, "Cities Will See Citizens Flee, Fearing Continued Riots and the Reemergence of Covid-19," *Forbes*, June 2, 2020, https://www.forbes.com/sites/jackkelly/2020/06/02/cities-will-see-citizens-flee-fearing-continued-riots-and-the-reemergence-of-covid-19/?sh=627a0593d30d (April 22, 2021).

10 Dave Huber, "National Education Association reps show support for abortion, 'white fragility,' " College Fix, July 13, 2019, https://www.thecollegefix.com/national-education-association-reps-show-support-for-abortion-white-fragility/ (April 22, 2021).

11 Ashley S. Boyd and Janine J. Darragh, "Teaching for Social Justice: Using All American Boys to Confront Racism and Police Brutality," American Federation of Teachers, Spring 2021, https://www.aft.org/ae/spring2021/boyd_darragh (April 22, 2021).

12 Jonathan Butcher and Mike Gonzalez, "Critical Race Theory, the New Intolerance, and Its Grip on America," Heritage Foundation, December 7, 2020, https://www.heritage.org/sites/default/files/2020-12/BG3567.pdf (April 22, 2021), 15.

13 Ibid., 16.

14 Ibid., 18.

15 Jackson Elliott, "Parents too afraid to oppose critical race theory in schools, says activist," *Christian Post*,

January 25, 2021, https://www.christianpost.com/news/parents-too-afraid-to-oppose-crt-in-schools-says-activist.html (April 22, 2021).

16 Jay Schalin, "The Politicization of University Schools of Education: The Long March through the Education Schools," James G. Marin Center for Academic Renewal, February 2019, https://files.eric.ed.gov/fulltext/ED594180.pdf (April 22, 2021), 1.

17 Ibid., 94.

18 Lily Zheng, "We're Entering the Age of Corporate Social Justice," *Harvard Business Review*, June 15, 2020, https://hbr.org/2020/06/were-entering-the-age-of-corporate-social-justice (April 22, 2021).

19 Dan McLaughlin, "The Party in Power Is Directing a Corporate Conspiracy against Its Political Opposition," *National Review*, April 13, 2021, https://www.nationalreview.com/2021/04/the-party-in-power-is-directing-a-corporate-conspiracy-against-its-political-opposition/ (April 22, 2021).

20 Zachary Evans, "Amazon, Google Join Hundreds of American Corporations in Signing Letter Opposing Voting Limits," *National Review*, April 14, 2021, https://www.nationalreview.com/news/amazon-google-join-hundreds-of-american-corporations-in-signing-letter-opposing-voting-limits/ (April 22, 2021).

21 Phill Kline, "How Mark Zuckerberg's $350 million threatens democracy," *Washington Examiner*, October 21, 2020, https://www.msn.com/en-us/news/politics/how-mark-zuckerbergs-dollar350-million-threatens-democracy/ar-BB1afARG (April 22, 2021); J. Christian Adams, "The Real Kraken: What Really Happened to Donald Trump in the 2020 Election," PJ Media, December 2, 2020, https://pjmedia.com/jchristianadams/2020/12/02/the-real-kraken-what-really-happened-to-donald-trump-in-the-2020-election-n1185494 (April 22, 2021).

22 Mark R. Levin, *Liberty and Tyranny* (New York: Threshold Editions, 2009), 195.

23 Thomas Paine, *The American Crisis*, ed. Steve Straub, The Federalist Papers Project, https://thefederalistpapers.org/wp-content/uploads/2013/08/The-American-Crisis-by-Thomas-Paine-.pdf (April 22, 2021) 5.

24 Ibid., 8.

25 Saul D. Alinsky, Rules for Radicals: *A Pragmatic Primer for Realistic Radicals* (New York: Vintage Books, 1971), 130.

26 Ibid., 131.

27 Sam Dorman, "Nevada charter school's students were instructed to link aspects of their identity with oppression: Lawsuit," Fox News, December 23, 2020, https://www.foxnews.com/us/lawsuit-nevada-race-christianity-william-clark (April 22, 2021); Chris F. Rufo, tweet, January 20, 2021, https://twitter.com/realchrisrufo/status/1352033792458776578?lang=en (April 22, 2021).

28 Jeff Archer, "Complaints Point Up 'Murky' Areas in Union Activism," *Education Week*, November 1, 2000, https://www.edweek.org/teaching-learning/complaints-point-up-murky-areas-in-union-activism/2000/11 (April 25, 2021); Dave Kendrick, "Landmark Sues Fla., N.J. Unions for Tax Violations," National Legal and Policy Center, January 17, 2005, (April 25, 2021).

29 John M. Ellis, *The Breakdown of Higher Education* (New York: Encounter Books, 2020), 30, 31.

30 Mark R. Levin, *Plunder and Deceit* (New York: Threshold Editions, 2015), 87, 88.

31 Alana Mastrangelo, "Top 10 Craziest Attacks on Campus Conservatives of 2019," Breitbart, January 1, 2020, https://www.breitbart.com/tech/2020/01/01/top-10-craziest-attacks-on-campus-conservatives-of-2019/ (April 22, 2021).

32 Spencer Brown, "Conservative Voices Once Again Excluded from Commencement Season," Young

America's Foundation, June 16, 2020, https://www.yaf.org/news/conservative-voices-once-again-excluded-from-commencement-season/ (April 22, 2021).

33 Anya Kamenetz and Eric Westervelt, "Fact-Check: Bernie Sanders Promises Free College. Will It Work?" NPR, February 17, 2016, https://www.npr.org/sections/ed/2016/02/17/466730455/fact-check-bernie-sanders-promises-free-college-will-it-work (April 22, 2021).

34 Lilah Burke, "A Big Budget from Biden," *Inside Higher Education*, April 12, 2021, https://www.insidehighered.com/news/2021/04/12/bidens-proposed-budget-increases-funding-pell-hbcus-research (April 22, 2021).

35 Stuart Shepard and James Agresti, "Government Spending on Education Is Higher than Ever. And for What?" Foundation for Economic Education, March 1, 2018, https://fee.org/articles/government-spending-on-education-is-higher-than-ever-and-for-what/ (April 22, 2021).

36 Winfield Myers, "Time to End Hostile Powers' Influence Operations at American Universities," *American Spectator*, February 16, 2021, https://spectator.org/confucius-institute-foreign-influence-american-universities/ (April 22, 2021).

37 Christian Nunley, "Senate approves bill to tighten controls on Chinafunded Confucius Institutes on U.S. university campuses," CNBC, March 5, 2021, https://www.cnbc.com/2021/03/05/us-senate-approves-bill-against-china-funded-confucius-institutes.html (April 22, 2021).

38 Ayn Rand, *Return of the Primitive: The Anti-Industrial Revolution* (London: Meridian, 1970), 283.

39 Aaron Morrison, "AP Exclusive: Black Lives Matter opens up about its finances," Associated Press, February 23, 2021, https://apnews.com/article/black-lives-matter-90-million-finances-8a80cad199f54c0c4b9e74283d27366f (April 22, 2021).

40 Wendell Husebo, "200 Companies Oppose Voter ID Laws—Many Require IDs for Use of Service," Breitbart, April 5, 2021, https://www.breitbart.com/politics/2021/04/05/200-companies-oppose-voter-id-laws-many-require-ids-for-use-of-service/ (April 22, 2021).

41 Joanna Williams, "The racism racket: Diversity training in the workplace and beyond is worse than useless," Spiked, April 9, 2021, https://www.spiked-online.com/2021/04/09/the-racism-racket/ (April 22, 2021).

42 Megan Fox, "Trump Bans Companies That Use 'Critical Race Theory' from Getting Govt. Contracts," PJ Media, September 23, 2020, https://pjmedia.com/news-and-politics/megan-fox/2020/09/23/trump-bans-companies-that-use-critical-race-theory-from-getting-govt-contracts-n958223 (April 22, 2021).

43 Lachlan Markay, "Republican leaders raked in sizable donations from grassroots supporters," *Axios*, April 18, 2021, (April 22, 2021); Alex Gangitano, "Tom Cotton: Chamber of Commerce is 'a front service for woke corporations,' " Hill, March 16, 2021, (April 22, 2021).

44 Neil Munro, "New York Times: Wall Street Backs Joe Biden," Breitbart, August 9, 2020, https://www.breitbart.com/2020-election/2020/08/09/new-york-times-wall-street-backs-joe-biden/ (April 22, 2021).

45 Chuck Ross, "Biden Has Ties to 5 Major Tech Companies," *Daily Caller*, January 10, 2021, https://dailycaller.com/2021/01/10/biden-big-tech-apple-facebook-trump-parler/ (April 22, 2021).

46 Michael Bloomberg, "US CEOs sign statement against 'discriminatory' voting laws," AFP, April 14, 2021, ; Sophie Mann, "CEOs answer the call of the woke by pivoting to 'stakeholder' capitalism," *Just the News*, April 24, 2021, https://justthenews.com/politics-policy/finance/hold-ceos-answer-call-woke-changing-their-goals-and-pivoting-stakeholder (April 25, 2021).

47 "Here Are the Fortune 500 Companies Doing Business in Xinjiang," ChinaFile, October 2, 2018, https://www.chinafile.com/reporting-opinion/features/here-are-fortune-500-companies-doing-business-xinjiang (April

25, 2021).

48 Tom Mitchell, Thomas Hale, and Hudson Lockett, "Beijing and Wall Street deepen ties despite geopolitical rivalry," *Financial Times*, October 26, 2020, https://www.ft.com/content/8cf19144-b493-4a3e-9308-183bbcc6e76e (April 25, 2021).

49 Houston Keene, "Companies ripping Georgia do business in China, silent on human rights violations," Fox Business, April 1, 2021, https://www.foxbusiness.com/politics/georgia-bill-criticized-delta-apple-coca-cola-silent-china-uyghur-genocide (April 25, 2021).

50 Saphora Smith, "China forcefully harvests organs from detainees, tribunal concludes," NBC News, June 18, 2019, https://www.nbcnews.com/news/world/china-forcefully-harvests-organs-detainees-tribunal-concludes-n1018646 (April 25, 2021).

51 Emma Graham-Harrison, "China has built 380 internment camps in Xinjiang, study finds," *Guardian*, September 23, 2020, https://www.theguardian.com/world/2020/sep/24/china-has-built-380-internment-camps-in-xinjiang-study-finds (April 25, 2021).

52 Alex Winter, "LIVING HELL: China has locked up 8 MILLION people in terrifying 're-education' camps in last six years, leaked docs reveal," *U.S. Sun*, September 18, 2020, https://www.the-sun.com/news/us-news/1495061/china-document-8-million-training-detention-camps/ (April 25, 2021).

53 "Church leaders seek Home Depot boycott on Georgia voting law," *Canadian Press*, April 21, 2021.

54 Evie Fordham, "Goya 'buy-cott' begins as customers load up on product after Trump backlash," Fox Business, July 12, 2020, https://www.foxbusiness.com/markets/goya-food-sales-trump-controversy (April 25, 2021).

55 Mann, "CEOs answer the call of the woke by pivoting to 'stakeholder' capitalism."

56 John Binder, "Wall Street, Corporations Team Up with Soros-Funded Group to Pressure States Against Election Reforms," Breitbart, April 13, 2021, https://www.breitbart.com/politics/2021/04/13/wall-street-corporations-team-up-with-soros-funded-group-to-pressure-states-against-election-reforms/ (April 25, 2021).

57 David Aaro, "Ron DeSantis pushes bill aimed to take power away from Big Tech," Fox News, February 16, 2021, https://www.foxnews.com/tech/desantis-pushes-bill-to-aimed-to-take-power-away-from-big-tech (April 25, 2021).

58 Rachel Bovard, "Section 230 protects Big Tech from lawsuits. But it was never supposed to be bulletproof," *USA Today*, December 13, 2020, https://www.usatoday.com/story/opinion/2020/12/13/section-230-big-tech-free-speech-donald-trump-column/3883191001/ (April 25, 2021).

59 Ibid.

60 John Solomon, "Zuckerberg money used to pay election judges, grow vote in Democrat stronghold, memos reveal," *Just the News*, October 20, 2020, https://justthenews.com/politics-policy/elections/memos-show-zuckerberg-money-used-massively-grow-vote-democrat-stronghold (April 25, 2021); Libby Emmons, "BREAKING: Project Veritas exposes Google manager admitting to election interference," *Post Millennial*, October 19, 2020, https://thepostmillennial.com/breaking-project-veritas-exposes-google-manager-admitting-to-election-influence (April 25, 2021).

61 そこに掲載されている大半の企業とは違い、私が日曜日の番組で司会を務めているフォックス・ニュース・チャンネルやフォックス・ビジネス・チャンネルなど、フォックス・ニュースのプラットフォームは、フォックス自身が創設したものであり、買収したものではない。

62 Levin, *Liberty and Tyranny*, 114.

63 Ibid., 115.

64 Maydeen Merino, " 'Net Zero Is Not Enough': John Kerry Says We Need to Remove Carbon Dioxide from the Atmosphere," *Daily Caller*, April 22, 2021, https://dailycaller.com/2021/04/22/john-kerry-remove-carbon-atmosphere-leaders-summit-climate-change/ (April 25, 2021).

65 "The Government Is on My Property. What Are My Rights?" Owners' Counsel of America, April 11, 2016, https://www.ownerscounsel.com/the-government-is-on-my-property-what-are-my-rights/ (April 25, 2021).

66 Wilson P. Dizard, "Lamberth finds EPA in contempt for e-document purge," GCN, July 25, 2003, https://gcn.com/articles/2003/07/25/lamberth-finds-epa-in-contempt-for-edocument-purge.aspx (April 25, 2021).

67 Melissa Quinn, "21 states sue Biden for revoking Keystone XL pipeline permit," CBS News, March 18, 2021, https://www.cbsnews.com/news/keystone-pipeline-21-states-sue-biden/ (April 25, 2021).

68 Teny Sahakian, "NY Times ignores 18 deaths, nearly $2 billion in damage when bashing GOP bills targeting rioters," Fox News, April 23, 2021, https://www.foxnews.com/us/ny-times-ignores-18-deaths-nearly-2-billion-dollars-in-damage-when-bashing-gop-bills-targeting-rioters (April 25, 2021).

69 Josh Gerstein, "Leniency for defendants in Portland clashes could affect Capitol riot cases," *Politico*, April 14, 2021, https://www.politico.com/news/2021/04/14/portland-capitol-riot-cases-481346 (April 25, 2021).

70 "Governor Ron DeSantis Signs Hallmark Anti-Rioting Legislation Taking Unapologetic Stand for Public Safety," Office of the Governor press release, April 19, 2021, https://www.flgov.com/2021/04/19/what-they-are-saying-governor-ron-desantis-signs-hallmark-anti-rioting-legislation-taking-unapologetic-stand-for-public-safety/ (April 25, 2021).

71 "Racketeer Influenced and Corrupt Organizations (RICO) Law," Justia.com, https://www.justia.com/criminal/docs/rico/ (April 25, 2021).

72 Meira Gebel, "The story behind Thousand Currents, the charity that doles out the millions of dollars Black

Lives Matter generates in donations," ***Insider***, June 25, 2020, https://www.insider.com/what-is-thousand-currents-black-lives-matter-charity-2020-6 (April 25, 2021).

73 Morrison, "AP Exclusive: Black Lives Matter opens up about its finances"; "Black Lives Matter Global Network Foundation," Influence Watch, https://www.influencewatch.org/non-profit/black-lives-matter-foundation/ (April 25, 2021).

74 N'dea Yancy-Bragg, "Americans' confidence in police falls to historic low, Gallup poll shows," *USA Today*, August 12, 2020, https://www.usatoday.com/story/news/nation/2020/08/12/americans-confidence-police-falls-new-low-gallup-poll-shows/3352910001/ (April 25, 2021).

75 John R. Lott, "Data Undercuts Myth of 'Racism' in Police Killings," RealClearPolitics, April 22, 2021, https://www.realclearpolitics.com/articles/2021/04/22/data_undercuts_myth_of_racism_in_police_killings_145640.html (April 25, 2021); John R. Lott and Carlisle E. Moody, "Do White Police Officers Unfairly Target Black Suspects?" SSRN, June 3, 2020, https://papers.ssrn.com/sol3/papers.cfm?abstract_id=2870189 (April 25, 2021); Ryan Saavedra, "Mac Donald: Statistics Do Not Support the Claim of 'Systemic Police Racism,' " *Daily Wire*, June 3, 2020, https://www.dailywire.com/news/mac-donald-statistics-do-not-support-the-claim-of-systemic-police-racism (April 25, 2021).

76 Jason Johnson, "Why violent crime surged after police across America retreated," *USA Today*, April 9, 2021, https://www.usatoday.com/story/opinion/policing/2021/04/09/violent-crime-surged-across-america-after-police-retreated-column/7137565002/ (April 25, 2021).

77 Morgan Phillips, " 'Justice in Policing Act': What's in the Democratic police reform bill," Fox News, June 8, 2020, https://www.foxnews.com/politics/justice-in-policing-act-whats-in-the-democratic-police-reform-bill (April 25, 2021).

78 Luke Barr, “US police agencies having trouble hiring, keeping officers, according to a new survey,” ABC News, September 17, 2019, https://abcnews.go.com/Politics/us-police-agencies-trouble-hiring-keeping-officers-survey/story?id=65643752（April 25, 2021）.

79 Lieutenant Dan Marcou, “You can sue: Cops’ legal recourse against assailants and others,” Police1.com, June 8, 2016, https://www.police1.com/legal/articles/you-can-sue-cops-legal-recourse-against-assailants-and-others-YWtiK8fzBSZBNwfc/（April 25, 2021）.

装丁／井上新八
翻訳協力／株式会社リベル
校正／株式会社みね工房
組版／株式会社キャップス

[著者紹介]
マーク・R・レヴィン
全米ネットのラジオ番組を持つ司会者、人気著述家、弁護士。テレビの討論番組『Levin TV』やフォックス・ニュースの政治トーク番組『Life, Liberty & Levin』の司会者でもある。保守団体ランドマーク・リーガル・ファウンデーションの会長。著書『Liberty and Tyranny』『Plunder and Deceit』『Rediscovering Americanism』『Ameritopia』『The Liberty Amendments』で、ニューヨーク・タイムズ・ベストセラー第1位を獲得、『Liberty and Tyranny』は3カ月間1位を守り、全米で150万部以上を売り上げた。「全米ラジオの殿堂」入りを果たし、レーガン政権で最高顧問を務めた経験を持つ。テンプル大学卒業、テンプル大学ロースクールで博士号取得。

[訳者紹介]
山田美明（やまだ・よしあき）
英語・フランス語翻訳家。訳書に『つくられた格差――不公平税制が生んだ所得の不平等』『24歳の僕が、オバマ大統領のスピーチライターに?!』（以上、光文社）、『スティグリッツ PROGRESSIVE CAPITALISM』（東洋経済新報社）、『喰い尽くされるアフリカ――欧米の資源略奪システムを中国が乗っ取る日』（集英社）、『大衆の狂気』（徳間書店）など多数。